D0260945

Op de proef gesteld

De jaren in Riverhaven

BJ Hoff

Uitgeverij Het Zoeklicht
Postbus 99
3940 AB Doorn

Op de proef gesteld is het tweede deel van de serie *De jaren in Riverhaven*. Het eerste deel is *Rachels geheim*.

Omslagontwerp: Koechel Peterson & Associates, Inc., Minneapolis, Minnesota
Omslagfoto's © iStockphoto; Fotolia; Dreamstime; Photos.com

Engelse uitgave:

WHERE GRACE ABIDES
Copyright © 2009 by BJ Hoff
Published by Harvest House Publishers, Eugene, Oregon, 97402, U.S.A.
www.harvesthousepublishers.com

Nederlandse uitgave:

© 2011 Uitgeverij Het Zoeklicht – Doorn

ISBN 9789064511417

Vertaling: D. van der Schaaf
Opmaak: TMgraphics.nl

DANKWOORD

Mijn voortdurende dank gaat uit naar de gehele uitgeversgroep van Harvest House Publishers. Er is een verrassend aantal personen voor nodig om een boek op de markt te brengen. Deze getrouwe mensen stellen hun vele en gevarieerde talenten ter beschikking om elk boek dat ze publiceren uitmuntend te maken en de God die ze dienen te eren. Ik ben elk van jullie blijvend dankbaar voor alle moeite die jullie doen om de boeken die ik schrijf zo goed mogelijk te maken. Als ik zou proberen ieder van jullie bij name te noemen, dan zou ik zeker iemand vergeten, maar jullie weten wie jullie zijn – en ik hoop dat jullie weten hoezeer ik jullie waardeer. Het schrijven van een boek kan een lang en stressvol proces zijn. Het kan ook een eenzaam proces zijn, ware het niet dat ik gaandeweg zoveel hulp en bemoediging heb ontvangen.

Een warm woord van dank en waardering voor Nick Harrison, mijn oneindig geduldige en bemoedigende redacteur. Ik kan niet eens beginnen met het noemen van alle bijdragen die je zo enthousiast aan mijn boeken levert. Ik hoop echt dat mijn lezers zich er op de een of andere manier van bewust zouden kunnen zijn hoeveel een redacteur als Nick aan een roman bijdraagt. Ik *ben* me er voortdurend van bewust en ben er uitermate dankbaar voor.

Aan Shane White, geweldige stimulans en onvermoeibare aanmoediger – dank je wel voor je onwankelbare optimisme en je geloof in je schrijvers. Je bent onze held.

Aan Janet K. Grant, mijn geduldige en lankmoedige impresario die het lied 'Wind Beneath My Wings' een nieuwe betekenis verschaft. Ik ben zo dankbaar voor je, en je weet waarom.

Aan mijn familie – elke dierbare persoon ervan – jullie hebben zoveel jaren lang wat ik doe niet alleen mogelijk gemaakt, maar ook in alle opzichten makkelijker. Ik ben ontzettend gezegend en dat vergeet ik nooit.

En aan mijn lezers, laat me tegen jullie zeggen wat ik al vele malen eerder heb gezegd. Voor elke brief en e-mail waarvoor jullie de moeite hebben genomen, voor elk gebed dat jullie voor mij hebben uitgesproken, voor het lezen van mijn verhalen en het delen van mijn hart – God zegene jullie.

Proloog

De waarheid onder ogen zien

Als het mogelijk zou zijn om tussen de poorten des levens te gaan staan,
en vandaar al Gods werken te aanschouwen,
dan zagen we al zijn twijfels en conflicten aan,
en zouden de mysteriën des levens zich voor onze ogen ontvouwen.
Maar niet vandaag. Wees dus tevreden, arme zielen!
Als witte lelies zullen Gods plannen groeien;
we moeten de gesloten blaadjes niet opentrekken en vernielen.
De tijd zal de gouden kelken vanzelf doen ontbloeien.

MARY RILEY SMITH

Amish gemeenschap vlak bij Riverhaven, Ohio
De zomer van 1856

De waarheid lag als een steen op haar maag.

Rachel staarde uit het raam naar de schemering van de vroege avond die zich uitstrekte over de weilanden en lange, donkere schaduwen veroorzaakte die de herfst al aankondigden. Af en toe viel om deze tijd een eenzame stilte over het land, alleen verbroken door het geluid van tsjirpende krekels, incidenteel een blaffende hond en in de verte de echo van de kolkende rivier, stromend naar andere plaatsen die ze nooit zou zien.

Hij had haar in het begin van de lente zijn liefde verklaard. Hij had gezegd dat hij een manier zou vinden om met haar te trouwen. Hij had haar ten huwelijk gevraagd en haar zelfs doen geloven dat hij bereid was om als Amish verder te leven als zij hem als man wilde hebben.

'Als jij niet Amish was en ik niet *Englisch*,' had hij gezegd, 'zou je dan met me trouwen?'

En ze had *ja* gezegd. Omdat ze van hem hield. Ze hield meer van Jeremiah Gant dan van het leven zelf.

Twee gelukzalige maanden lang had ze ook echt geloofd dat het zou kunnen gebeuren. Ze had als een verliefde puber met haar hoofd in de wolken rondgelopen. Er waren nauwelijks gedachten in haar opgekomen die hem niet omvatten en het was bijna onmogelijk geweest om zelfs niet met haar moeder over haar groeiende liefde voor hem te praten.

Natuurlijk maakte haar moeders eigen nieuwe relatie met dokter Sebastian het makkelijker voor Rachel om haar mond te houden. Op enig ander moment zou haar moeders scherpe blik de kleinste verandering in het leven van haar kinderen hebben opgemerkt en zou de rusteloosheid van haar oudste dochter of de bijna misselijkmakende blijdschap die haar op de meest onverwachte momenten deed glimlachen, haar zeker zijn opgevallen.

En Susan Kanagy had zo haar manieren om te ontdekken wat er gaande was in de levens van haar kroost.

O, het was zo moeilijk geweest! Soms moest Rachel zichzelf bedwingen om niet hardop uit te roepen dat ze van Jeremiah Gant hield en hij van haar. Voor het eerst sinds het overlijden van Eli – nu vier jaar geleden – had ze het gevoel dat ze weer leefde, opnieuw in de stralende zon in plaats van in de schaduw.

Maar de Amish spraken niet over hun verliefdheid of relatie, zelfs niet binnen de eigen familie, totdat de bruiloft twee weken van tevoren werd aangekondigd. Zelfs een traditionele verkering tussen twee jonge Amish werd normaal gesproken geheim gehouden. Het stel kon meestal alleen maar na zonsondergang bij elkaar zijn. En als hun rendez-vous al door hun ouders of andere familieleden werd opgemerkt, dan veinsden die niets in de gaten te hebben.

De liefde tussen Rachel en Jeremiah was allesbehalve 'traditioneel'. Sterker nog, Rachel kon uit de gemeenschap worden verbannen vanwege haar liefde voor een *auslander*. De voormalige rivierboot-kapitein had een goede reputatie onder de Amish. Maar ondanks dat zou ze grote problemen krijgen met de leiders van de kerk als bekend werd dat ze hem had toegestaan zijn liefde voor haar te tonen – ze had zich door hem in de armen laten nemen, hoewel slechts vluchtig – en dat ze van hem hield. Ze zou bijna zeker gestraft worden met de *Meidung* – de verbanning.

Amish trouwden met Amish, daar werden geen uitzonderingen op gemaakt.

Zelfs mama en dokter Sebastian spraken nooit openlijk over de aan zekerheid grenzende waarschijnlijkheid dat ze zouden gaan trouwen. David Sebastian was al jarenlang de dokter van de gehele gemeenschap en werd met zeer veel respect en vriendschap behandeld. Maar totdat hij 'zichzelf had bewezen' door onder hen te leven, hun taal te leren en in elk mogelijk opzicht blijk te geven van zijn oprechte intentie om zich tot het geloof van de Amish te bekeren, zouden de momenten die hij en mama met elkaar door konden brengen zeldzaam en in het geheim zijn.

Maar het besluit van dokter Sebastian om Amish te worden, kon tenminste worden gezien door iedereen die hem kende en de kerkleiding had zijn bekering goedgekeurd.

Jeremiah was een heel ander verhaal.

Rachel had hem maar één keer gezien in de afgelopen drie weken, in de timmerwerkplaats die hij van Karl Webber had gekocht. Maar haar broer, die voor Jeremiah werkte, was er de hele tijd bij geweest. Gideon had ongetwijfeld gedacht dat Rachel alleen was gekomen om hem te bezoeken en dat durfde ze uiteraard niet te weerleggen.

Niet dat ze niet altijd blij was om haar broer te zien, vooral sinds hij de gemeenschap had verlaten om zijn eigen weg te vinden. Toch had ze gehoopt op ten minste een paar minuutjes alleen met Jeremiah. Maar wat had ze eigenlijk willen bereiken als het haar was gelukt om hem alleen te spreken?

Ze kon moeilijk rechtstreeks vragen of zijn gevoelens voor haar waren veranderd, ook al was dat precies waar ze bang voor was. Hij had in elk geval niets gedaan om haar op andere gedachten te brengen. Hij had geen enkele poging gedaan om haar alleen te zien en voor zover ze wist had hij de eerste stap om zelf ook Amish te worden nog niet genomen – hun enige hoop om ooit als man en vrouw samen te kunnen leven.

Hij wist dat zij de gemeenschap nooit zou verlaten en had beloofd dat nooit van haar te zullen vragen en zichzelf aan te passen. Maar voor zover Rachel wist, had hij daar nog niets voor gedaan.

Was het mogelijk dat ze onredelijk was? Jeremiah wist tenslotte dat het voor haar verboden was om alleen met hem te zijn. Kon het zo zijn dat hij haar alleen maar probeerde te beschermen door op afstand te blijven?

En hoe kon ze er zo zeker van zijn dat hij *niet* met de leiders sprak over de mogelijkheid van bekering? Misschien hadden ze hem gewoon nog geen antwoord gegeven.

Al haar pogingen om hun situatie te analyseren, leverden nauwelijks enige geruststelling op. Inmiddels liep het al tegen augustus en nog steeds leek er niets te zijn veranderd. Er waren ruim vier maanden verstreken en hun relatie was nog precies hetzelfde als in april.

De vragen, de twijfels en de schijnbaar eindeloze wachttijd begonnen een einde aan haar kortdurende geluk te maken. Bovendien maakten haar geloof in Jeremiah en haar liefde voor hem in rap tempo plaats voor een ziekte van het hart, een woekerend kwaad van ontmoediging en teleurstelling.

Rachel wilde hem vertrouwen en verlangde ernaar in hem te geloven.

Er was een tijd geweest waarin ze er bijna van overtuigd was dat God hem naar Riverhaven had geleid. Vooral Jeremiah had er zo zeker van geleken dat ze de obstakels op de een of andere manier zouden overwinnen en samen konden zijn, waardoor zij ernaar had verlangd zijn vertrouwen te delen.

Nu vroeg ze zich af of ze gewoon de zonde van geloven dat Gods wil dezelfde was als de hare had begaan. Had ze zo graag iemand willen vinden om haar leegte te vullen, was haar behoefte om lief te hebben en geliefd te worden zo groot geweest dat ze alleen maar had *aangenomen* dat Jeremiah Gods verhoring van haar gebeden was?

Schaamte en een bitter gevoel van vernedering overspoelden haar. Was ze zo dom en naïef geweest dat ze in een leugen van haar eigen geest was getrapt? Het was iets verschrikkelijks om te twijfelen aan de Here God en nog afschuwelijker om alleen maar, omdat zij iets wilde, aan te nemen dat het ook Zijn wil was.

Zou ze zichzelf ooit nog kunnen vergeven als haar liefde en haar dromen gebaseerd waren geweest op niets meer dan een vlaag van zelfmisleiding?

Bovendien, zou *God* haar vergeven?

1

HET ANTWOORD VAN DE BISSCHOP

Het leven van de mens wordt gesponnen op het weefgetouw van de tijd
In een patroon dat hij zelf niet ziet,
Terwijl de wevers werken en de spoelen draaien
Tot de dageraad van de eeuwigheid...
Sommige spoelen bevatten zilverdraad
En andere draad van goud
Hoewel de donkere kleuren maar al te vaak
Alles is wat men aanschouwt...
God is de maker van het patroon
Elke draad, donker en licht
Is gekozen door Zijn meesterhand
En met zorg in het web geplaatst...
De donkere draden waren net zo belangrijk
In de vakkundige meesterhand
Als de draden van goud en zilver
Voor de patronen die Hij had gepland.

AUTEUR ONBEKEND

J eremiah Gant was chagrijnig. Erg chagrijnig.

Hij was nu zelfs al twee weken niet te genieten en de tijd, die spreekwoordelijk alles genas, had totaal geen verschil gemaakt. En hij kon ook geen enkele reden bedenken waarom dat zou gebeuren. Die ochtend was hij zo depressief geweest dat hij Gideon had weggestuurd voor een boodschap die gemakkelijk nog enkele dagen had kunnen wachten. Hij mocht Gideon Kanagy graag. De jongen werkte hard en was goed in zijn vak. Gant had er dan ook geen spijt van dat hij Rachels broer had aangehouden als werknemer toen hij de timmerwerkplaats van Karl Webber had overgenomen. Maar vanmorgen had hij er behoefte aan om alleen te zijn. Houtbewerking hielp hem, wanneer hij alleen was, meestal bij het nadenken.

En Gant moest dringend nadenken.

Toen de deurbel rinkelde, klemde Gant zijn kaken op elkaar, geïrriteerd dat hij werd gestoord. Hij keek op van de tafel die hij stond te schuren en zag David Sebastian aankomen. Het feit dat zelfs de aanblik van zijn vriend niet welkom was, gaf wel aan hoe slecht zijn humeur in feite was.

De dokter droeg wat Gant als 'bijna Amish kleding' was gaan beschouwen. Doc was zoekende – iemand die bezig was met de bekering naar het Amish geloof – en kleedde zich daar tegenwoordig ook naar in een donker overhemd, een donkere broek, bretels en een strohoed.

Normaal gesproken zou Gant blij zijn met een dergelijk bezoekje. Hij en de arts hadden in de afgelopen maanden de basis van een vriendschap gelegd – hoewel het een onwaarschijnlijke was, aangezien Doc Brits was en Gant Iers. Maar vandaag, bij het zien van de man in zijn Amish kleding en omdat hij wist welke wending hun gesprek bijna zeker zou nemen, had Gant geen zin om ook maar een beetje vriendelijk te doen.

Doc was goed op weg om eindelijk met de liefde van zijn leven te trouwen, wanneer zijn bekering tot het Amish geloof eenmaal een feit was. En dat niet alleen, maar die vrouw was ook nog eens Susan

Kanagy – Rachels moeder.

En *Rachel* was de vrouw met wie *Gant* wilde trouwen, maar dat kon niet.

'Heel mooi', zei Doc, die bij de tafel bleef staan.

Gant haalde zijn schouders op. 'Dat moet ook wel. Hij is voor mevrouw Marsh.'

'Penelope Marsh?'

Gant knikte.

'Ze is inderdaad nogal een pietje precies. Maar jij bent blijkbaar door de inspectie heen gekomen. Ooit kon alleen Karl Webber het maar goed genoeg doen voor haar.'

'Misschien heeft het feit dat ik, afgezien van Gideon, nu nog de enige timmerman in de stad ben daar iets mee te maken.'

'Waar is Gideon?' vroeg Doc terwijl hij om zich heen keek.

Gant schuurde verder. 'Die is een bezorging aan het doen.'

'Nou, ik wilde alleen even gedag zeggen. Maar zo te zien heb je het druk.'

Gant hoorde de gespannen ondertoon in Docs stem. 'Niet zo druk', zei hij en hij hield zijn hand stil.

'Ik wil je niet…'

'Ik zei dat ik het niet zo druk heb.'

Doc keek hem onderzoekend aan, zoals hij meestal alleen bij patiënten deed. Gant herkende de blik, omdat hij ooit zijn patiënt was *geweest*.

'Wat is er aan de hand?' vroeg Doc.

'Er is niets aan de hand.' Gant probeerde van onderwerp te veranderen. 'Je ziet er tegenwoordig al aardig Amish uit. Wanneer ga je je baard laten staan?'

'Pas als de bruiloft begint te naderen.'

Gant deed net alsof hij hem van dichtbij bekeek. 'Dan zie je er ouder uit, hoor.'

'Dat kan me niets schelen, als Susan maar met me trouwt. En je kunt die grijns wel van je gezicht halen. Dat zul je zelf ook allemaal moeten doen als je eenmaal bericht van de bisschop hebt gehad.'

Gant keek naar de tafel en begon weer te schuren. 'Ik heb al bericht gehad.'

Enkele ogenblikken zei Doc niets. Toen: '*En?*'

Gant hield zijn hoofd omlaag. 'Hij zei *nee.*'

Hij hoorde hoe Doc diep inademde. 'Een *definitief* nee, of *misschien* nee?'

'O, het was definitief.'

'Wat ga je nu doen?'

Gant stopte opnieuw met zijn werk. 'Ik *kan* niet veel doen. De goede bisschop vindt me niet geschikt om me bij de Amish aan te sluiten.'

Doc hapte naar adem. 'Wat heeft hij precies gezegd?'

'Weinig, eigenlijk. Alleen dat hij twijfelt aan mijn intenties. Het komt erop neer dat hij bang is dat ik me alleen wil bekeren om met Rachel te kunnen trouwen en dat is niet voldoende.'

Er hing een lange, zware stilte tussen hen in. Toen de dokter deze verbrak, leek hij zijn woorden zorgvuldig te kiezen. 'Tja... dat zou waar zijn, als hij daar gelijk in had.'

Gant zei niets.

'Je *hebt* hier toch over nagedacht? Ik bedoel, je hebt me meer dan eens verteld dat je ervan overtuigd bent dat je dit kunt, dat je dit *wilt*...'

'Wat ik wil doet er nu niet meer zoveel toe, hè?' viel Gant hem in de rede. 'Het gaat erom wat de Amish willen. En *mij* willen ze in elk geval niet.'

'Dus je geeft het op?'

Gant raakte steeds meer geïrriteerd door de vragen van zijn vriend en het kostte hem moeite om niet te snauwen. 'Jij kent bisschop Graber beter dan ik. Ontgaat me hier iets? Zijn nee leek mij vrij definitief.'

'Hij zal toch wel gezegd hebben dat hij hoop had voor de toekomst.'

'Hij zei helemaal niets van dien aard. Hij was beleefd, wenste me het beste en maakte volkomen duidelijk dat ik uit de buurt van Rachel moest blijven.'

'Weet zij dit al?'

Gant schudde zijn hoofd.

'Wanneer hoorde je het?'

'Een paar weken geleden.'

'Een paar *weken* geleden? En je hebt nog steeds niets tegen Rachel gezegd?'

Gant knarsetandde inmiddels. 'Hoe moet ik Rachel dan *iets* vertellen? Ik mag niet bij haar in de buurt komen. Ik mag haar niet blootstellen aan mijn *wereldse invloed*. Hoe moet ik haar laten weten wat er aan de hand is als ik zo slecht voor haar ben?'

'Zo is het niet, dat weet je best.'

Doc schoof met zijn voeten en was klaar om de Amish te verdedigen, maar Gant wilde er niets van weten. Vandaag niet.

'Maar zo *is* het wel. Het is manipulatie, niets meer en niets minder.'

'Alsjeblieft! Houd die Ierse driftbuien in bedwang en luister naar me!'

Gant deinsde achteruit en staarde hem aan. Er was geen enkele andere man aan deze kant van Ierland die op deze manier tegen hem kon praten en ermee weg kon komen. Met moeite hield hij zijn mond dicht.

Doc keek om zich heen en trok er een stoel bij – een stoel die mevrouw Penelope Marsh al had gekocht en betaald. Hij ging tegenover Gant aan de tafel zitten.

'Je moet begrijpen dat de bisschop je niet probeert buiten te sluiten omdat hij denkt dat je een slechte invloed op Rachel hebt.'

'Is dat zo?' Gant deed geen enkele poging om het sarcasme in zijn toon te verhullen.

'Ja, dat *is* zo. Het is alleen dat jij de buitenwereld vertegenwoordigt voor hen. Snap je dat niet? Je bent gewoon een *auslander*. Een buitenstaander. Het maakt deel uit van hun geloof om afgescheiden van de wereld te leven. Daar hebben ze zich aan toegewijd.'

Smalend zei Gant: 'Jou hebben ze wel geaccepteerd.'

'Maar vergeet niet hoelang ze mij al kennen. Ik ben al *jaren* hun dokter. Ik ben hun vriend geworden. Ze zijn me uiteindelijk gaan vertrouwen en...'

'Gant wuifde zijn verklaring weg. 'Ik weet het, ik weet het', zei hij en eindelijk begon zijn irritatie iets te zakken. Hij keek zijn vriend aan. 'Maar jij bent ook hun soort persoon. Ik heb al eens eerder gezegd, er is niet veel verbeeldingskracht voor nodig om jou als Amish te zien. Je lijkt al heel erg op hen. En ik ben niet zo blind dat ik het verschil tussen hen en mezelf niet kan zien.'

Doc keek hem aan met een blik die sympathie leek uit te stralen. Zijn ogen waren zachtaardig – David Sebastian was een vriendelijke man – maar zijn gezicht stond ernstig. 'Luister, mijn vriend. Ik weet dat je gelooft dat je dit kunt, maar ik moet het vragen: is het mogelijk dat de bisschop gelijk heeft? Want als Rachel je enige motivatie is om je bij de Amish te willen aansluiten, dan zou dat jullie allebei uiteindelijk in de problemen kunnen brengen. En je weet dat ik te veel om haar geef om haar te laten kwetsen.'

Gant streek met zijn hand langs zijn nek. 'Denk je dat ik mezelf dat niet al honderd keer heb afgevraagd? Ik ben niet dom, Doc. Natuurlijk wil ik haar geen pijn doen. Ik zou alles doen om haar *geen* pijn te doen. En om je de waarheid te vertellen, ik ben er niet zeker van of Rachel *niet* mijn enige reden is om me te willen bekeren.'

Hij haalde diep adem en ging toen verder. 'Ik dacht dat er meer achter zat. Echt waar. Maar ik begin het me af te vragen. Misschien had ik het mis. Misschien zou ik nooit aan bekering hebben gedacht als Rachel er niet was. Maar op dit moment maak ik me meer zorgen over wat het met Rachel zal doen als ik me *niet* bekeer. De laatste keer dat ik haar sprak, leek het erop dat ze zichzelf voorhield dat alles goed zou komen, dat ik zou worden geaccepteerd. Ze leek te denken dat, afgezien van een eventuele lange wachttijd, alles uiteindelijk op zijn plaats zou vallen.'

Hij boog zich iets naar voren. 'Hoe zal ze zich voelen als ze er achterkomt dat ik botweg geweigerd ben? Dat we niet samen kunnen zijn – nu niet en misschien wel nooit?'

Doc zuchtte. 'Natuurlijk zal ze dan van streek zijn. Dit zal een enorme klap zijn voor haar.' Hij zweeg even en zei toen: 'Er moet iets aan gedaan kunnen worden. Er moet een manier zijn om de bisschop van gedachten te doen veranderen.'

Gant wilde dolgraag geloven dat zijn vriend gelijk had, maar had er geen behoefte aan om nogmaals te worden teleurgesteld. 'Nou, jij weet er natuurlijk meer over dan ik. Maar op dit moment, vanuit mijn oogpunt gezien, ziet het er vrij hopeloos uit. En ik moet zeggen, ik denk niet dat dit klopt. Geen enkele kerk zou zoveel controle over haar leden mogen hebben, dat ze kunnen bepalen met wie ze praten, met wie ze tijd doorbrengen – met wie ze *trouwen*.'

Doc keek hem onderzoekend aan, alsof hij probeerde te bepalen wat hij hierna moest zeggen.

'Het is geen kwestie van wat *klopt*', zei Doc. 'Zo is het gewoon en zo is het altijd al geweest bij de Amish. Aan de basis van hun geloof en cultuur ligt het geloof dat God wil dat ze zichzelf afzonderen van de wereld, dat ze alleen leven en een op zichzelf staande gemeenschap vormen. Dat geloof volgen ze nu al honderden jaren en ze gaan niet veranderen.'

Hij tikte met zijn vingers op tafel. 'Je weet al dat de Amish hier in de Verenigde Staten met geloofsvervolging te maken hebben gehad. Maar in Europa hadden ze het nog veel zwaarder. Daar werden ze *gemarteld*. Vervolgd, gevangengezet, verjaagd – en vaak vermoord – vanwege hun geloof. Als ze zich niet van hun geloof afkeerden tijdens die verdrukking, dan kun je er zeker van zijn dat ze nu ook niet zullen veranderen.' Hij zweeg even. 'En als je overweegt Rachel over te halen om zich van de Amish af te keren, dan kun je dat maar beter vergeten.'

'Dat zou ik nooit van haar vragen', zei Gant.

Echt niet?

Liever gezegd, was zijn onwilligheid om dat van haar te vragen eraan te wijten dat het niet eerlijk was om een dergelijk offer van haar te vragen… of omdat hij toch al wist dat het antwoord *nee* zou zijn?

'Weet je,' zei Doc, 'soms zijn we ergens zo van overtuigd en er zo zeker van, dat we wel moeten geloven dat het Gods wil is. En als het dan anders loopt, worden we boos op Hem. We krijgen zelfs het gevoel dat Hij ons heeft misleid. Maar God misleidt ons nooit. Hoeveel pijn het ook doet, een teleurstelling is meestal gewoon Zijn manier om ons van het verkeerde pad af te leiden.'

Hij stopte en keek Gant vriendelijk aan. 'Dit is zo'n belangrijke stap, mijn vriend, dat je er volkomen zeker van moet zijn dat je hem om de juiste redenen wilt zetten.'

'Blijkbaar ga ik hem helemaal niet zetten', verzuchtte Gant. Hij zweeg even en ging toen verder. 'En jij dan? Jij bekeert je zodat je met Susan kunt trouwen. Vertel me niet dat er meer achter zit.'

Zijn aanval leek Doc niet van streek te maken. 'Het feit dat ik met Susan wil trouwen, heeft me uiteindelijk het laatste zetje gegeven, dat is waar. Maar het is ook wat je al zei – ik lijk al heel erg op de Amish. Dat *wil* ik in elk geval. Doordat ik al jarenlang hun dokter en uiteindelijk hun vriend ben geworden, ken ik de mensen en hun leefwijze goed genoeg om me te realiseren dat zij iets hebben wat ik wil. Ik wil de vrede, de eenvoud, de afhankelijkheid van God in zoveel opzichten. Ik kan op die manier leven omdat ik dat *wil,* niet alleen vanwege Susan.' Hij zweeg even. 'Is het zo ook voor jou?'

Gant keek hem diep in de ogen en wendde toen zijn blik af. 'Ik *weet* niet hoe het voor me is. Meer kan ik je op dit moment niet vertellen.'

'Nou... ik geef toe dat ik je niet zie als iemand die het snel opgeeft. Als en wanneer je besluit dat je om de juiste redenen wilt veranderen, dan hoop ik dat je de weigering van bisschop Graber niet als definitief zult beschouwen. Ik denk niet dat je dat zou moeten doen.'

'Vertel je me iets niet?' vroeg Gant met een zuur gezicht.

Doc haalde even zijn schouders op. 'Nee, ik geloof dat ik genoeg heb gezegd. Als je vanavond een beter humeur hebt, kom dan gezellig langs voor een spelletje.'

'Je mag nog steeds dammen, hè?' mopperde Gant.

'O, zelfs nadat ik mijn eed heb afgelegd, versla ik je nog met dammen. Voor zover ik weet, is dammen een goedgekeurd tijdverdrijf, zelfs voor de Amish.'

Toen nam Doc afscheid en liep naar de deur, Gant en diens slechte humeur achterlatend.

Maar Docs woorden hadden indruk op hem gemaakt. Hij moest erover nadenken. Vooral de opmerking dat hij hem niet zag als iemand die snel opgaf. Dat *was* hij ook niet. Dat was hij in elk geval nooit geweest. Misschien… heel misschien… had Doc wel gelijk en moest hij de beslissing van de bisschop niet als definitief beschouwen. Hij wilde het in elk geval niet, dat was zeker.

Maar om te beginnen, moest hij eerst van dit slechte humeur af zien te komen. Daarna zou hij gaan nadenken over Docs kleine preek.

2

ALS ALLE HOOP
VERVAAGT

Wees sterk, o hart,
Zie uit naar het licht!

ADELAIDE ANNE PROCTER

R achel schudde de laatste druppels uit de gieter. Toen ze
geluid van paardenhoeven hoorde, draaide ze zich om en
tuurde met haar hand boven haar ogen in de verte. Zodra
ze zag wie het was, begon ze te beven.

Jeremiah.

De avondzon was al bijna ondergegaan, maar gaf nog voldoende licht
om zijn lange, statige lichaam te omlijsten toen hij de oprijlaan naar
het huis op reed. Hij droeg geen jas – het was een abnormaal warme
en klamme dag geweest voor augustus – maar wat haar zusje Fannie
zijn 'kapiteinspet' noemde, hing laag over zijn voorhoofd.

Rachel zette de gieter op het tuinbankje, maar liep niet naar hem toe
om hem te begroeten. Er waren bijna twee weken verstreken sinds
ze hem voor de laatste keer had gezien en hoewel ze wist dat ze hem
helemaal niet zou moeten zien – ze hoorden ver bij elkaar uit de buurt

te blijven omdat hij een buitenstaander was en zij een alleenstaande weduwe – had zijn afwezigheid haar gekwetst en verontrust. Zijn aanblik verontrustte haar nog meer.

Ze zag hem afstijgen van het paard dat hij de bijzondere naam *Flann* had gegeven en hem vervolgens zijn stok pakken voordat hij het grote roodbruine beest aan het hek vastmaakte. Toen hij naar Rachel toe liep, was duidelijk te zien dat hij nog steeds hinkte, hoewel het al enkele maanden geleden was sinds hij was neergeschoten.

Doc Sebastian had hem ervoor gewaarschuwd dat hij altijd mank zou blijven, maar eveneens de hoop uitgesproken dat hij op een dag zonder de stok zou kunnen. Het deed Rachel pijn om hem zo aan te zien komen. Hij was zo lang en zag er zo sterk en gezond uit, afgezien van zijn stijve, aarzelende passen. Hij had ook nog pijn – ze had hem meer dan eens ineen zien krimpen bij een vreemde beweging of onverwachte oneffenheid in het pad.

Hoe hard ze ook haar best deed om geen medelijden voor hem te voelen – want Jeremiah was een trotse man die geen medelijden duldde als hij dat merkte – stak het haar nog altijd wat hem was aangedaan.

Hij keek haar aan toen hij dichterbij kwam, met een indringende, maar tedere blik.

'Rachel', zei hij op de zachte toon die hij altijd gebruikte wanneer hij haar naam uitsprak. Niet echt een fluistering, maar bijna een zucht.

Ze kon haar stem niet vinden, dus knikte ze alleen maar.

Een ogenblik stond hij alleen maar naar haar te kijken, met een blik die zo warm was als een aanraking op haar gezicht, hoewel zijn uitdrukking ongewoon somber was. 'We moeten praten.'

Instinctief keek Rachel om zich heen.

Zijn mond verstrakte. 'Het kan je toch zeker niet kwalijk worden genomen dat je met mij buiten staat. Het is nog licht.'

'Ik denk niet…'

'Het is belangrijk, Rachel.'

Hij keek haar diep in de ogen en de angst sloeg Rachel om het hart toen ze besefte dat hij haar iets wilde vertellen wat ze niet wilde horen. Het zou waarschijnlijk beter zijn om naar binnen te gaan zodat ze niet samen zouden worden gezien. Maar als iemand zijn paard zag, zou diegene weten dat hij er was. Niemand anders in de gemeenschap had zo'n felgekleurd en woest uitziend dier, dus was het geen geheim wie de eigenaar ervan was.

'Ik weet dat je liever niet met me gezien wordt…'

'Dat is het niet…'

Maar dat was het *juist* wel. Jeremiah was verboden voor haar. Hij was een *auslander.* Een buitenstaander. Er was geen acceptabele reden voor hen om bij elkaar te zijn. Zelfs door hier te staan, in het gouden licht van de zonsondergang, riskeerde ze haar reputatie al en liep ze de kans te worden gestraft voor de aanwezigheid van een vreemdeling.

Maar Jeremiah was geen vreemdeling. Ze had hem in haar huis verzorgd, tot hij weer op de been was. Hij was haar vriend… Nee, veel meer dan een vriend. Hij was de man van wie ze was gaan houden.

Een liefde die ervoor kon zorgen dat ze werd verbannen, weggerukt van haar familie, haar vrienden en haar kerk.

Alsof hij de tweestrijd in haar zag, nam hij de beslissing voor haar. 'Ik zal Flann achter het huis zetten', zei hij. 'Dan kunnen we binnen praten.'

Natuurlijk zou iedereen die zicht had op de achterzijde van het huis het paard nog steeds kunnen zien. Toch besloot ze dat het beter was als ze naar binnen zouden gaan. 'Goed', zei ze met trillende stem. 'Maar je kunt niet lang blijven.'

De irritatie op zijn gezicht viel niet te missen, maar hij zei niets en liep weg om het paard te gaan halen.

Binnen was de keuken al schemerig in het bleke avondlicht, maar Rachel nam niet de moeite om de olielamp aan te steken, vastbesloten om het bezoek zo kort mogelijk te houden.

Hij nam zijn pet af toen hij binnenkwam. Toen Rachel geen enkel gebaar maakte dat hij mocht gaan zitten, wees hij zelf naar een van de stoelen bij de tafel. 'Mag ik?'

Ze aarzelde, maar knikte ten slotte. Het druiste tegen alles in wat haar was geleerd om hem niets te eten of tenminste een kop koffie aan te bieden, maar hij leek net zo min op een beleefdheidsbezoek uit te zijn als zij. Integendeel. Ze kende hem goed genoeg om de sombere uitdrukking op zijn gezicht te herkennen. Opnieuw drong het tot haar door dat wat hij haar ging vertellen niet leuk zou zijn.

Hij wachtte tot ze zat, hing zijn stok over de rugleuning van de stoel tegenover haar en nam zelf ook plaats.

Ze kon zich er niet toe zetten hem aan te kijken. Ze bleven zwijgend zitten, totdat de stilte ongemakkelijk werd.

'Ik heb je gemist, Rachel', zei hij ten slotte, duidelijk wachtend op antwoord.

Uiteindelijk keek Rachel hem aan, maar zei niets.

'Hoe staat het ermee?'

Inmiddels wist ze dat dit typisch zijn manier was – misschien iets Iers – om haar te vragen hoe het met haar ging. 'Goed… En met jou?'

Wat klonken ze raar. Zo formeel en stijf – alsof ze vreemden voor elkaar waren.

Hij glimlachte flauwtjes en haalde zijn schouders op.

Hoewel Jeremiah iemand was die meestal direct ter zake kwam, leek hij het daar vandaag moeilijk mee te hebben. 'Heb je Gideon recentelijk nog gesproken? Je vindt het misschien fijn om te horen dat hij hard werkt en een uitstekende hulp in de werkplaats is.'

'Daar ben ik blij om', zei Rachel. 'Hij geniet van zijn werk.'

Hij knikte langzaam en vouwde zijn handen op de tafel.

Opnieuw hing er een zware stilte tussen hen in.

Rachel sloeg hem gade en haar keel voelde zo droog alsof ze stof had ingeslikt. 'Je zei dat je met me wilde praten.' Om de een of andere reden kon ze zijn naam niet over haar lippen krijgen. Misschien omdat ze er al zo lang van genoot om hem uit te spreken. Het deed haar aan muziek denken. Bovendien kreeg ze het gevoel dicht bij hem te zijn.

Op dit moment vond ze het echter vreemd, verraderlijk zelfs, om dat gevoel van nabijheid te voeden.

Hij keek op van zijn handen. Er waren scherpe trekken rondom zijn mond en er was een schaduw over zijn gezicht gekomen. 'Ik weet dat ik eerder had moeten komen.'

Rachel voelde dat zijn blik op haar rustte, maar ze kon hem niet aankijken, omdat ze niet wilde horen wat hij te zeggen had. Op de een of andere manier wist ze dat hij haar hart zou breken.

3

RACHEL VERLATEN

Verwelkt is de prille bloem...

GERALD GRIFFIN

Z e zou hem toch tenminste kunnen *aankijken.*

Het was duidelijk dat ze hem hier niet bij ging helpen. Zoveel kilte had hij niet van haar verwacht. Dat ze boos op hem zou zijn of zelfs gekwetst dat hij zo lang weggebleven was – dat zou hem niet hebben verrast. Maar deze *afstandelijkheid* had hij niet van haar verwacht. Het was alsof ze hem nauwelijks kende.

Gant wilde haar hand pakken, maar hij voelde al aan dat een dergelijke actie alleen maar met weerstand zou worden begroet. Daarom slikte hij, schraapte zijn keel en begon.

'Ik heb bisschop Graber gesproken.'

Nog steeds hield ze haar blik afgewend. Haar ene hand lag op haar schoot, de andere op tafel. Toen hij haar vingers zag beven, wilde Gant haar opnieuw instinctief beetpakken.

'Rachel?'

Ten slotte keek ze hem aan. De pijn die ondanks haar terughoudendheid zichtbaar was, waarschuwde hem ervoor dat ze wist wat hij zou gaan zeggen.

'Hij stemt niet in met mijn bekering.'

Ze staarde naar de tafel, zei niets en gaf slechts een knikje.

'Hij gelooft mijn motieven niet. Hij denkt dat ik me alleen bij de kerk wil voegen zodat ik met jou kan trouwen.'

Vragend keek ze op.

'Ik kon hem niet van het tegendeel overtuigen.'

Nu kon Gant *haar* niet aankijken. Hij wist welke vraag er in haar ogen zou verschijnen en hij kon zich er niet toe zetten tegen haar te liegen. Zoals hij al tegen Doc had gezegd, hij vertrouwde niet langer op zijn eigen overtuiging. Misschien *was* Rachel wel de enige reden dat hij zich wilde bekeren. Hij wist het niet meer zeker. Maar was het niet voldoende dat hij zich *wilde* bekeren, dat hij zijn gehele leefwijze wilde aanpassen om met haar te kunnen trouwen? Wat als dat zijn enige reden, of tenminste de belangrijkste reden *was?* Waarom kon dat niet genoeg zijn?

'Dan heeft hij ook gezegd dat je bij mij uit de buurt moet blijven, hè?'

Haar stem was, zoals altijd, zacht en beheerst. Maar haar ogen keken Gant zo indringend aan dat hij het gevoel had dat ze dwars door zijn ziel keek.

Zelfs als hij in de verleiding zou komen om tegen haar te liegen – en dat was heel even het geval – wat had dat voor zin? Ze zou snel genoeg achter de waarheid komen. Bovendien verdiende ze het om het van hem te horen en niet van de bisschop of iemand anders.

'Ja. Hij zei dat we elkaar niet mogen zien. In elk geval niet alleen.'

'Zoals nu', zei ze zachtjes.

Met een hand maakte hij een gefrustreerd gebaar. 'Ik accepteer zijn beslissing niet, Rachel. Dat kan ik niet. Er moet een manier zijn.'

Iets wat op paniek leek, vlamde op in haar ogen. 'Nee, Jeremiah. Er *is* geen manier. Er zal nooit een manier zijn.'

'Er moet *iets* zijn…'

'Er is niets', zei ze scherp en haar stoelpoten schraapten over de vloer terwijl ze opstond. 'Het enige wat we kunnen doen, is precies wat bisschop Graber heeft gezegd. We moeten bij elkaar uit de buurt blijven.'

Gant stond ook op. 'Zou je dat kunnen, Rachel? Zou je zijn beslissing accepteren zonder zelfs maar te proberen om een manier te vinden om hem van gedachten te doen veranderen?'

'Ik *moet* wel! De beslissing van de bisschop is definitief in zulke zaken. Ik kan niet tegen hem ingaan.'

Ze draaide zich om. Gant balde zijn vuisten om te voorkomen dat hij op tafel zou slaan. 'Kun je dat niet of *wil* je dat niet?'

Langzaam keerde ze zich om, nu met een verdrietig gezicht. 'Dat is hetzelfde, Jeremiah. Ik kan niet ingaan tegen mijn kerk, mijn geloof. Dit is mijn leven en het is alles wat ik heb.'

'Je zou meer kunnen hebben, Rachel. We zouden elkaar kunnen hebben. Een leven samen, kinderen…'

'Nee.' Haar stem was nauwelijks meer dan een fluistering. 'Nee, dat kan niet. Niet als dat betekent dat ik alles op moet geven wat ik ken en iedereen van wie ik houd.'

Hij keek haar diep in de ogen. 'Maar *mij* wil je wel opgeven. Hoe zit het met *onze* liefde?'

Ze knipperde en hij dacht tranen in haar ogen te zien. In een opwelling wilde Gant haar beetpakken en dwingen om toe te geven dat ze net zo min als *hij* zonder hun liefde kon leven. Hij wilde haar meenemen, ver weg van Riverhaven, naar een plek waar ze samen konden zijn.

Krankzinnigheid. De waarheid was dat ze *best* zonder hem kon leven. Ze werd gesteund door een hele gemeenschap en een familie die haar volledig toegewijd was. Als hij wegging, dan zou Rachels leven doorgaan, net zoals altijd.

O, ze zou hem misschien een tijdje missen – maar waarschijnlijk niet lang. Uiteindelijk zou ze over de pijn van zijn vertrek heenkomen en verdergaan. Op een dag zou ze met een andere man trouwen en gelukkig zijn.

Alleen al de gedachte aan die man, wie het ook zou zijn, veroorzaakte een steek van jaloezie in zijn hart.

Op dit moment zag hij alleen de enorme leegte die zich voor hem uitspreidde. Zijn leven zou niets meer voorstellen zonder haar, nu hij zoveel van haar was gaan houden. Hoe kon hij zomaar weggaan, haar nooit meer zien en haar nooit meer spreken, alsof hij haar nooit had gekend?

Dat kon hij niet. Dat *wilde* hij niet.

'Rachel…'

Hij deed een stap naar haar toe, maar ze stak een hand op om hem tegen te houden. 'Niet doen. Ik… wil dat je nu vertrekt, Jeremiah. Alsjeblieft.'

Hij bleef staan en keek haar aan, ook al beantwoordde ze zijn blik niet. 'Dus jij kunt dit? Je kunt me zomaar wegsturen en me uit je leven bannen? Is het echt zo gemakkelijk voor je, Rachel?'

Langzaam keek ze naar hem op en de blik die ze hem toewierp, legde Gant het zwijgen op.

'Denk je dat? Dat dit *gemakkelijk* voor me is?'

Hij zag haar handen beven terwijl ze hem aankeek.

'Dat bedoelde ik niet…'

Ze schudde haar hoofd alsof ze zijn woorden van zich af wilde schudden. 'Toen je voor het eerst zei dat… je van me hield, zei ik tegen je dat het hopeloos was, dat we alleen maar samen konden zijn als ik uit de Amish gemeenschap zou stappen en mijn familie en mijn leven zou verlaten. Maar jij wilde niet luisteren. Nee, je zei dat we bij elkaar hoorden, dat we op de een of andere manier bij elkaar *zouden* zijn, dat je een manier zou vinden waarop we konden trouwen – dat jij ervoor zou zorgen.'

Hij knikte. 'Ik weet dat ik dat heb gezegd. En ik meende het ook, Rachel. Ik geloofde het.'

Ze wendde haar blik af. 'En ik was dom genoeg om het ook te geloven. Dus toen je erover begon dat je misschien Amish wilde worden, geloofde ik dat ook.'

'Rachel, ik heb het geprobeerd en ik blijf het proberen…'

Opnieuw schudde ze zijn poging tot tegenspraak van zich af. 'Nee. Dit is mijn schuld, niet de jouwe. Ik had het moeten weten, die avond toen je me vertelde wat je voor me voelde. Ik had toen al moeten weten dat het niet kon. Maar ik liet me door je overtuigen, of liever gezegd, ik overtuigde mezelf. Ik stond mezelf toe te geloven dat het misschien toch mogelijk zou zijn. Dat was mijn fout – geloven dat het kon… alleen maar omdat ik het wilde. Ik zie nu in dat het verkeerd van me was om het *jou* en *mezelf* te laten geloven.'

Ze zweeg en keek hem onderzoekend aan. 'Zie je het niet, Jeremiah? Om eerlijk te zijn, heeft bisschop Graber ons een plezier gedaan door je bekering te weigeren. Hij begrijpt dat het verkeerd zou zijn – helemaal verkeerd – als jij je bij ons voegt en Amish wordt, alleen maar om met mij te kunnen trouwen. Vroeg of laat zou je het me kwalijk gaan nemen. Of je zou in elk geval spijt krijgen van je beslissing. Je kunt er niet eenvoudigweg voor kiezen om Amish te worden. Het is een levensstijl. Het *is* je leven. Het is alles wat je bent, alles wat je doet.'

Een gevoel van misselijkheid overspoelde Gant. Ze gaf hem geen enkele ruimte voor tegenspraak, geen enkele gelegenheid om haar ervan te overtuigen dat dit nog niet ten einde was, dat hij voor haar wilde vechten en alles wilde doen wat nodig was. Maar tegelijkertijd doemde een ongemakkelijk gevoel in zijn achterhoofd op. Een gevoel dat zijn vastberadenheid om de bisschop van gedachten te doen veranderen alleen maar voortkwam uit een verlangen om met Rachel te kunnen trouwen.

De pijn in haar ogen, de blik van afwijzing die haar lieflijke gezicht kleurde, was bijna te veel voor hem. 'Rachel… geef me tijd. Laten we hier allebei over nadenken. Op de een of andere manier zal het ons lukken…'

'Nee, Jeremiah.' Ondanks het verdriet dat zich in haar leek te hebben geworteld, was haar stem verbazingwekkend resoluut. 'De beslissing van de bisschop is de wil van God en die moeten we accepteren. Ik kan niet…' Ze liet haar stem wegsterven en zweeg een lang ogenblik.

Toen ging ze verder: 'Ik kan mezelf niet langer misleiden. Ik wil dat je nu weggaat en ik vraag je om niet meer terug te komen.'

Gant balde zijn vuisten zo hard dat er een pijnscheut door zijn armen ging. 'De bisschop is God niet, Rachel!'

Ze sperde haar ogen open alsof hij lasterlijke taal had uitgeslagen. 'Natuurlijk is hij dat niet! Maar hij is wel onze bisschop en ik kan niet tegen hem ingaan.'

Opnieuw beschuldigde hij haar. 'Je bedoelt dat je niet tegen hem *wilt* ingaan.'

Een blik van ongeduld verscheen in haar ogen, maar toen ze antwoordde was haar stem net zo ergerlijk kalm als tevoren. 'Je begrijpt het niet, Jeremiah. En dat verwacht ik ook niet van je. Je *kunt* het ook niet begrijpen als je niet Amish bent.'

Gant wist dat hij op het punt stond zijn geduld te verliezen. Maar op dit moment was hij voorzichtig omdat hij te bang was dat hij *Rachel* zou verliezen. 'Je zult wel gelijk hebben. Als Amish zijn betekent dat je jezelf bevelen moet laten geven alsof je geen eigen wil hebt, dan begrijp ik het inderdaad niet!'

Ze reageerde op zijn scherpe toon door met een vermoeid gebaar met een hand langs haar gezicht te wrijven. Ze liet haar schouders hangen en Gant had onmiddellijk spijt van zijn woorden. Het laatste wat hij wilde was haar pijn doen, maar toch deed hij dat juist.

Hij keek haar onderzoekend aan en wachtte. Toen ze niets zei, zuchtte hij diep. 'Wil je echt dat ik wegga, Rachel?'

Ze boog haar hoofd en gaf een knikje.

Een gevoel van moedeloosheid overviel Gant terwijl hij zijn pet tussen zijn handen plette. 'Goed dan, ik zal gaan. Maar, Rachel...'

Ze keek niet op.

'Als jij vastbesloten bent om het op te geven wat ons betreft, dan kan ik je niet tegenhouden. Maar denk niet dat *ik* het opgeef.' Hij zweeg, hopend op een reactie van haar. Toen die niet kwam, voegde hij eraan toe: 'Als je van gedachten verandert, als je ooit wilt praten of me om welke reden dan ook nodig hebt, dan weet je me te vinden. Ik ga nergens naartoe.'

Hij liep naar de deur, maar draaide zich nog eenmaal om. Ze stond nog steeds in precies dezelfde houding, zwijgend, haar blik op de vloer gericht.

Hij liet haar daar achter en dwong zichzelf zijn hoop niet eveneens achter te laten.

4

EEN GEHEIME ZWERFLUST

Want wij zijn hetzelfde als onze vaders zijn geweest;
Wij zien dezelfde dingen en zijn net zo bevreesd;
We drinken uit dezelfde bron en voelen dezelfde zon,
En onze levensloop begon net zoals die van onze vaders.

WILLIAM KNOX

Gideon Kanagy was onderweg terug naar de werkplaats toen hij Emma Knepp tegenkwam. Zoals altijd liep ze doelbewust, met haar hoofd omlaag, grote stappen en gevouwen handen.

Emma leek altijd precies te weten waar ze naartoe ging, alsof ze haar bestemming al van tevoren in kaart had gebracht en wist welke route ze moest nemen. Gideon was niet verbaasd om te zien dat ze, hoewel het een warme dag was, een zwarte shawl droeg, van voren vastgespeld, en een zwart hoedje.

Emma was een typische Amish vrouw, die veel aandacht aan de regels besteedde.

Maar ze was knap. Het blonde haar, dat net onder het hoedje te zien was, glansde in het middaglicht en ze had altijd een natuurlijke blos op haar wangen.

Het was een wonder dat ze nog steeds niet was getrouwd. Gideon had gehoord dat dat niet te wijten was aan een gebrek aan jongens in de omgeving van Riverhaven die het probeerden. Maar voor zover hij wist, had ze nog geen verkering.

Ze liep bijna tegen hem op voordat ze opkeek en hem herkende.

'Emma', zei hij, haar weg blokkerend zodat ze wel moest blijven staan.

Het schaamrood steeg naar haar kaken. 'O, Gideon! Hoi. Ik zag je niet.'

'Waar ga je zo snel naartoe?'

Ze keek verward. 'Ik… zou pap en mijn broers bij de wagen treffen, maar ik kwam Sally Lape tegen en met haar heb ik even staan praten. Nu ben ik bang dat ik te laat ben.'

Emma was de enige dochter in een gezin met drie zoons, allemaal ouder dan zij. Haar vader, Levi Knepp, stond erom bekend dat hij erg streng voor zijn kinderen was – maar vooral voor zijn oudste dochter. Het verbaasde Gideon niets dat de gedachte om te laat te komen haar van streek maakte.

Maar ondanks dat ging hij niet aan de kant. 'Hoe is het met je familie?'

Zonder hem echt aan te kijken – om de een of andere reden keek Emma hem *nooit* echt aan, maar altijd langs hem heen – antwoordde ze: 'Met iedereen gaat het *gut*. En met die van jou? Je moeder, Rachel en Fannie?'

'Voor zover ik weet, gaat het prima met hen', zei hij terwijl hij haar gadesloeg.

Hij was al enkele maanden niet meer bij Emma in de buurt geweest en opnieuw viel het hem op hoe aantrekkelijk ze in feite was. Ze was niet zo ongewoon knap als zijn nieuwste vlam, Abby Frey, die *Englisch* was en zichzelf mooier maakte door haar haar te krullen en een beetje rouge te gebruiken. Emma gebruikte, omdat ze Amish was, niets van deze wereldse opsmuk.

Maar Emma had die wereldse opsmuk dan ook niet *nodig*.

Hoewel ze hem niet aankeek, kende hij die ogen. Ze waren hemelsblauw, met lange, inktzwarte wimpers die langs haar wangen leken te vegen wanneer ze knipperde. Hij herinnerde zich dat ze vaak knipperde. Gideon had zich zelfs meer dan eens afgevraagd of Emma eigenlijk een bril nodig had.

Nu realiseerde hij zich dat hij altijd aan Emma Knepp dacht als een *meisje*. Een kind. Hij was zeker twee jaar ouder dan zij en had haar zien opgroeien. Voor het eerst drong het tot hem door dat ze geen meisje meer was, maar een jonge vrouw. Een jonge vrouw die knap genoeg was om een jongen de adem te ontnemen en, tenzij ze enorm was veranderd, met een zachtaardig karakter dat bij haar uiterlijk paste, hoewel ze altijd een verlegen houding had gehad.

'Ik moet gaan', zei ze abrupt en ze keek langs hem heen alsof ze een ontsnappingsroute zocht.

Gideon aarzelde. Eigenlijk wilde hij haar niet laten gaan. Maar uiteindelijk deed hij toch een stap opzij en zei: 'Doe de groeten aan je familie.'

Even keek ze hem aan, toen wendde ze direct haar blik weer af. 'Ja… dat is goed', stamelde ze.

'En kom eens langs als je weer in de stad bent', voegde hij eraan toe, hoewel hij heel goed wist dat ze dat nooit zou doen.

Hij had afgedaan voor de familie Knepp – als hij ooit al in de gratie was geweest. Hoewel hij niet was verbannen, omdat hij zich nooit bij de kerk had gevoegd, leefde hij buiten de gemeenschap en werkte hij voor een *Englischer*. Levi Knepp zou niet willen dat hij met zijn enige dochter omging.

Bovendien leek Levi's *dochter* niet met hem om te willen gaan.

Hij keek haar na toen ze zich verder haastte. Zijn Amish vrienden hadden hem er wel eens mee geplaagd dat Emma 'verliefd' op hem zou zijn. Nu vroeg hij zich af of dat waar was geweest. Om eerlijk te zijn, had hij nooit zo over Emma gedacht. Ze was altijd gewoon de verlegen dochter van Levi Knepp geweest die verderop langs de weg woonde.

Even speelde hij met het idee dat Emma hem leuk vond en vond het vreemd genoeg een fijn idee. Maar net zo snel schudde hij het van zich af. Hij kon op geen enkele manier iets met Emma Knepp beginnen zolang hij buiten de Amish gemeenschap woonde.

Bovendien had hij al een vriendin, die er ook best mocht zijn. Abby had de reputatie een beetje wild te zijn, maar dat was niet erg. Hij had er voorlopig nog geen enkele behoefte aan om zich te settelen. Een *Englische* vriendin die zich niet aan allerlei voorschriften en regeltjes hield, paste op dit moment prima bij hem. Maar als het tijd was om te trouwen, was zij niet iemand naar wie zijn interesse zou uitgaan.

Hij keek Emma na totdat ze uit het zicht was verdwenen, draaide zich om en liep verder naar de werkplaats.

❦

Hij zag de wagen op het moment dat hij Edgar Folsoms leerwinkel bereikte.

Het was een hete, droge dag en het grote trekpaard liet een grote wolk van stof en steentjes achter, ondanks zijn trage pas. De hitte en het stof brandden in Gideons keel en hij bedekte met een hand zijn mond.

Het duurde even voordat hij de berijder van de rammelende boerenwagen herkende. Hij bleef staan en probeerde zich de naam van de man te herinneren. Toen dat eindelijk lukte, hief hij een arm op om hem tegen te houden.

'Asa!'

De grote zwarte hond stond op de bok en blafte en de berijder wierp Gideon een vragende blik toe. Toen verscheen er een blik van herkenning in zijn ogen. Hij liet het paard halt houden langs de stoep en Gideon liep naar hem toe.

Asa knikte hem toe. 'Meneer Gideon.'

'Dus je herkent me nog', zei Gideon. 'Je bent zeker op zoek naar de kapitein.'

'Dat klopt.' De hond blafte weer en Asa berispte het dier. 'Mejuffrouw Rachel – uw zus – zei dat ik hem in de timmerwerkplaats hier in de stad kon vinden.'

'Ben je eerst naar Rachels huis gegaan? O ja, dat is ook zo – je wist niet waar je anders heen moest.'

Asa keek langs Gideon naar de gebouwen achter hem. 'De kapitein…'

'De werkplaats is maar drie deuren verderop', zei Gideon terwijl hij op de wagen klom. 'Je kunt achterom gaan. Kom maar, dan zal ik het je aanwijzen.'

De hond – 'Mac', zo herinnerde hij zich – keek Gideon aan met angstaanjagende ogen die een bijna menselijke intelligentie uitstraalden, maar hij bleef stil.

Gideon wees de weg naar het smalle steegje dat tussen de werkplaats en Hudsons warenhuis liep. 'Zet hem daar maar neer. Kapitein Gant zal wel blij zijn dat je weer terug bent. Hij heeft zich veel zorgen over je gemaakt.'

'Hoe is het met de kapitein?' De bezorgdheid over zijn vriend was van Asa's gezicht af te lezen. 'Is alles goed met hem?'

'Ja. Je weet natuurlijk van zijn been. Ik merk dat hij daar nog wel wat last van heeft. Maar hij heeft het er nooit over.'

Asa knikte begrijpend, sloeg de steeg in en reed naar de achterzijde van de gebouwen.

'Hier is het', zei Gideon, wijzend naar de achterdeur van de werkplaats. 'Je kunt je wagen hier bij de voorraadschuur neerzetten.'

Gideon glimlachte bij zichzelf toen hij zich de verrastheid van de kapitein voorstelde. Gant was een zwijgzame man, maar de laatste tijd was hij stiller dan ooit. Hij was ongelukkig, dat kon je zien. En als Gideon mocht raden naar de reden van het sombere humeur van zijn werkgever, dan was hij er vrij zeker van dat het iets met Rachel te maken had.

Hoe dan ook, hij hoopte dat Asa's terugkomst de kapitein een beetje zou opvrolijken.

Plotseling besefte hij dat de gevoelens van zijn werkgever hem ook daadwerkelijk iets konden schelen. Toen Gant voor het eerst in Riverhaven was opgedoken, had Gideons houding gevarieerd tussen nieuwsgierigheid naar het verleden van de mysterieuze vreemdeling en boosheid vanwege de problemen die hij voor Gideons zus Rachel veroorzaakte door gewond bij haar aan te kloppen.

Na enkele maanden voor hem te hebben gewerkt, vond hij het echter steeds gemakkelijker om de rivierbootkapitein te respecteren en zelfs aardig te vinden, hoewel het een man was die mensen op afstand hield. Van begin af aan had Gant hem als een man behandeld, niet als een jongen, hem gecomplimenteerd over zijn werk en hem meer geleerd dan Gideon ooit opgestoken had van de voormalige eigenaar van de werkplaats, Karl Webber.

Gant had gouden handjes als het op hout aankwam en het leek alsof geen project hem te moeilijk was en geen probleem onoplosbaar. Daarnaast was het een interessante man. Gideon had geen idee of hij het zichzelf had aangeleerd of een goede opleiding had gehad, maar hij wist duidelijk ook veel over een heleboel andere dingen dan houtbewerking.

Gideon vond het fijn als hij praatte over zijn leven op de rivier en over plaatsen waar hij was geweest. Gant leek in een aantal verschillende staten te zijn geweest, zelfs in het noorden. Hij leek het niet erg te vinden om Gideons vragen te beantwoorden. En aan Gideons vragen kwam nooit een einde.

Hij had altijd al willen reizen en verre plaatsen willen zien. Rachel had hem ooit eens beschuldigd van het hebben van 'zwerflust'. Was dat zo erg? Hij was nog nooit *ergens* geweest. Verder dan Marietta was hij nog nooit gekomen, afgezien van die ene keer, hoewel hij nog te jong was geweest om het zich te kunnen herinneren, dat hij met zijn familie bij familie in Columbus op bezoek was gegaan. Door Gants verhalen kon hij zich een voorstelling van allerlei plaatsen maken, ook al zou Gideon ze misschien nooit met eigen ogen zien.

Hij had nooit veel interesse voor het boerenleven gehad. Hij hield wel van het land en hij genoot ervan om buiten te zijn en zelfs om dingen te zien groeien en bloeien. Maar het *proces* van het planten, de zorg ervoor en de oogst ervan vond hij verschrikkelijk.

Toen hij nog in het huis opgroeide en woonde, was hij vaak van het landgoed weggelopen. Hij liep dan kilometers ver door de velden en de bossen in. Soms ging hij naar de rivier, om gewoon langs de oever te gaan zitten en naar de grote schepen te kijken. Dan stelde hij zich voor waar ze naartoe gingen en wat ze onderweg allemaal zouden zien.

Hij wierp een blik op Asa terwijl ze naar de achterdeur liepen, met Mac in hun kielzog. Misschien kreeg hij nu wel de kans om nog meer verhalen te horen. De kapitein sprak nooit over wat hij en Asa precies deden met de weggelopen slaven, maar Gideon wist het wel. Hij had genoeg gesprekken tussen zijn moeder en Rachel opgevangen – en tussen Gant en dokter Sebastian – om er vrij zeker van te zijn dat de kapitein en Asa bij de mysterieuze Ondergrondse Spoorweg betrokken waren.

Hij wist ook dat, hoewel kapitein Gant het reizen enige tijd had moeten opgeven vanwege zijn gewonde been, hij er *niet* mee gestopt was af en toe een weggelopen slaaf te helpen. Hij had dingen gezien waarvan de kapitein niet wist dat hij ze had gezien – 's nachts – als hij bij het raam van zijn kamer aan de achterkant boven de werkplaats stond en naar het huis van Gant op de heuvel keek.

Af en toe was het flikkerende licht van een lamp te zien tussen het huis en de schuur en meer dan eens had hij in het donker de vorm gezien van iemand die naar Gants huis sloop. Dat was vreemd, aangezien de kapitein alleen woonde.

Hij wist niet precies waarom het idee van de Ondergrondse Spoorweg hem zo fascineerde. Misschien omdat het een ontsnapping vertegenwoordigde aan een leven dat niets meer omvatte dan zwaar werk en de eindeloze herhaling van de dagen zonder opwinding, avontuur of vreugde. Totdat hij uit huis was gegaan, was dat de manier geweest waarop hij zijn eigen leven soms had gezien.

Of misschien was het meer omdat het idee van slavernij hem tegen de borst stuitte. Hij kon zich niet voorstellen hoe het moest zijn om het *eigendom* van een ander mens te zijn, om bij een ander mens te horen alsof hij niet meer waard was dan een hond.

Hij had het vaak met zijn vrienden over slavernij gehad en wat hij had gehoord, choqueerde hem en maakte hem misselijk. Hij had besloten dat wanneer hij er de kans voor kreeg, hij graag zijn steentje zou bijdragen om in opstand te komen tegen zo'n afgrijselijk, goddeloos systeem.

Natuurlijk was het voor Amish verboden om zich in wereldse zaken te mengen, maar hij leefde niet meer als Amish. Bovendien leek het niet eens christelijk om zo'n ongeremd kwaad te negeren alsof het niet bestond.

Niet voor het eerst vroeg hij zich af hoe hij Gant kon doen inzien dat hij nut voor hem – en Asa – kon hebben in hun strijd tegen de slavernij.

Toen ze bij de achterdeur aankwamen, bleef zijn blik weer op Asa rusten, die hem gadesloeg en duidelijk wachtte tot Gideon als eerste de werkplaats was ingegaan. Het drong tot hem door dat hij Asa's hulp misschien kon inroepen om Gant ervan te overtuigen hem voor hun 'Ondergrondse Spoorweg' te gebruiken.

5

Nieuwe aankomsten in Riverhaven

De mens is de mens dierbaar; de allerarmsten
wachten op momenten in het zware leven,
waarop ze kunnen voelen en weten dat ze zelf
kleine zegeningen hebben verstrekt; dat ze vriendelijk zijn geweest
toen dat zo hard nodig was, met alleen als reden
dat we allemaal een gezamenlijk hart hebben.

Schrijver onbekend

Gant zat over zijn bureau gebogen en was bezig om bestellingen uit te zoeken toen de achterdeur dichtsloeg.

Gideon natuurlijk. De jongen leek niet te weten hoe hij een deur moest sluiten zonder de muren te laten trillen.

Hij keek juist op toen Mac de kamer in kwam rennen en heftig kwispelend op hem af kwam.

De grote, zwarte hond landde met zijn enorme poten op Gants borst, waardoor de stoel bijna omviel.

Gant lachte opgetogen. 'Mac! Waar heb je *uitgehangen,* ouwe hond?'

Hij sloeg zijn beide armen om de dikke, behaarde nek van de hond en knuffelde hem. Hij was zo blij en opgelucht om hem te zien dat hij wel had kunnen schreeuwen.

Toen hij nogmaals naar de deur keek, zag hij daar Asa en Gideon aankomen, beiden glimlachend. Een nog grotere opluchting maakte zich van Gant meester. Hij duwde zichzelf bij het bureau vandaan en stond op. 'Dat werd *tijd*', zei hij met geveinsd sarcasme.

Halverwege de kamer ontmoetten ze elkaar. Gant nam de beide handen van zijn vriend in de zijne. 'Is alles goed met je?'

Asa knikte. 'En met u, kapitein? Is alles goed met u?'

Gant wuifde zijn vraag weg. 'Zo gezond als maar kan.'

Asa keek hem sceptisch aan. Gant was zich ervan bewust dat hij was afgevallen en niet zo goed sliep. Toch was hij er zeker van dat hij er beter uitzag dan zijn vriend. Asa was bleek, zijn haar bevatte meer grijs dan Gant zich kon herinneren en zijn kleren waren vies en gekreukt. Hij zag er uitgeput uit.

'Gideon, haal eens wat water. Voor allebei.'

Bij het geluid van het woord 'water' volgde de hond de jongen, kwispelend met zijn staart.

'Heb je bericht gekregen over het oponthoud?' vroeg Asa.

'Ja. Twee keer. Maar toch dacht ik niet dat je er zo lang over zou doen.'

'Ah. Je maakte je zorgen om me.' Asa's grijns keerde terug.

'Dat zei ik niet, hoewel het wel bij me was opgekomen dat je misschien de weg was kwijtgeraakt.'

Een oud grapje tussen beiden, omdat Asa's richtinggevoel feilloos was, zelfs nog beter dan dat van Gant.

'Geen problemen gehad op de terugweg?' vroeg hij.

Asa schudde zijn hoofd. 'Afgezien van een sheriff die er een probleem mee had dat ik een vrij man ben. Ik was... een week te gast in zijn gevangenis.'

Boosheid welde in Gant op. 'Had je je papieren niet bij je?'

Hij had al jaren geleden voor Asa's vrijheid betaald en bleef hem er voortdurend aan herinneren zijn papieren altijd bij zich te hebben.

Asa's glimlach werd grimmig. 'De sheriff vermoedde dat mijn papieren misschien niet echt waren. Hij dacht dat ze waren vervalst.'

'De gevangenis', zei Gant woedend. 'Dat hoort niet. Wat erg dat dat je is overkomen.'

Asa haalde zijn schouders op. 'Het was uw schuld niet, kapitein. En zoals u kunt zien, ben ik er niet slechter van geworden. Zelfs het eten was niet zo erg.'

Omdat Asa's accent verergerde wanneer hij geïrriteerd of boos werd, kon hij Gant niet om de tuin leiden. Zoiets moest ontzettend vernederend zijn geweest.

'Wat heeft hem er uiteindelijk van overtuigd je te laten gaan? Waar was dit trouwens?'

'In het noorden van Ohio. Een klein stadje in de buurt van Cleveland. Een van haar waakzame comités kreeg schijnbaar lucht van mijn omstandigheden en een groep goede mensen heeft mijn borg betaald.' Hij zweeg even. 'De sheriff leek mijn gezelschap eigenlijk niet te willen missen, maar de borgsom was blijkbaar voldoende.'

Gant wachtte terwijl Gideon een kop en een kan water op tafel zette en schonk toen iets in een kom voor Mac. Gideon bleef bij de tafel staan toekijken, klaarblijkelijk om het gesprek te kunnen volgen. Dat ging niet, aangezien er dingen waren die hij en Asa moesten bespreken die de jongen niet mocht horen.

'Zijn er geen bestellingen meer om te bezorgen?' vroeg Gant.

'Nee. Die heb ik vanmiddag allemaal al weggebracht', antwoordde Gideon.

Gant keek hem aan. 'Dan ben je klaar voor vandaag.'

De indringende blik van de jongen maakte duidelijk dat hij wist dat hij weggestuurd werd. 'Ik vind het niet erg om te blijven. Voor het geval je me later nog nodig hebt.'

'Het is toch al bijna tijd om te stoppen. Ik heb vandaag niets meer voor je te doen.'

Het was duidelijk dat Gideon weinig zin had om te gaan. 'Wil je niet dat ik eerst veeg? En ik heb de wagen van de houthandel ook nog niet uitgeladen.'

'Morgenochtend is vroeg genoeg. Ga nu maar', zei Gant met een handgebaar in de richting van de deur. 'Ga maar doen wat jij en de andere jongens doen om plezier te maken na…'

Hij brak zijn zin af toen er buiten een paard hinnikte, gevolgd door een geschreeuw en de kreet van een vrouw.

De drie mannen renden naar de voordeur. Mac, met een druipende bek van het water, kwam als eerste aan. De grote hond stond te wachten, duidelijk geagiteerd en popelend om naar buiten te mogen.

Het duurde niet lang voordat ze een gammel uitziende wagen in het oog kregen, die ver overhing naar een kant. Een aantal mensen stond toe te kijken, maar niemand bood hulp aan. Het zwarte paard dat nog met de kar verbonden was, stampte op de grond, hinnikend en snuivend, terwijl een man met stoffige kleren zijn armen uitstak naar een hoogzwangere vrouw.

Gideon sprong van de stoep en baande zich een weg door de omstanders naar hen toe. Gant volgde hem zo snel als hij kon, terwijl Asa het paard ging halen.

Het achterwiel was duidelijk gebroken. Gideon stutte een wiel om te voorkomen dat de wagen wegrolde en duwde er toen samen met Gant met een schouder tegenaan terwijl de man de vrouw hielp uitstappen. Intussen probeerde Asa het nerveuze paard te kalmeren. Hij praatte zachtjes en geruststellend tegen het dier terwijl hij het losmaakte en aan een paal vastbond. Mac rende heen en weer tussen Asa en de wagen, alsof hij alles in de gaten wilde houden.

Nadat hij het stel mee de werkplaats in had genomen, gebaarde Gant naar een bank achter een tafel en ging toen tegenover hen staan. Haar man – Gant nam in elk geval aan dat het haar man was, gezien haar toestand – ging beschermend achter haar staan.

Ze was nauwelijks meer dan een kind met een teer gezichtje en loshangend haar dat onder haar hoedje uit stak. Ze was vies en leek verstomd van de schrik en uitputting.

Gideon kwam haastig aanlopen met twee bekers water van de pomp die achter de werkplaats stond en de vreemdelingen dronken gulzig, alsof ze nog nooit zoiets lekkers hadden geproefd.

Gant bestudeerde de man, die niet veel ouder leek te zijn dan zijn vrouw. Hij had rood haar en een smal, somber gezicht, besmeurd met stof van de weg.

Alsof hij Gants onderzoekende blik aanvoelde, zei hij: 'Ik ben Terrence Sawyer – de mensen noemen me Terry – en dit is mijn vrouw, Ellie. We zijn heel dankbaar dat jullie ons hebben geholpen.' Zijn stem was zacht en hij sprak een tikkeltje lijzig.

Gant introduceerde zichzelf en toen Gideon en Asa. 'Waar komen jullie vandaan?' vroeg hij.

'Virginia, meneer. Het westen van Virginia. We zijn onderweg naar Indiana. Daar willen we een boerenbedrijfje gaan beginnen. Maar we hebben problemen gehad.'

'Wat voor problemen?' Gant knikte naar de lege plek naast Sawyers vrouw. 'Waarom ga je niet zitten, knul? Je zult wel moe zijn van de reis.'

Met een dankbare blik nam Terry Sawyer plaats naast zijn vrouw. 'We zijn overvallen onderweg, vlak na de grens van Ohio. Twee mannen die op zoek waren naar weggelopen slaven, zeiden ze. Maar ze leken meer geïnteresseerd in het stelen van wat wij hadden dan in het vangen van slaven.'

Hij wierp een blik op Asa en wendde zich vervolgens snel weer tot Gant.

'Ze hebben al ons geld gestolen en een deel van ons eten.' Zijn gezicht verstrakte. 'Ze zeiden dat ze al een lange reis achter de rug hadden en dat ze het harder nodig hadden dan wij. Maar ze hebben ons niet verwond, gelukkig – alleen maar beroofd.'

'Dat is pech', merkte Gant op nadat hij Gideon had weggestuurd om nog wat water te halen.

Sawyer knikte. 'Ik weet niet precies wat we nu moeten doen. We zijn al te ver van huis om nog om te keren en terug te gaan, als dat al kon. Bovendien hebben we niet echt iets om naar terug te gaan. Mijn ouders hebben de boel een paar maanden geleden verkocht en zijn naar Kentucky verhuisd om bij mijn oudste broer te gaan wonen en Ellie heeft helemaal geen familie. En nu dat wagenwiel kapot is, kunnen we helemaal nergens meer naartoe.'

Gant zag Gideon terugkomen en een volle kan vers water op tafel neerzetten. Sawyer vulde de beker van zijn vrouw en toen die van hemzelf en beiden dronken alles weer in een teug op.

'Ik denk dat ik dat wagenwiel wel kan repareren', zei Gideon, die naast Asa ging staan. 'Ik heb al veel wagenwielen gerepareerd. Het is waarschijnlijk de loopas.'

'Dat zou heel fijn zijn,' zei Sawyer, 'maar we hebben geen geld.'

Gideon haalde zijn schouders op. 'Dat is geen probleem. Zo lang doe ik er niet over.'

Gant keek hem aan, helemaal niet verbaasd dat de jongen zoiets aanbood.

Sawyer keek naar de grond en toen naar Gideon. 'Dat is heel aardig van je. Maar ik *zal* je betalen voor je werk zodra ik dat kan. Zodra we ons hebben gevestigd, stuur ik je het geld.'

Gideon, altijd vlug van begrip, keek hem een ogenblik onderzoekend aan. Toen zei hij, alsof hij besefte dat het een belediging kon zijn als hij weigerde: 'Dat is prima.'

'In de tussentijd,' merkte Gant op, 'hebben jullie een logeerplaats nodig.' Hij wendde zich tot Gideon. 'Breng hen naar het pension van mevrouw Haining. Daar is altijd wel een kamer vrij.'

Sawyer fronste en een rode vlek kroop langs zijn nek omhoog. 'Ik kan geen kamer betalen. We redden ons wel achter in de wagen.'

Gant dacht over zijn woorden na. 'Knul, zelfs als jij het redt achter in een kapotte wagen, dan wil je dat je vrouw toch nog niet aandoen. Zij heeft een goede nachtrust nodig. Maak je geen zorgen over het geld. Dat regel ik wel.'

Sawyers vrouw deed voor het eerst haar mond open. 'We zijn u heel erg dankbaar, meneer Gant. En we vinden wel een manier om u terug te betalen.' Haar blauwe ogen maakten volkomen duidelijk dat ze dat van plan was.

Gant wuifde haar woorden weg. 'Dat komt wel goed', zei hij. Toen wenkte hij Gideon. 'Ik heb in het magazijn iets liggen wat je meteen wel af kunt leveren als je op pad gaat.'

In het magazijn gaf hij Gideon wat geld. 'Dit zou genoeg moeten zijn voor een kamer en de maaltijden voor een paar dagen. Geef het aan mevrouw Haining en zeg dat ik het zal regelen als ze nog langer moeten blijven. Zorg ervoor dat ze weet dat ze nog moeten eten vanavond.'

'Als je me morgen een tijdje kunt missen, ga ik met dat wiel aan de slag.'

'Ik kan je wel een tijdje missen, maar ik heb het gevoel dat ze voorlopig nergens heengaan.'

Gideon keek hem vragend aan, maar begrip vulde bijna onmiddellijk zijn ogen. 'Mevrouw Sawyer – denk je dat het al bijna haar tijd is?'

Gant haalde zijn schouders op. 'Ik heb er natuurlijk geen verstand van, maar het zou me helemaal niet verbazen.'

Gant was bezorgd toen hij de jongen zag teruglopen naar de voorkant van de werkplaats. Het leven leek niet veel zwaarder te kunnen zijn voor de Sawyers. Een kapotte wagen, geen cent op zak, en als hij zich niet vergiste stond er een baby op het punt te worden geboren. Ze zouden hulp nodig hebben. Waarschijnlijk *veel* hulp.

Toch was er iets aan hen, iets dat hem zonder enige twijfel duidelijk maakte dat ze het zouden redden, ook zonder de hulp van anderen. Ondanks hun jonge leeftijd, hun pech en moeilijke omstandigheden, gaf een warme stabiliteit en stille kracht blijk van de liefde die ze deelden en die hen verenigde, hoe dan ook.

Plotseling besefte Gant dat hij bijna jaloers was. Jaloers op wat de Sawyers samen hadden. Hoewel ze *niets* leken te hebben, had hij het gevoel dat ze *alles* hadden.

Ze hadden wat hij wilde, waar hij op hoopte – en nog steeds naar verlangde – om met Rachel te trouwen.

Hij was degene die niets had. Hij had een huis, een bedrijf en meer geld dan hij nodig had. Hij had genoeg om de Sawyers te helpen en anderen zoals zij die geen bezittingen en geen greintje zekerheid hadden, en daar was hij echt dankbaar voor.

Maar zouden ze niet verbaasd zijn als ze wisten hoe snel hij met hen van plaats zou ruilen als hij Rachel bij zich kon hebben.

6

BIJEENKOMST VAN DUISTERNIS

Heerlijk toevluchtsoord voor mijn vermoeide ziel,
Als zorgen opdoemen,
Als golven van pijn aanspoelen,
Stel ik mijn hoop op U.

ANNE STEELE

September

Hoewel de dag heet en nog steeds zomerzoet was geweest, kwam er een kilte in de lucht toen de avond aanbrak.

Susan Kanagy staarde uit het keukenraam en haar blik bleef even op haar jongste dochter rusten, die nog steeds vrolijk op haar boomschommel zat. Toen gleed haar blik naar haar oudste, die aan de keukentafel zat en de laatste koekjes die ze vanmiddag hadden gebakken glazuurde. Rachels bewegingen waren traag en afgeleid en haar gezicht had de sombere uitdrukking die het de laatste tijd maar al te vaak had. Koekjes glazuren was schijnbaar wel het laatste waar ze aan dacht.

Susan dacht te weten wat er in haar dochter omging.

Jeremiah Gant.

Rachel had die blik nu meestal, sinds bisschop Graber had geweigerd zijn goedkeuring te verlenen aan de wens van de kapitein om zich tot hun Amish geloof te bekeren. De weigering van de bisschop betekende natuurlijk dat Rachel en Gant niet konden trouwen. Bovendien hield het in dat ze volledig bij elkaar uit de buurt moesten blijven.

Susan had haar dochter niet meer zo verslagen gezien sinds de dood van Eli. Het overlijden van haar jonge man, zo plotseling, zo gewelddadig, had Rachel doen wegzinken in jaren van pijn en verdriet voordat ze eindelijk enige mate van genezing had gevonden. Jeremiah Gants komst in Riverhaven en hun groeiende liefde voor elkaar had aan die genezing bijgedragen, maar nu bleef ze weer met een gebroken hart achter.

O, Rachel probeerde het niet te laten blijken. Als ze bij Susan en haar kleine zusje was, deed Rachel net alsof haar dagen gevuld waren en haar leven goed. Omdat ze niemand tot last wilde zijn, zagen zelfs haar beste vrienden Rachel nooit huilen.

Maar Susan had het wel gezien. Ze had haar dochter vastgehouden toen ze huilde om haar aandeel in de aanval die haar man het leven had gekost en haar gebroken had achtergelaten. En ze had haar opnieuw vastgehouden toen de bisschop met zijn besluit over Gant was gekomen, samen met zijn strenge vermaning dat ze niet met elkaar konden trouwen en dat ze elkaar niet meer mochten zien.

Hoewel er niet over relaties mocht worden gepraat, waren er nooit veel geheimen tussen haar en Rachel geweest. De Amish hielden zulke dingen privé, zelfs onder familieleden. Eerlijk gezegd zou ze niet eens iets mogen weten over de liefde die haar dochter en kapitein Gant voor elkaar hadden. Maar ze had altijd al een intieme band met Rachel gehad, ze waren altijd al vrienden evenals moeder en dochter geweest. En toen Rachel troost bij haar had gezocht, keerde Susan haar net zo min de rug toe als ze zou hebben gedaan als ze lichamelijk gewond was geweest.

Diep vanbinnen waren er dingen aan de leefwijze van de Amish die ze maar moeilijk te accepteren vond. Veinzen alsof er nooit een relatie had bestaan tussen Rachel en de man van wie ze hield en dan weten dat haar dochter verdriet had en geen troost bieden – dat kon ze niet.

Ze liep nu naar haar toe. 'Je lijkt mijlenver weg met je gedachten, kind', zei ze terwijl ze zachtjes een hand op Rachels schouder legde.

Rachel draaide zich om, keek op en vertrok haar mond – een glimlach die niet echt een glimlach was. 'Niet zo erg ver, mama. Ik dacht dat het al bijna herfst is. De zomer is bijna voorbij, *ja?*'

Susan zuchtte. 'Dat is waar. Ik zie de kou niet graag komen, maar we moeten nemen wat God ons geeft.'

'Ja', zei Rachel zo zachtjes dat Susan voorover moest leunen om haar te kunnen verstaan. 'We nemen wat Hij geeft.'

Susan wachtte even, ging toen naast haar zitten en pakte haar hand. 'Ik wou dat ik je verdriet weg kon nemen, kind. Kan ik iets voor je doen?'

Rachel haalde diep adem, duidelijk verbaasd. 'O nee, mama! Ik ben niet... verdrietig. Ik zat gewoon te denken.'

Susan keek haar dochter onderzoekend aan. 'Aan kapitein Gant, zeker?'

Een zwakke blos kroop over Rachels wangen. 'Nee, ik...'

Ze zweeg en wendde snel haar blik af. Rachel kon niet liegen.

Susan gaf een klopje op haar hand. 'Het geeft niet, Rachel. Ik weet dat dit erg moeilijk voor je is.' Ze zweeg even. 'Het zal een tijdje duren, kind, maar uiteindelijk *zal* de pijn afzwakken. Je zult genezen.'

Rachel keek haar nog steeds niet aan toen ze zei: 'Het spijt me, mama. Ik had niet door dat mijn gevoelens zo duidelijk zichtbaar waren.'

Susan nam de kin van haar dochter in haar hand en draaide haar langzaam naar zich toe. 'Bijna niemand ziet jouw gevoelens, Rachel.

Maar moeten wij tweeën nu echt net doen alsof?'

Rachel kneep haar ogen een ogenblik dicht. Toen ze ze weer opendeed, glinsterden er tranen in, die Susan diep raakten.

'Het doet zoveel pijn, mama', zei ze met verstikte stem. 'Ik houd van Jeremiah. Echt waar.'

'Dat weet ik.' Susan haatte deze hulpeloosheid, deze afschuwelijke frustratie dat ze haar eigen dochter niet kon troosten. 'Ik vind het zo erg voor je, *mei liewi* Rachel. Ik wou dat het anders was gegaan tussen jou en de kapitein.'

Terwijl ze toekeek, leek Rachel op te klaren. Ze rechtte haar rug en legde haar hand zachtjes op de wang van haar moeder.

'Ik wil niets afdoen aan uw geluk, mama. Het komt wel goed met me, heus.'

'Je doet niets af aan mijn geluk', zei Susan zo vastberaden mogelijk.

Nu glimlachte Rachel, ditmaal natuurlijker. 'Ik hoop dat u weet hoe blij ik voor u ben, mama. Echt waar. U en dokter Sebastian passen zo goed bij elkaar. En we moeten binnenkort plannen voor de bruiloft gaan maken. November is niet meer zo ver weg, hoor.'

Bij de gedachte aan hoe dichtbij haar bruiloft al was, voelde Susan zenuwen opborrelen. 'Er is nog voldoende tijd', zei ze om haar nervositeit niet te laten blijken. 'David moet tenslotte nog steeds zijn gelofte afleggen en zich bij de kerk voegen.'

'Bent u al aan uw trouwjurk begonnen?'

Plotseling voelde Susan zich weer net een jong meisje. Ze knikte. 'Ik heb een beginnetje gemaakt. O, Rachel, ik heb je hulp zo hard nodig om alles in orde te krijgen, maar ik wil het niet nog moeilijker voor je maken.'

Rachel pakte haar moeder bij de schouders. 'Denk alstublieft niet zo, mama! Absoluut niet. Uw geluk doet me geen pijn – het *helpt* me juist! Ik vind het heerlijk om u zo gelukkig te zien en ik denk dat dat komt door een man die de hele gemeenschap graag mag en respecteert. Dokter Sebastian is een *geweldige* man. Wees gelukkig, mama. U verdient het!'

Susan legde een vinger op haar lippen. 'Nee, Rachel. Niemand *verdient* de zegeningen die we uit Gods hand ontvangen. Wie kan zeggen waarom Hij ervoor kiest ons enig geluk te schenken, zondaars die we zijn?'

Rachels onderzoekende blik gaf haar een ietwat ongemakkelijk gevoel. 'Gelooft u dat echt, mama?'

'Natuurlijk geloof ik dat!' Susan zweeg even. 'Jij niet dan?'

Rachel liet haar handen zakken, maar bleef Susan onderzoekend aankijken. 'Hoe zit het met Zijn genade, mama? Wat als de Here God ons gewoon zegent omdat Hij dat wil? Niet omdat we het verdienen of er recht op hebben, maar gewoon omdat Hij van ons houdt.'

'We zijn zulke liefde niet waardig, kind', zei Susan streng.

Rachel bleef doodstil zitten. Ze keek haar moeder niet aan, maar staarde uit het keukenraam alsof ze daar een antwoord zocht.

'Jij en Eli,' ging Susan verder, 'hebben je laten beïnvloeden door hoe Phoebe en Malachi over die dingen denken.'

Rachel beantwoordde haar blik. 'Het zijn niet alleen Phoebe en Malachi, mama. Er zijn nog meer Amish die de Bijbel bestuderen. Eli en ik waren niet de enigen met vragen.'

Er borrelde een ongemakkelijk gevoel op in Susan. Ze voelde zich niet prettig bij dit gesprek over vragen. Ze wist dat Phoebe en Malachi Bijbelstudies hielden in hun huis en dat er mensen in de gemeenschap waren die hun vraagtekens zetten bij de oude leer en regels.

Toegegeven, ze had zelf ook wel eens vragen gehad, hoewel ze probeerde daar niet in te blijven hangen. En toen David haar vroeg naar dingen die hij leerde in zijn instructies om zich tot het Amish geloof te bekeren, had ze, zelfs terwijl ze hem de traditionele antwoorden gaf – de goedgekeurde antwoorden – *zichzelf* wel eens afgevraagd hoe iets zo kon zijn. Of het zo *was*.

'Het is het beste om niet te veel vragen te stellen', zei ze nu. 'Bij sommige dingen is geloof het enige antwoord.'

Rachel keek haar onderzoekend aan. 'Maar dat is nu juist het punt, mama. De Bijbel lijkt ons te leren dat er bepaalde dingen zijn die alleen door geloof kunnen worden geweten. En toch lijkt bisschop Graber ons te leren dat geloof alleen voor sommige zaken niet genoeg is.'

Susan vond het moeilijk om de blik van haar dochter te beantwoorden. 'Dat is niet waar, Rachel. Geloof is altijd het belangrijkste deel van ons geloof geweest…'

'Nee, mama. Niet altijd. Hoe zit het met de zekerheid van onze redding? De bisschop zegt dat we het *niet* zeker kunnen weten, dat we alleen maar kunnen *hopen* op redding, afhankelijk van hoe we leven. Dat klinkt mij niet als geloof in de oren.'

Susan stond op en begon de koekjes in een blik te stoppen. 'We hebben het hier al eens over gehad, Rachel, en ik wil er niet weer over doorgaan. Het is *unsinnig,* zinloos, om te twijfelen aan iets waarvan we weten dat het waar is.'

Rachel stond ook op en begon haar moeder te helpen om de koekjes op te ruimen. 'Goed, mama. Ik wilde u niet van streek maken. Maar vindt u het echt zo verkeerd om vragen te hebben over Gods wil voor ons? Denkt u niet dat Hij zou *willen* dat we zijn leer begrijpen?'

'Niet als we zo dom zijn om te twijfelen aan iets waarvan we al weten dat het waar is', zei Susan op een scherpere toon dan haar bedoeling was geweest. Maar ook al was Rachel een volwassen vrouw, ze was ook nog steeds haar dochter en Susan wilde er alles aan doen om te voorkomen dat ze van haar geloof werd afgeleid. 'Het is niet slim om deel te nemen aan die Bijbelstudies thuis, Rachel, als er geen predikant of diaken is om de gesprekken te leiden. Malachi is een goede man, maar hij is niet toegerust om te onderwijzen. Je moet luisteren naar de bisschop en onze diaken.'

'Bedoelt u Samuel?'

Er klonk minachting door in Rachels toon en Susan wist waarom. In de afgelopen maanden had Samuel Beiler er geen geheim van gemaakt dat hij van plan was om met Rachel te trouwen en hij had lang en hard voor deze zaak gevochten. Te hard naar het oordeel van Susan. In plaats van Rachel aan te trekken, had hij haar juist afgestoten. En zeker nu, nu haar hart nog steeds openstond voor Jeremiah Gant, had noch Samuel noch een andere man een kans om de genegenheid van haar dochter te winnen.

Samuel Beiler had dingen die Susan net zomin aanstonden als Rachel. Hij stond erom bekend koppig te zijn – onverzettelijk en zelfs halsstarrig. Hij was een aantal jaar ouder dan Rachel, maar dat was Gant trouwens ook. Wat voor Samuel sprak, was dat hij een diaken was, een harde werker – betrouwbaar en met goede bedoelingen. Hij zou ongetwijfeld een goede echtgenoot zijn, maar Rachel had hem nooit een kans gegeven.

Misschien kon Samuel haar nu helpen om Jeremiah Gant te vergeten. Als dat mogelijk was, dan kon Susan de paar dingen aan de man die haar dwarszaten met gemak over het hoofd zien en hem succes wensen bij het voor zich winnen van haar dochter.

'Je zou het slechter kunnen treffen dan met Samuel, kind', was alles wat ze zei.

Rachel draaide zich bij het aanrecht om en keek haar aan. 'Alstublieft, mama – begin niet weer over Samuel.'

Susan zuchtte, maar zei niets meer. Ze wist uit ervaring dat proberen om Rachel over te halen om redelijk te zijn wat Samuel Beiler betrof, haar alleen maar opstandiger leek te maken.

De enige manier waarop Rachels houding ten opzichte van Samuel kon veranderen, was als er iets in haar eigen hart gebeurde, niet door goedbedoelde adviezen.

❦

Later die avond lag Susan rusteloos te woelen in bed. Fannie sliep al uren, dus het was doodstil in huis, afgezien van wat gekraak en gepiep dat, na hier jarenlang te hebben gewoond, vertrouwd was geworden.

Ze was gewend geraakt aan een stil huis 's avonds. Ze gingen vroeg naar bed, zij en Fannie, en nu Gideon en Rachel weg waren, was er niet veel meer om de stilte te verstoren. Maar ondanks dat sliep ze maar zelden erg diep. Meestal werd ze 's nachts meerdere keren wakker. Dan stond ze op en ging ze bij Fannie kijken of naar de keuken om een slokje water te drinken. Soms zette ze haar schommelstoel bij het slaapkamerraam en keek ze uit over het veld tussen haar huis en dat van Rachel, als er genoeg maanlicht was om iets te kunnen zien.

Soms dacht ze dat het beter bij haar zou passen om overdag te slapen en 's nachts haar werk te doen. Ze glimlachte bij die gedachte. Haar buren zouden ongetwijfeld schande over zoiets spreken.

Ze was zo rusteloos dat ze ten slotte opstond en naar het raam liep om naar buiten te kijken. Er was niets te zien, afgezien van een incidentele glimp van de maan door de dikke bewolking aan de nachtelijke hemel. Ze stond daar aan Rachel te denken, die weer zo verdrietig en teruggetrokken was; aan Gideon, haar afvallige zoon, die zijn huis en familie in de steek had gelaten, afgezien van de momenten waarop hij terugkwam om haar te helpen met het zware werk op de boerderij; en aan haar lieve jongste dochter, Fannie, die weer meer zichzelf leek dan ooit sinds die afschuwelijke aanval vorige winter, toen een stel *Englische* jongens haar had getreiterd en neergeslagen in de sneeuw. Dankzij kapitein Gant was ze op tijd gered en had ze uiteindelijk niet alleen haar gezondheid teruggekregen, maar ook haar opgewekte aard, hoewel dat maanden had geduurd.

Susan durfde nauwelijks te denken aan wat er kon zijn gebeurd met het kind als Jeremiah Gant haar niet had zien liggen in een sneeuwstorm en haar was gaan halen, ondanks zijn gewonde been, waardoor hij zelf nauwelijks had kunnen lopen. Ze zou de voormalige rivierbootkapitein eeuwig dankbaar zijn dat hij het leven van haar lieve dochter had gered.

Kon hij haar andere dochter ook maar helpen een nieuw leven op te bouwen. Een nieuw leven met hem...

Ze zette die gedachte van zich af. Het had geen zin om nu nog over zulke dingen na te denken. De bisschop had *nee* gezegd tegen Gant en Rachel en dat was het einde van het verhaal. Hun liefde was eenvoudigweg niet voorbestemd. Op de een of andere manier moesten ze zonder elkaar verder.

Hoewel Rachel het vreselijk zou hebben gevonden als ze het wist, had Susan nog steeds een knagend schuldgevoel over haar eigen geluk nu haar bruiloft met David naderde. Het leek zo oneerlijk dat zij, een weduwe en moeder van middelbare leeftijd, een nieuwe liefde en een nieuw leven mocht hebben, terwijl haar jongere dochter met een gebroken hart moest blijven leven.

Toen drong het tot haar door dat ze zich met haar gedachten op gevaarlijk terrein begaf. Het was bijna alsof ze twijfelde aan de Here God met deze verboden gedachten over wat eerlijk was en wat niet.

Ze sloot haar ogen en bad om vergeving. Toen ging ze weer terug naar bed, voordat haar gedachten haar nog verder op dat gevaarlijke pad konden voeren.

7

NACHTELIJKE GELUIDEN

De stilte van de nacht
Spot met mijn verzwakte hart...

ANONIEM

Susan schrok ergens van wakker uit een rusteloze slaap. Ze ging rechtop zitten en luisterde. Buiten kraakte iets. Toen opnieuw.

Er was een harde wind opgestoken en eerst dacht ze dat ze alleen maar takken had horen knappen. Maar daarna klonk het gerinkel van een paardentuig en een kreet.

Voetstappen denderden over de grond. Het geluid van rennen.

Nog een kreet.

Een paard hinnikte en snoof.

Ze rende naar het raam, terwijl ze onderweg haar ochtendjas aantrok.

Een dikke, ondoordringbare duisternis hing zo dicht boven het weiland dat ze even geen hand voor ogen kon zien. Ze had het raam op een kiertje opengelaten, maar duwde het nu wijd open zodat ze haar hoofd naar buiten kon steken.

Niets dan duisternis.

Ze rende de kamer door om een lamp aan te steken en holde daarna de gang op. Ze bleef alleen even staan om in Fannies kamer te kijken. Het meisje bewoog, maar werd niet wakker.

Susan haastte zich de trap af. Haar hart bonsde en haar handen trilden toen ze de deur opendeed. Er was een tijd geweest waarin de Amish hun deuren niet op slot deden. Maar dat was niet meer het geval, na alles wat er in de afgelopen paar jaar was gebeurd.

Ze stapte de duisternis in en hield de lamp hoog in de lucht. De nachtlucht, vochtig en drukkend, sloeg tegen haar huid.

Ze hield de lamp nog hoger.

De schuurdeuren stonden open en erachter was alleen een donker, gapend gat te zien.

De paarden!

Op blote voeten begon ze te rennen. Ze stootte haar teen tegen een steen en er ging een pijnscheut door haar voet, maar ze bleef rennen totdat ze de schuur bereikte.

Haar blote voeten kwamen met een doffe dreun op de houten vloer terecht toen ze binnen tot stilstand kwam en bleef staan luisteren. Ze werd begroet door kou en doodse stilte. De stilte verkilde haar meer dan de kou. Haar handen beefden toen ze de lamp hief en hem eerst naar links en vervolgens naar rechts zwaaide.

De twee wagens – de kleinere en de grote, stevige waar haar man Amos de voorkeur aan had gegeven – stonden verlaten naast elkaar.

Smoke, het ranke, zwarte trekpaard en de oudere Rosie waren allebei weg. Ook Cecil was verdwenen, de honingkleurige Percheron waar Amos enkele jaren voor zijn dood mee was thuisgekomen. Susan gebruikte het grote, sterke dier voor het zwaarste werk op de boerderij.

Bijna smekend riep ze hun namen. Het geluid van haar eigen trillende stem maakte haar nog meer van streek en ze riep nogmaals, ditmaal krachtiger.

De donkere, lege stilte van de stal hoonde haar.

Ze probeerde de realiteit van de vermiste paarden te omvatten, het bonzen van haar hart te kalmeren en te bedenken wat ze moest doen. De lamp die aan haar arm bungelde, flikkerde hevig en veroorzaakte schaduwen die over de muren leken te bewegen, haar kant op.

Er drong iets tot haar door. Ze hief de lamp iets hoger en liet het licht door de schuur glijden.

De katten. Het kleine zwart-wit gevlekte vrouwtje en de gitzwarte kater – beide waren in geen velden of wegen te bekennen. De twee kwamen altijd aanrennen als iemand de schuur binnenkwam. Ze riep hen, maar wist dat ook zij weg waren.

Ze dreigde van schrik te worden verlamd toen de omvang van haar verlies tot haar door begon te dringen. Tranen brandden in haar ogen, niet alleen om de paarden, maar ook om de schuurkatten.

Ondanks de waarschuwing van Amos om dieren niet als huisdieren te behandelen, had ze altijd affectie voor de paarden gehad, vooral voor de betrouwbare, sterke Cecil, wiens grootte een schril contrast vormde met zijn zachtaardige karakter. En Fannie was dol op de katten, nam ze altijd mee naar binnen, hoewel Susan dat niet toestond.

Plotseling drong het tot haar door dat ze hier niet hulpeloos kon blijven staan. Ze waren tenslotte haar verantwoordelijkheid. Ze waren niet zelf weggelopen, dat wist ze in elk geval zeker. Ze moest ze vinden.

Ze *zou* ze vinden.

Ze draaide zich met een ruk om, rende terug naar het huis en begon de alarmbel te luiden.

8

Een hulpkreet

Hoe groot de rijkdom van onze schat ook is,
Het beste dat we zullen vinden, is een vriend.

John J. Moment

De alarmbel maakte David Sebastian wakker uit een diepe slaap. Hij was vroeg naar bed gegaan, in een poging zichzelf te laten wennen aan de leefwijze van de Amish, die vroeg naar bed gingen en weer vroeg opstonden. Vanwege zijn naderende bekering tot de kerk van de Amish en zijn huwelijk met Susan wilde hij zich hun leefwijze eigen maken.

Eerst dacht hij dat hij had gedroomd, want het geluid leek van verre te komen. Hij draaide zich op zijn zij, van plan om weer te gaan slapen. Maar toen het rinkelen niet ophield, kwam hij overeind.

Doordat hij al jarenlang geregeld 's nachts werd gewekt, was hij direct alert. Er werd vier keer gebeld, toen was het even stil en daarna klonk de bel nog tweemaal. Toen weer vier en daarna nog twee.

Susan!

Dat was het hulpsignaal dat Amos had gecreëerd toen hij de bel achter hun huis had opgehangen. Susan zou die bel 's nachts nooit luiden als ze geen hulp nodig had.

Hij graaide naar zijn bril en stak een lamp aan. Toen trok hij zijn kleren over zijn nachtkleding aan en rende de slaapkamer uit. Bij de voordeur griste hij zijn dokterstas mee.

Susans huis lag verderop langs de weg. Haastig spande hij zijn vospaard voor de wagen en reed met halsbrekende snelheid, de hele weg biddend dat de Heer Susan en Fannie zou beschermen totdat hij en anderen er waren om te helpen.

∾

De eerste die op de bel reageerde, was Fannie. Ze kwam de tuin in rennen, op blote voeten en in haar nachtpon, terwijl Susan nog steeds aan de bel trok.

'Mama! Waarom luidt u de bel?'

Ze bleef aan het touw trekken en zei: 'Je hebt een jas nodig, Fannie. Ga die binnen halen. Ik leg alles later wel uit.'

Maar voordat Fannie de achterdeur kon bereiken, kwam Rachel vanaf de zijkant van het huis over het veld aanrennen. 'Mama! Wat is er aan de hand?'

Ze had een jas over haar nachtpon aangetrokken, maar net zoals Fannie had ze blote voeten. De meeste Amish vrouwen droegen natuurlijk geen schoenen als het buiten warm was, maar de nachten waren nu te koel om ze niet aan te hebben.

'Naar binnen, jullie allebei', berispte Susan. Ze liet het touw van de bel los en nam haar beide dochters bij de hand om hen naar binnen te begeleiden. 'En Rachel, we kunnen ons maar beter aankleden. Malachi en de jongens kunnen hier elk moment zijn, daar ben ik van overtuigd. We moeten aangekleed zijn.'

'Maar wat is er aan de hand?' bleef Rachel aandringen zodra ze in de keuken stonden. 'Wat is er gebeurd?'

Binnen deed Susan haar best om haar stem rustig te houden terwijl ze het uitlegde. 'Het gaat om de paarden. Iemand heeft ze uit de schuur gelaten. Ze zijn weg. En…' Ze wierp een blik op Fannie.

'De schuurkatten. Die zijn ook weg.'

Fannie werd bleek en kreeg een verschrikte uitdrukking op haar gezicht. Rachel sloeg een arm om haar zusje heen en keek Susan aan.

'Rachel, ga nu snel wat kleren aantrekken', zei Susan. 'Je hebt hier jurken en als je schoenen wilt, mag je de mijne pakken. Fannie, kleed jij je ook maar aan. We zullen vannacht niet meer slapen.'

Terwijl ze nog sprak, klonken er voetstappen op de veranda. 'Dat zal Malachi met de jongens zijn', zei ze. 'Schiet op nu, ik zal hun wel vertellen wat er is gebeurd.'

Maar toen Susan de deur opendeed, trof ze niet Malachi Esch aan, maar Samuel Beiler met twee van zijn zoons.

Beschaamd om in haar nachtkleding te worden gezien, trok ze de ochtendjas iets steviger om zich heen.

'Susan, wat is hier aan de hand?' Samuel sprak scherp in de taal van de Amish en zijn strenge gezicht en barse stem maakten duidelijk dat hij klaar was om de leiding te nemen. Zijn blik gleed echter door de kamer achter Susan, ongetwijfeld op zoek naar Rachel.

Susan dwong zichzelf tot kalmte toen ze hem antwoordde. 'Samuel, wat fijn dat je bent gekomen.'

Ze wachtte toen hij en zijn zoons binnen waren en voelde zich schuldig dat ze wenste dat het Malachi was geweest die in haar gang had gestaan. Samuel Beiler was een goede man, een man op wie kon worden vertrouwd in een noodgeval. Ze moest zich schamen dat ze niet meer dankbaarheid en warmte voelde.

Maar Samuel was zo'n *harde* man, zo streng en onbuigzaam. Een groot gedeelte van de gemeenschap was, zo niet volledig geïntimideerd door hem, toch in elk geval op hun hoede als ze bij hem in de buurt waren. Daarnaast was hij zo vasthoudend in zijn pogingen om Rachel voor zich te winnen. Hij had voor zijn zoons al jaren geleden moeten hertrouwen, maar voor zover zij wist, had hij nog nooit een andere vrouw een blik waardig gegund sinds het overlijden van zijn vrouw. Hij wilde alleen maar Rachel.

Maar Rachel wilde *hem* niet. En hoewel Susan niets liever wilde dan dat haar dochter gelukkig was en hertrouwde met een goede man, moest ze toegeven dat ze wel begreep waarom Rachel Samuel afwees. Ondanks het feit dat zij en Amos hem altijd als een vriend hadden beschouwd, had Susan zich nooit helemaal op haar gemak gevoeld bij hem.

Terwijl ze nog in de deuropening stond, kwam David aanrijden in zijn wagen, met Malachi Esch vlak achter zich in hun boerenkar.

Susan hoopte dat de opluchting die ze voelde dat anderen afgezien van Samuel Beiler waren gekomen om te helpen, haar vergeven zou worden.

❧

Iets na vier uur 's ochtends zaten Gant en Asa koffie te drinken in Gants keuken. Gant stond al een week lang elke ochtend voor zonsopgang op, nadat hij had gehoord dat er elke dag weggelopen slaven konden komen. Tot nu toe was er echter nog niemand geweest en hij begon zich zorgen te maken dat er wellicht iets verkeerd was gegaan.

Plotseling gromde Mac en hij sprong op van zijn plaats bij het fornuis toen er iemand op de achterdeur bonsde. Asa was al opgestaan toen Gant zich overeind hees.

'Eindelijk', zei hij terwijl hij zonder zijn stok naar de deur hinkte.

Hij deed de deur half open en beval Mac tot stilte toen hij Gideon Kanagy voor zich zag staan.

'Het spijt me dat ik u wakker heb gemaakt, kapitein, maar ik moest u vertellen…'

Gant gooide de deur wijd open voordat de jongen zijn zin kon afmaken. 'Ik was al wakker', zei hij terwijl hij Gideon naar binnen wenkte. 'Maar waarom ben jij al zo vroeg op pad?'

Hij ving een glimp op van een andere jongen – een Amish jongen – die langs de rand van de weg in een boerenwagen zat te wachten.

'Gideon? Blijf niet in de kou staan. Kom binnen.'

Zelfs in de flikkerende gloed van de keukenlamp zag hij dat de jongen ergens van streek over was.

'Ik moet opschieten, maar bedankt. Reuben wacht op me – Reuben Esch. Hij kwam me halen, maar ik dacht dat ik beter eerst hier langs kon gaan. Ik had beloofd de werkplaats straks te openen, maar dat gaat niet lukken. Er is iets gebeurd op de boerderij en ik moet er meteen naartoe. Mamm heeft me nodig.'

Het kostte Gant moeite om de woorden van de jongen te begrijpen. 'Rustig, jongen. *Wat* is er gebeurd?'

'Dat weet ik niet precies. Reuben zei dat de paarden weg zijn en de schuurkatten ook.'

Gant staarde hem aan. '*Weg?*'

Gideon knikte. 'Het lijkt erop alsof iemand de paarden heeft gestolen. De katten zijn waarschijnlijk geschrokken en gevlucht.'

Mac wrong zich tussen Gant en Gideon in en de jongen boog zich naar voren om hem over zijn kop te aaien.

'Is alles goed met je moeder en Fannie?' Gant riep Mac terug naar binnen.

Weer knikte de jongen. 'Reuben zegt dat er niemand gewond is, maar ze zijn flink geschrokken.'

Gant haalde diep adem. 'Rachel?'

Gideons blik bleef onberoerd. Als hij al iets wist over de situatie tussen zijn zus en zijn werkgever, dan liet hij daar niets van blijken. 'Ze zal nu wel bij mamm zijn. Ze heeft de bel vast gehoord.'

'De bel?'

'De etensbel die papa heeft opgehangen. Die was ook bedoeld voor als er problemen waren, zodat de buren konden komen helpen als dat nodig zou zijn.'

Gideon wierp een blik op de jongen die langs de weg stond te wachten. 'Ik moet nu gaan', zei hij.

Gant had zijn beslissing al genomen. 'Vind je het erg als Mac en ik met je meegaan?'

Gideon keek hem verbaasd aan, maar aarzelde geen moment. 'Dat is uitstekend.'

'Zou je moeder het erg vinden?'

De jongen antwoordde snel. 'U bent altijd welkom in mamms huis, kapitein. Dat zou ze zelf ook zeggen.'

Gant knikte alleen maar. 'Ik pak even mijn jas, dan kom ik eraan.'

Hij keek Gideon even na terwijl die naar de wagen rende en wendde zich tot Asa. 'Dit klinkt niet goed. Kun jij de boel hier in de gaten houden?'

'Je hebt me laten zien wat ik moet doen als er iemand komt', zei Asa. 'En hoe moet het later vanochtend met de werkplaats?'

'Hang maar gewoon het bordje *gesloten* aan de deur. Ik kom zo snel mogelijk terug. Iemand zal me wel brengen, maar nu moet ik weten wat daar aan de hand is.'

'Zijn er al eerder problemen geweest?'

Gant keek hem aan terwijl hij zijn jas van de haak aan de muur pakte en hem aantrok. 'Ze hebben al meer dan genoeg problemen gehad. Zelfs nog toen jij weg was. Maar dat vertel ik je later wel.' Hij zweeg even. 'Weet je zeker dat je het niet erg vindt om de boel voor me te regelen, mocht dat nodig zijn?'

'Ik weet wat ik moet doen, kapitein.'

Gant knikte langzaam. 'Ja. Dat weet je altijd.'

9

ONDER VRIENDEN

Dit is het gebod dat ik in mijn hart bewaar,
Het doel van alle hoop en elk plan,
Om te verwijderen de scheidslijn
Tussen mij en mijn buurman.
Dus voor mij zal er een einde komen
Aan alle angst, tenzij ik niet erken,
Dat mijn buurman een vriend is die ik nodig heb
En dat ik ook noodzakelijk in zijn leven ben.

LESLIE PINCKNEY HILL

Het bleef Gant intrigeren hoe snel en efficiënt de Amish gemeenschap zich ten tijde van crisis rondom een van hen verzamelde.

Niet dat zijn volk, de Ieren, elkaar niet bijstonden wanneer dat nodig was, maar tegen de tijd dat hij Ierland had verlaten om naar Amerika te gaan, was het eiland zo verarmd en de bevolking zo zwak en ziek door ondervoeding, dat het alleen nog maar in leven probeerde te blijven. Vrijgevigheid en vriendelijkheid konden alleen nog maar geschonken worden door degenen die niet getroffen waren door een ziekte en nog sterk genoeg waren om anderen te kunnen helpen.

Daardoor waren niet veel Ieren meer in staat geweest om nog goed voor anderen te zijn.

Tegen de tijd dat de mannen bij de boerderij van de Kanagys aankwamen, liepen allerlei buren en vrienden al door de tuin en over de veranda. Toen hij en Gideon zich een weg tussen hen door baanden, merkte Gant tot zijn blijdschap en opluchting dat hij door velen begroet werd met respect en soms zelfs met openlijke vriendschappelijkheid.

In de loop van de tijd leken de Amish hem te zijn gaan vertrouwen. Volgens Doc Sebastian was dit een hele prestatie, dus was hij dankbaar voor de acceptatie die ze hem schonken. Daarnaast *mocht* hij de Amish van Riverhaven echt graag.

Hoewel Gant de bisschop niet had weten te overtuigen toen hij voor het eerst met hem sprak, begon hij zich te realiseren dat hij de waarheid had gesproken toen hij had volgehouden dat zijn verlangen om met Rachel te trouwen niet de enige reden was dat hij toestemming wilde om zich te bekeren. En naarmate de weken verstreken, leek de weigering van de bisschop om zijn bekering toe te staan steeds dieper in hem te snijden. Pas toen de omvang van wat hem was geweigerd goed tot hem begon door te dringen, besefte hij dat het hem net zoveel pijn deed dat hij voorgoed een 'buitenstaander' zou blijven voor de Amish als het grimmige besef dat hij en Rachel nooit zouden kunnen trouwen.

Toen zag hij haar, terwijl ze tussen enkele van de laatkomers in de tuin door liep en aan hen uitlegde wat er die nacht was gebeurd. Ze was helemaal aangekleed en haar glanzende haardos was netjes opgestoken en verborgen onder het kleine kapje dat ze altijd droeg, waarvan de touwtjes dansten in de nachtelijke bries.

Haar ogen vonden die van Gant toen hij op haar af liep. Ze wendde haar blik heel even af. Toen ze hem weer aankeek, zag hij de vermoeidheid op haar gezicht, haar bleke gelaatskleur en wist hij dat, wat de reden ook was, vannacht niet de enige nacht was dat ze niet goed had geslapen.

❦

Het zou haar niet zoveel plezier moeten doen, dat hij in de donkere uren van de ochtend helemaal vanuit de stad was gekomen. Ze zou deze golf van blijdschap bij zijn aanblik – zijn blik, zo warm als een streling, zijn gespannen glimlach, zijn krullende donkere haar dat over een oog viel, zijn kracht – na al die tijd niet mogen voelen. Maar, o, het was zo fijn om hem te zien!

Hij kwam recht op haar af en keek naar haar alsof hij niemand anders zag. En op dat moment, ondanks haar spanning en onrust over alles wat er in de afgelopen uren was gebeurd, wist Rachel niets meer en zag ze niemand anders meer dan hem.

Jeremiah. De man van wie ze niet mocht houden, maar van wie ze toch hield.

'Rachel', zei hij op de zachte toon die hij voor haar naam gebruikte en waardoor die het meest belangrijke geluid leek dat ze ooit had gehoord. 'Wat vervelend wat er is gebeurd.'

Ze knikte moeizaam en probeerde haar blik af te wenden, maar dat lukte haar niet.

'Waar is je moeder?'

'Ze is…' Uiteindelijk lukte het haar ogen van de zijne los te maken. Ze keek om zich heen en zag haar moeder praten met Gideon en Doc Sebastian. 'Daar', zei ze, wijzend. 'Op de veranda.' Ze zweeg even en voegde er toen aan toe: 'Ze zal blij zijn dat je bent gekomen.'

'En jij?' vroeg hij terwijl hij haar aandachtig gadesloeg.

Ze haalde diep adem. 'Wat? Ik… ja, natuurlijk', antwoordde ze op een zo luchtig mogelijke toon.

'Wat kan ik doen om te helpen?' Nu veranderde zijn uitdrukking van intiem in praktisch.

'O… ik denk dat er niet echt iets te doen is. Sommige mannen vormen groepjes om de paarden te gaan zoeken, voor het geval ze nog ergens in de buurt zijn.'

'Hoe laat is dit gebeurd? Weet je dat?'

Rachel dacht diep na. 'Mama zei dat ze rond half een geluiden hoorde. Daar werd ze wakker van.'

'Je hebt zeker geen idee wie het gedaan zou kunnen hebben.'

'Nee. Misschien iemand die een geintje met ons wilde uithalen. Dan vinden we de paarden wel weer gezond en wel terug. Maar anders…'

'Kapitein Gant?'

Fannie kwam aanhollen en greep Jeremiahs mouw beet. 'Wat ben ik blij dat u er bent! Waarom bent u zo lang niet geweest? Bent u gekomen om te helpen de dieren te zoeken?'

Rachel zag de oprechte blijdschap op het gezicht van haar zusje, die stralend naar Jeremiah opkeek – en de warmte in zijn ogen toen hij naar haar glimlachte.

'Ah, mijn favoriete jongedame', zei hij terwijl hij even over Fannies *Kapp* streelde. 'Ik ben ook blij om jou weer te zien.'

Fannie giechelde. 'Je klinkt grappig als je Iers praat.'

'Fannie…'

Maar hoewel Rachel haar zusje wilde berispen, lachte Jeremiah alleen maar.

'Nou, mejuffrouw Fannie, ik zal mijn best doen om jouw Amish taal niet in de weg te zitten met mijn Iers. Wat dacht je daarvan?' plaagde hij.

Fannie giechelde opnieuw opgetogen, maar toen betrok haar gezicht. 'Mijn schuurpoezen zijn ook weg.'

'Dat heeft Gideon me verteld', zei Jeremiah op zachte toon. 'We zullen ons best doen om ze voor je te vinden, meissie. Maar als je voor nu gedag tegen Mac wil zeggen, hij zit bij de wagen. Hij wil *jou* vast graag zien.'

Fannie bleef nog een paar seconden naar hem staren, met een aanhankelijke blik in haar kinderogen. Toen draaide ze zich om en rende weg om Gants hond te zoeken.

Rachel keek haar na en kon alleen maar hopen dat haar eigen gevoelens minder duidelijk te zien waren.

⤬

Later stond Gant op de veranda met Doc te praten, hoewel hij elke beweging van Rachel met zijn blik bleef volgen.

'Denk je dat dit het werk zou kunnen zijn van dezelfde groep die Fannie vorig jaar heeft aangevallen?' vroeg hij.

Doc haalde zijn schouders op. 'Er zijn talloze grappenmakers die het leuk vinden om de Amish te treiteren.'

'Waarom is dat volgens jou?'

Doc haalde opnieuw zijn schouders op en zijn uitdrukking was cynisch. 'Ik hoef *jou* niet te vertellen dat er altijd mensen zullen zijn die geen begrip hebben voor de verschillen in anderen. De Ieren hadden zelf wel een boek kunnen schrijven over verdrukking.'

'Dat is waar. Voor sommigen zijn we niets meer dan uitschot en onwetende Papisten. Een ondergeschikt volk. Maar wat is de reden van het pesten van de Amish? Het zijn eerlijke, hardwerkende familiemensen die niemand lastig vallen en gewoon met rust gelaten willen worden om het geloof zo goed mogelijk in de praktijk te brengen in hun levens.'

Docs onderzoekende blik was ietwat onbehaaglijk. 'Zo naïef ben je niet, Gant. Ik ken je beter.'

'Wat?'

'Het zijn de *verschillen,* zie je dat dan niet? De Amish passen net zo min bij de rest als de Ieren. Het mogen dan goede, eerlijke mensen zijn die hard werken en een rustig leven leiden, maar ze zijn *anders.* En dan heb ik het nog niet eens over het feit dat ze niets terugdoen als hen onrecht wordt aangedaan, dat ze niet ten strijde trekken en hun geloof niet in gevaar brengen. Nergens voor. En voor bepaalde mensen maakt dat hen verdacht en gemakkelijke doelwitten voor pesterijen en zelfs geweld. Er zijn veel te veel mensen op deze wereld die geen tolerantie hebben voor degenen die anders zijn dan zijzelf.'

Gant wist dat hij gelijk had, maar ook dat er nog meer redenen waren voor het gebrek aan tolerantie ten opzichte van de Amish die Doc niet opgenoemd had. Hij had allang gezien dat een bepaald slag mensen niet kon omgaan met enig verschil met hun eigen normen. Als zij iets nodig hadden of belangrijk vonden, dan gingen ze ervan uit dat dat ook voor anderen gold. Zo niet, dan kon dat een reden voor haat en zelfs wraak zijn.

Voor iemand die waarde hechtte aan materiële zaken kon de manier waarop de Amish dergelijke dingen vermeden en zelfs de eenvoud van de manier waarop ze leefden, al genoeg zijn voor vijandigheid en, uiteindelijk, agressie. Uit wat Doc hem had verteld en wat hij al over de Amish wist, leek het erop dat waar ze zich ook vestigden, ze altijd wel te maken kregen met vijandschap die maar al te vaak de vorm aannam van mishandeling, of nog erger.

Zijn blik ging weer terug naar Rachel, die nu haar arm om de schouders van haar moeder heen geslagen had. De gedachte dat iemand een van hen beiden kwaad wilde doen, maakte hem witheet van woede.

Dus misschien had de bisschop wel gelijk gehad toen hij zei dat hij er nog niet 'klaar' voor was om het leven van de Amish te leiden en dat misschien wel nooit zou zijn. Want één ding was zeker: hij vond het moeilijk, zo niet onmogelijk, om zich voor te stellen dat hij toekeek en niets deed als er geweld werd gebruikt tegenover iemand van wie hij hield – of tegenover wie dan ook van deze goede mensen om wie hij was gaan geven.

Terwijl hij stond toe te kijken, liep Samuel Beiler naar Rachel en haar moeder toe en begon met hen te praten. Gants maag verkrampte. Hij deed zijn best om de jaloezie die als een mes in zijn borst stak, te verhullen.

Hij voelde niet alleen aversie jegens de diaken vanwege de manier waarop hij Rachel stelselmatig behandelde, maar hij vond het afschuwelijk dat Beiler het recht had om tijd met haar door te brengen als zij dat toestond. Dat, terwijl zijn eigen toenaderingspogingen, tenzij ze strikt platonisch vriendschappelijk waren, verboden waren. De mensen behandelden hem dan wel vriendelijk en met respect, maar als hij zomaar tegen het bevel van de bisschop inging om elke vorm van romantische relatie met Rachel te vermijden, dan zou hij niet langer welkom bij hen zijn.

Onwillekeurig bestudeerde hij haar reactie op de man en zag tot zijn opluchting dat ze dezelfde terughoudende houding had die Gant al vaker had gezien. Dus de diaken had haar in Gants afwezigheid niet voor zich gewonnen.

Nog niet, in elk geval.

'Het is verspilde moeite om zo boos naar Samuel Beiler te kijken, volgens mij.'

Docs droge woorden brachten Gant weer in het heden. 'Is het zo duidelijk?'

'Beiler laat zich niet gemakkelijk afschepen, maar Rachel heeft een sterke eigen wil. Ik denk niet dat je je zorgen over de diaken hoeft te maken. Hij is geen stap verder met haar gekomen en dat zie ik niet veranderen.'

Een ongewoon zure uitdrukking verscheen op Docs gezicht. 'Ik neem aan dat ik mazzel heb dat hij niet heeft besloten om *Susan* het hof te maken. Hij is tenslotte veel meer van haar leeftijd dan van Rachels.'

'Op de een of andere manier denk ik niet dat hij een probleem voor jou zal gaan worden', antwoordde Gant. 'Je aanstaande lijkt voor geen enkele andere man oog te hebben als jij in de buurt bent.'

Doc grijnsde jongensachtig. 'Ik moet er vandoor. Waarom ga je niet met onze groep mee om naar die paarden te zoeken? Het zijn alleen maar Gideon, Reuben, Malachi en ik. We nemen de wagen van Malachi. Als die grote vos van Susan iets is aangedaan, dan zullen er misschien meer dan twee mannen voor nodig zijn om hem weer thuis te krijgen.'

Gant knikte. Hij wierp nog een laatste blik in Rachels richting en haalde opgelucht adem toen hij zag dat Beiler bij haar vandaan liep. Hij aarzelde nog even en volgde Doc toen door de tuin naar de plek waar Malachi Esch en de anderen in de wagen klommen.

10

DUISTERE HERINNERINGEN

Het hart dat echt heeft liefgehad, vergeet nooit meer.

THOMAS MOORE

Ze vonden de paarden enkele uren later in een verlaten schuur die zich ongeveer vijf kilometer van de boerderij van de Kanagys bevond. De dieren waren nerveus en van streek, maar schijnbaar ongedeerd.

Voordat hij vanaf de boerderij was vertrokken, had Gant zijn hond, Mac, een kans gegeven om in de stallen en de wei te snuffelen. Mac was degene geweest die hen had geattendeerd op de vervallen schuur waar ze de paarden aantroffen.

Ze hadden geen problemen om de dieren mee naar huis te krijgen. Gideon en Reuben Esch reden elk op een van de wagenpaarden en leidden de grote vos voort, terwijl Mac voor hen uit liep, alsof hij er zeker van wilde zijn dat ze hun bestemming veilig zouden bereiken.

In de wagen wendde Doc zich tot Gant en zei: 'Denk jij hetzelfde als ik, gezien het feit dat de paarden ongedeerd zijn gebleven?'

Gant knikte. 'Het was alleen maar pesterij. Ze hebben nooit enige intentie gehad om die dieren iets aan te doen.'

'Zo denk ik er ook over', stemde Doc in. 'Dit was gewoon weer een manier om de Amish dwars te zitten.'

Gant dacht daarover na. 'Je denkt niet dat ze Susan hebben uitgekozen om enige andere reden dan het feit dat ze Amish is?'

Doc wreef over zijn kin. 'Nee, maar dat *wil* ik ook niet denken. Wat ze hebben gedaan, was gemeen, maar niet zo bedreigend dat het persoonlijk lijkt.'

Gant knikte opnieuw, maar een andere gedachte zat hem dwars. 'Je blijft maar "ze" zeggen. Denk je dus dat er meer dan één persoon bij betrokken is?'

'Jij niet, dan? Er met drie paarden vandoor gaan – vooral gezien de grootte van Cecil – lijkt mij het werk van meer dan één man.'

'Waarschijnlijk wel. Hoewel iemand die aan paarden gewend is de klus vast ook wel zonder hulp zou kunnen klaren, denk je niet?'

Doc keek Gant aan. 'Denk jij dat dat het geval is geweest?'

'Nee, niet echt. Ik denk alleen over de mogelijkheden na.'

Doc zweeg even. 'Ik vraag me af of ik niet geneigd ben om dit als het werk van één man te zien vanwege wat er met Fannie is gebeurd.'

'Omdat het er toen vier waren, bedoel je?'

Doc knikte. 'Er is geen enkele reden om te geloven dat dit het werk van diezelfde jongens is, natuurlijk. Maar het is makkelijk om hen te verdenken.'

'Inderdaad. Maar als dat zo is, dan kun je je afvragen waarom ze die paarden niets hebben aangedaan. Ze hebben bij Fannie tenslotte geweld niet geschuwd.'

Er zat Gant iets dwars aan het feit dat de paarden duidelijk niet slecht waren behandeld. Er was echter geen tijd om er verder over na te denken. De boerderij van de Kanagys was in zicht en iedereen zou ongetwijfeld zitten te wachten op nieuws.

Hij was blij voor Susan – en voor Rachel – dat het nieuws, in elk geval voor nu, goed was.

In de daaropvolgende week schaamde Rachel zich bijna als ze aan die nacht terugdacht en zich realiseerde dat wat er met de paarden van haar moeder had *kunnen* gebeuren, haar minder dwarszat dan de gevoelens die Jeremiahs terugkeer in haar leven bij haar had aangewakkerd.

Zo dacht ze eraan, dat hij was teruggekeerd in haar leven. Niet dat hij echt was weggeweest. Hoewel ze elkaar enige tijd nauwelijks hadden gezien, was hij nooit echt uit haar gedachten verdwenen. Maar hem zien, had haar meer gedaan dan ze zou willen toegeven.

Nu was hij opnieuw werkelijkheid voor haar geworden, een grotere aanwezigheid dan in haar herinneringen, een sterker gezicht met een intensere blik en een gemakkelijke glimlach. En zijn afwezigheid na zijn vertrek die nacht, had haar beroofd achtergelaten, alsof er een kille wind van verlating door haar hart had gewaaid en het nu duister en leeg was.

Hij was de laatste gedachte in haar hoofd als ze in een vaak rusteloze slaap viel en haar eerste gedachte als ze wakker werd. In de dagen die volgden, gunde zijn herinnering haar geen rust. Als ze het geluid van hoefgetrappel op de weg hoorde, ging ze instinctief naar het raam om naar buiten te kijken. En als iemand bij haar aan de deur kwam, hield ze haar adem in als ze opendeed, half hopend om hem daar te zien staan, maar tegelijkertijd wanhopig vanwege het besef dat *als* hij het was, ze hem – volgens de bisschop en de kerkleiders – weg zou moeten sturen omdat hij *verboten* – verboden – voor haar was.

Ze wist dat ze moest *stoppen* met aan hem denken, dat ze hem niet zo graag zou moeten willen zien dat het pijn deed. En toch waren haar gedachten alles wat ze nog van hem had. Hoe kon ze die ooit opgeven?

Toen de bisschop Jeremiahs bekering weigerde en daarmee de deur sloot voor elke mogelijkheid dat ze ooit zouden kunnen trouwen, was het alsof een licht was gedoofd in haar hart. Nadat Eli, haar man, was gestorven, zwoegde ze door de dagen en weken en maanden heen als een blinde vrouw die zich een weg door de dikke duisternis van de nacht probeerde te banen. Maar daar had Jeremiah verandering in gebracht. Zijn begrip, zijn tederheid, zijn gevoel voor humor – alles wat hij was – had de mist van depressie stukje bij beetje uit haar dagen doen wegtrekken. Hun vriendschap, die langzaam steeds meer was gegroeid, was een standvastig licht geworden dat geleidelijk aan was overgegaan in liefde.

Nu was de duisternis terug en ditmaal was het nog erger. Ze had niet alleen de eerste man van wie ze ooit had gehouden verloren, maar ze moest de tweede opgeven en op de een of andere manier – hoewel ze dat nauwelijks aan zichzelf wilde toegeven – leek het nog moeilijker dan het met Eli was geweest. Ze dacht dat dat misschien kwam doordat Jeremiah nog leefde, nog steeds in de buurt was. Soms, zoals die nacht toen de paarden waren gestolen, zag ze hem nog steeds, sprak ze nog steeds met hem, voelde ze nog steeds zijn blik op haar rusten en zijn ogen tot diep in haar ziel doordringen.

Hij was te… *aanwezig.* Te dichtbij. Te echt. Er viel niet aan hem te ontsnappen.

Maar als ze haar gezonde verstand niet wilde verliezen – en tegelijkertijd waarachtig wilde blijven tegenover haar geloof en de kerk – dan *moest* ze aan hem zien te ontsnappen. Ze moest hem uit haar leven verbannen, uit haar gedachten, uit haar hart.

De vraag was *hoe.*

11

VERLANGEN NAAR RECHTVAARDIGHEID

Uw wil draagt de zwakken op om sterk te zijn,
en de sterken om rechtvaardig te zijn.

JOHN HAY

I n de volgende dagen merkte Gant dat Gideon er met zijn hoofd niet bij was. De jongen was duidelijk nog steeds van streek vanwege wat zijn moeder had moeten doorstaan.

Niet dat zijn werk in de werkplaats eronder leed. Gideon had bewezen plichtsgetrouw te zijn. Hij werkte hard en was veelbelovend als aankomend timmerman, hoewel Gant vermoedde dat zijn interesse niet daadwerkelijk op dat vlak lag. Zijn werk was net zo goed als ooit, maar hij straalde een spanning uit die grensde aan woede – een subtiele, maar standvastige boosheid die nooit ver onder het oppervlak leek te sudderen.

Hij werkte harder en sneller, wat hij ook deed. Meestal had hij een frons op zijn gezicht – hij had al dagenlang niet meer geglimlacht – en hij was stiller dan normaal. Bijna elke poging om hem op te beuren, zelfs in de meest luchtige gesprekken, mislukte.

Maar de laatste tijd was er natuurlijk niet veel gelegenheid voor gesprekken geweest, aangezien het een bijzonder drukke tijd was in de werkplaats. Ze hadden zoveel werk dat de opdrachten zich begonnen op te stapelen, iets waar Gant zich niet prettig bij voelde. Hij hield ervan om de boel zonder veel achterstand draaiende te houden.

Aan de andere kant was hij blij met het vele werk. Asa had aangeboden om te helpen en Gant had zijn aanbod dankbaar geaccepteerd. Maar Asa zou niet lang blijven. Twee 'passagiers' voor de Spoorweg zaten op dit moment verstopt in de schuur van Gant en Asa zou binnenkort met hen vertrekken. Hij wachtte altijd het liefst op een bewolkte nacht wanneer het zo donker mogelijk was, voordat hij op weg ging. Maar Gant merkte dat hij zenuwachtig begon te worden en binnenkort zou gaan, met of zonder bewolking.

Net zoals gewoonlijk was de ochtend snel verstreken, met het vele werk dat voorhanden was. Lunchtijd ging voorbij zonder dat een van hen was gestopt om te eten. Ten slotte stuurde Gant Gideon weg om eten te halen en toen hij terugkwam, gingen ze alle drie aan de tafel in de achterkamer zitten.

Na zijn laatste happen dronk Gant de rest van zijn melk op, terwijl hij Gideon gadesloeg, die weinig had gegeten. 'Heb je deze week nog iets van je moeder gehoord?' vroeg hij.

'Tot nu toe niet', antwoordde de jongen. 'Ik neem aan dat alles goed gaat, anders zou ik wel bericht hebben gehad.'

'Ik heb gehoord dat de politie onderzoek doet om erachter te komen wie achter de diefstal van de paarden zit', zei Gant.

Gideon snoof. 'Dat haalt toch niets uit.'

Gant keek hem aan. 'Waarom zeg je dat?'

'De *Englisch* geven niet veel om wat er met de Amish gebeurt.'

'Dat geldt niet voor ons allemaal', zei Gant rustig. 'Volgens mij hebben de Amish heel wat vrienden in de buitenwereld gemaakt. Hoe zit het met Doc Sebastian?'

De jongen knikte even, maar zijn gezicht versomberde. 'Doc is anders. Bovendien wordt hij binnenkort zelf ook Amish.'

'Dat is waar, maar hij is al heel lang een vriend van de Amish', antwoordde Gant. 'Over Doc gesproken, als je hem eerder ziet dan ik, wil je hem dan vragen eens bij mevrouw Sawyer langs te gaan? Terry was er vanmorgen toen ik net opening. Hij maakt zich zorgen over haar. De baby kan nu elk moment komen en ze hebben een zware reis achter de rug. Hij zei dat ze zich niet helemaal goed voelt.'

'Heeft hij al werk gevonden?' vroeg Gideon.

'Nog niet. Het is moeilijk in Riverhaven nu, maar bovendien zal iedereen die weet dat Sawyer alleen maar iets tijdelijks zoekt, totdat hij genoeg geld heeft om naar Indiana te gaan, hem niet snel aannemen.'

Gideon stond op en begon de tafel af te ruimen. 'Ik zal met Doc gaan praten. Dit weekend ga ik waarschijnlijk toch naar de boerderij. Hij zal er vast ook wel zijn.'

Gant keek hem onderzoekend aan. 'Je hebt er toch geen problemen mee dat hij met je moeder trouwt?'

'Nee, hoor. Doc is een goede man. Hij maakt mamm gelukkig. Bovendien zal ik blij zijn als zij en Fannie niet meer alleen zijn, vooral na wat er nu weer is gebeurd.'

Gant wendde zich tot Asa om het uit te leggen. 'Doc Sebastian – weet je nog wie dat is? Hij wordt lid van de kerk van de Amish en hij en Gideons moeder trouwen in november.'

'Ik herinner me de dokter nog – en mevrouw Kanagy ook', zei Asa. 'Ze hebben je goed verzorgd toen je gewond was.'

'Ja, dat klopt. En ik ben hen beiden dan ook heel dankbaar.'

Toen liep Gideon weg om het restant van zijn lunch buiten in de vuilnisbak te gooien.

'De jonge Gideon is van streek', zei Asa.

Gant knikte. 'Hij voelt zich verscheurd. Hij is vastbesloten om erachter te komen wie zijn gemeenschap lastigvalt, maar hij heeft geen idee waar hij moet beginnen. Afgelopen winter hebben vier jongens zijn kleine zusje, Fannie, aangevallen. Ze viel in een greppel en eindigde met een hoofdwond, nog afgezien van het feit dat ze doodsbang was. En nu dit weer met die paarden. De Amish geloven niet in terugvechten, natuurlijk, maar Gideon leeft niet meer als Amish.'

'Heeft hij de gemeenschap voorgoed verlaten?'

'Ik denk dat dat nog te bezien valt. Hij heeft een Englische – zo noemen ze iedereen die geen Amish is – vriendin, maar hij heeft het bijna nooit over haar, dus ik denk niet dat dat serieus is. Volgens mij is dat de meest belangrijke reden dat hij van huis is weggegaan, dat hij een probleem heeft met de passiviteit van de Amish. Hij wil zijn gemeenschap beschermen, maar hij is bang dat ze altijd in gevaar zullen zijn, tenzij ze op een bepaald moment gaan terugvechten.' Hij zweeg even. 'Ik ben alleen bang dat hij zichzelf uiteindelijk bezeert.'

'Het lijkt een goede jongen, met een goed hoofd op zijn schouders.'

'Ja, hoewel ik denk dat het tijd wordt dat ik hem niet langer als een jongen zie. Hij is al bijna twintig en hij werkt net zo hard als elke man – beter nog dan sommigen. Maar ondanks dat heeft hij soms de neiging om een beetje een heethoofd te zijn, dus ik hoop dat hij geen domme dingen zal doen.'

Asa glimlachte.

'Wat?'

'Niets', zei Asa hoofdschuddend.

'Je denkt dat ik zelf een heethoofd ben.'

'Helemaal niet, kapitein.'

'Ja, dat dacht je wel. En ik zal je niet tegenspreken. Dat kan ik ook zijn.'

Asa keek hem recht in de ogen. 'Soms misschien. Maar ik ken je niet als iemand die domme dingen doet. Laten we hopen dat de jonge Gideon leert om wijsheid toe te passen in zijn zoektocht naar rechtvaardigheid.'

Gant trok zijn wenkbrauwen op. 'Soms praat je als een dichter.'

De enige reactie die hij kreeg, was een zwijgzaam schouderophalen en een glimlachje.

Nadat hij de werkplaats had afgesloten, reed Gant naar de boerderij van Jonah Weatherly. Jonah was de vorige dag langsgekomen en had iets laten vallen dat Gants interesse had gewekt. Nu besloot hij dat het tijd was om Jonah een bezoekje te brengen.

Een uur later vertrok hij weer en ging op weg naar Riverhaven.

Tot aan de nacht waarin de paarden van Susan Kanagy waren gestolen was hij er niet zeker van geweest hoe Rachels moeder hem zou ontvangen. Die nacht had hij echter ontdekt dat ze net zo vriendelijk als altijd op hem reageerde, dus voelde hij zich redelijk zeker dat ze niet ongastvrij zou zijn als hij even langskwam.

Bovendien had hij een heel goede reden voor zijn bezoekje.

Hij wierp een blik op de mand achter hem en gaf er een ruk aan om zichzelf ervan te verzekeren dat hij stevig vast zat.

❦

Gideon Kanagy was aan het sparen voor een paard. Hij had een goed rijpaard nodig als hij op zoek wilde gaan naar de mensen die de Amish pestten – misschien dezelfde mensen die Fannie pijn hadden gedaan.

Hij stopte aan de rand van de stoep en keek uit over de weg. Het was een rustige tijd van de dag en er was nauwelijks iemand te zien, afgezien van een paar winkeliers die in de deuropeningen van hun winkels stonden en rondkeken. Een man en een vrouw in Amish kleding klommen uit een wagen en liepen de kledingwinkel in. In de tussentijd reed een boerenwagen, getrokken door een uitgeput vospaard over de weg, een stofwolk achter zich latend.

Ineens drong het tot hem door dat het net zo goed kon zijn dat degenen die de Amish treiterden hier in Riverhaven woonden. Van de andere kant konden ze net zo goed uit Marietta of een van de naburige dorpen afkomstig zijn. Zonder rijpaard was hij niet mobiel genoeg om ze op te sporen, als hij al enig idee had waar hij moest beginnen.

Hij had inmiddels een aanzienlijke som gespaard en gaf mamm nog steeds een deel van zijn loon om haar te helpen op de boerderij. Maar hij had meer nodig om zichzelf een goed, betrouwbaar dier te kunnen veroorloven. En hij had in de afgelopen jaren genoeg met paarden gewerkt om niet zomaar genoegen te nemen met elk oud beest dat beschikbaar was. Hij wilde een goed paard, of helemaal geen.

Kapitein Gant betaalde hem meer dan een redelijk loon. Maar ondanks dat wilde hij dat hij een manier kon verzinnen om meer te verdienen. Hij had gehoopt voor de winter een paard te hebben, maar het begon twijfelachtig te worden.

In de tussentijd liepen de schurken die de Amish treiterden nog steeds vrij rond – en smeedden ongetwijfeld plannen om hen nog meer problemen te bezorgen. Hij was nooit iemand geweest die wraakzuchtige gevoelens koesterde – dat gedeelte van de Amish opvoeding was hem bijgebleven. Hoewel zijn vader hem in zijn jeugd meer dan eens berispt had vanwege zijn boosheid, kon hij dingen gemakkelijk loslaten, zodat ze niet bleven sudderen.

Maar telkens als hij aan de aanval op zijn zusje vorig jaar en nu deze recente diefstal van zijn moeders paarden dacht – en dan had hij het nog niet eens over de andere problemen zoals de brand in de schuur van Abe Gingerich en het vandalisme aan de wagens van Jacob Lape – werd hij bijna misselijk van woede. Alles in hem schreeuwde om rechtvaardigheid en de middelen om een einde aan de vernedering van zijn gemeenschap te maken.

Hij verafschuwde zijn eigen hulpeloosheid.

Hij begon weer te lopen, woest om de tegenstrijdige gevoelens die in hem raasden. Hij moest iets doen, maar er was niets wat hij echt *wilde* doen.

Abby, zijn *Englische* vriendin, zou verwachten dat hij vanavond bij haar langskwam, maar hij had weinig zin in haar gezelschap. Abby was wel leuk, als hij in de juiste stemming was. Maar ze hadden in feite weinig gemeenschappelijks, afgezien van een lichamelijke aantrekkingskracht. En hij was gaan beseffen dat dat wellicht niet genoeg was om de relatie nog veel langer voort te laten duren.

Soms verlangde Gideon naar een gesprek met iemand die over meer wilde praten dan de zomerse hitte of de laatste jurk die ze voor zichzelf aan het naaien was. Abby – nou ja, die dacht niet veel na, dus kon ze ook niet veel praten, niet over andere dingen dan zichzelf.

Een van de redenen dat hij graag in het gezelschap van de kapitein verkeerde, was dat de man zo *interessant* was. Gant was op veel plaatsen geweest en vond het niet erg om vragen over zijn reizen te beantwoorden.

Hij las ook boeken – bijna voortdurend, leek het wel – in elk geval als hij niet aan het werk was en soms zelfs als er weinig te doen was, hoewel dat de laatste tijd niet meer vaak voorkwam. Gideon was nooit echt een lezer geweest. Zijn vader noch zijn moeder had hem aangemoedigd om te lezen, afgezien van bepaalde Bijbelgedeelten of af en toe de krant. Hij was er meer dan klaar voor geweest om zijn scholing achter zich te laten toen hij die leeftijd bereikte. Maar de kapitein had hem laten kiezen uit al zijn boeken en Gideon had ontdekt dat hoe meer hij las, hoe meer hij *wilde* lezen. Hij vond het zelfs fijn om nieuwe dingen te leren als hij zelf mocht lezen wat hij wilde, wanneer hij dat wilde.

Toevallig had Gant hem uitgenodigd om die avond met hem en Asa te eten. Gideon besloot het aanbod aan te nemen. Hij draaide zich om en begon terug te lopen. Hij zou naar zijn kamer boven de werkplaats gaan om wat op te ruimen en dan even later naar het huis van de kapitein gaan.

Hij vond het fijn om bij Gant en Asa te zijn. Ze hadden niet alleen interessante verhalen om te vertellen, maar soms waren ze ook erg grappig. Dit gaf hem ook de kans om een nieuw boek van de planken van de kapitein uit te kiezen.

Hij stopte om Mac te aaien, die lag te doezelen in de schaduw, en beklom toen de trap naar zijn kamer. Het drong tot hem door dat het misschien een beetje vreemd was dat hij het gezelschap van zijn werkgever en een oudere, zwarte man boven dat van de knappe Abby Frey verkoos.

Hij was ietwat verbaasd over zichzelf, maar het was niet alsof hij een echte relatie met Abby had – hoewel ze de laatste tijd wel steeds meer hints gaf dat ze graag wilde trouwen. Hij was nog lang niet klaar voor het huwelijk en zelfs als dat wel zo was, dan was hij er niet zeker van of hij wel met Abby getrouwd wilde zijn.

Hij kon zich haar domweg niet veroorloven. Abby was enig kind en ze was verwend door haar redelijk welgestelde ouders. Abby hield van mooie kleren en een heleboel andere dure dingen die Gideon nooit zou kunnen betalen met zijn baan als timmermansknecht. Er was een bankier of advocaat voor nodig om Abby gelukkig te maken.

Ze was geen Amish meisje, zoals bijvoorbeeld Emma Knepp, die tevreden zou zijn met een boerderij op het land van haar ouders, met een eenvoudig leven met haar man en een huis vol kleintjes.

De gedachte aan Emma Knepp riep een beeld van haar knappe gezicht en verlegen glimlach in hem op. Even bleef hij staan op de trap, geschrokken van de onverwachte gedachte. Hij zette het beeld snel uit zijn hoofd. Hij was tenslotte ook niet zo dom om te denken dat hij tevreden zou zijn met het soort leven dat Emma leidde en hij deed er goed aan dat niet te vergeten.

Het probleem was dat hij Emma's knappe gezicht ook niet leek te vergeten, hoewel hij dat niet wilde toegeven.

12

HET GESCHENK
VAN GANT

En ik sprak luchtig Gallisch en ik zong een vrolijk lied,
Maar nu zijn mijn grappen verstomd en beweegt mijn tong niet.

PATRICK BROWNE

G ant klopte nogmaals op de deur van Susan Kanagy. Hij stond open en door de hordeur zag hij niemand aankomen. Hij had gedacht dat, gezien de problemen in hun gemeenschap, de Amish hun deuren inmiddels wel gesloten zouden houden. Maar dat leek niet het geval te zijn.

Hij wachtte nog even, stapte vervolgens de veranda af, met de mand stevig aan zijn arm. Hij begon naar de zijkant van het huis te lopen, maar stopte toen Susan Kanagy hem nariep.

'Kapitein Gant!'

Hij draaide zich om en zag dat ze vanaf de andere kant van het huis aan kwam lopen, met in haar handen een pan met wat eruitzag als kaas en ander voedsel. Haar glimlach was warm, haar begroeting vriendelijk, toen ze op hem afkwam. 'Bent u hier al lang?'

'Nee, mevrouw. Ik ben net pas aangekomen. Ik hoop dat ik u niet stoor.'

'Helemaal niet', zei ze, terwijl ze op de verandatrap bleef staan. 'Wilt u binnenkomen en een kopje koffie met me drinken?'

Gant liep naar haar toe. 'Dat klinkt goed, maar ik kan maar beter eerst uitleggen waarom ik hier ben. Ik heb iets voor Fannie meegenomen. Is ze in de buurt?'

'Ja, ze is met Rachel in het koelhuis om eten te halen om rond te brengen. Er zijn enkele weduwen en gezinnen die hulp nodig hebben, dus gaan we straks pakketjes voor ze maken.'

Ze keek naar de mand die aan Gants arm bungelde. 'Dat is een flinke mand waar u mee rondloopt, kapitein.'

'Ja, mevrouw. En ik heb uw toestemming nodig om hem aan Fannie te geven, als u een momentje heeft.'

Haar blik ging van Gants gezicht naar de mand en weer terug. 'Zullen we naar binnen gaan?'

'Eh… het is misschien beter om hier buiten te blijven', zei Gant.

Ze keek hem aan. 'Goed. Maar kom dan op de veranda, dan kan ik deze dingen neerzetten.'

Gant volgde haar de trap van de veranda op en wachtte tot ze zich weer tot hem wendde. 'Zo, kapitein, u hebt mijn nieuwsgierigheid gewekt. Waar hebt u mijn toestemming voor nodig?'

Voorzichtig zette Gant de mand neer en haalde het deksel eraf, gebarend dat ze erin mocht kijken.

Ze kwam dichterbij en keek. Haar ogen werden groot en vonden de zijne. Toen keek ze opnieuw.

'Begrijpt u waarom ik graag zou willen dat Fannie dit krijgt, mevrouw Kanagy?' vroeg hij.

'*Susan,*' corrigeerde ze hem afwezig, terwijl ze de inhoud van de mand nog steeds bestudeerde. 'Ja, kapitein', zei ze zachtjes. 'Ik geloof dat ik het begrijp. En u hebt mijn toestemming.'

'Vindt u het echt niet erg?'

'Nee, kapitein Gant. Ik vind het helemaal niet erg', zei ze en ze kwam overeind. Haar stem was nauwelijks meer dan een fluistering toen ze eraan toevoegde: 'Dit is heel vriendelijk van u.'

Op dat moment kwam Fannie vanaf de zijkant van het huis aanrennen. 'Kapitein Gant! Bent u op bezoek gekomen?'

Het meisje holde recht op hem af, met een brede glimlach die stralend genoeg was om een onweerswolk te verjagen. 'Is het goed als ik met Flann ga praten? Hij vindt me aardig. En ik ben helemaal niet bang voor hem, ook al is hij zo groot. Cecil is nog groter en ik ben ook niet bang voor hem.'

'Fannie! Wees niet zo *bapplich!* Zoveel gesnater!' waarschuwde haar moeder. 'Geef kapitein Gant een momentje om op adem te komen.'

Gant lachte, blij dat het meisje weer zo vrolijk was na de problemen met de paarden die ze kortgeleden hadden gehad.

Toen zag hij Rachel, die vanaf de zijkant van het huis aankwam. Ze liep langzaam, met een zak voedsel in elke hand en keek hem indringend aan. Hij slikte moeizaam en probeerde neutraal te blijven kijken, maar hij had het gevoel alsof zijn hart uit zijn borst bonsde.

Hij knikte toen ze dichterbij kwam. 'Rachel.'

'Kapitein', zei ze op vlakke toon.

Hij haatte het, de manier waarop ze hem in het begin had aangesproken, voordat ze elkaar hadden leren kennen. Dus hij was geen 'Jeremiah' meer voor haar?

Hij was zich ervan bewust dat Susan Kanagy in de verte staarde, alsof ze hun reactie op elkaar niet wilde zien.

Fannie was degene die de spanning verbrak. 'Wat zit er in die mand, kapitein Gant?'

'Fannie…' zei Rachel op berispende toon.

'Het geeft niet', zei Gant. 'Wat er in de mand zit, is eigenlijk een cadeautje voor u, mejuffrouw Fannie.'

Ze giechelde. Om de een of andere reden deed ze dat altijd als hij haar *mejuffrouw* Fannie noemde.

'Voor mij?' Ze keek hem aan, alsof ze zich ervan wilde verzekeren dat hij haar niet plaagde.

'Inderdaad. Wil je het zien?'

Fannie knikte zo heftig dat enkele plukken haar losschoten vanonder het witte kapje dat ze droeg.

Gant gebaarde naar de trap. 'Ga maar even zitten.'

Opnieuw keek ze hem onderzoekend aan, maar binnen enkele seconden haastte ze zich naar de trap van de veranda en plofte daarop neer. Balancerend met zijn stok in de ene hand en de mand in de andere ging Gant naast haar zitten, terwijl Rachel haar spullen neerlegde en vanaf de onderkant van de trap toekeek.

'Alsjeblieft', zei hij en hij zette de mand op Fannies schoot.

Ze legde een hand op het deksel, maar aarzelde toen. 'Is het echt voor mij?'

'Alleen voor jou', zei Gant.

Toen maakte Fannie het deksel open en tilde hem op. Ze staarde in de mand, haalde diep adem en hield hem zo lang binnen dat Gant zich begon af te vragen of het meisje flauw zou gaan vallen. Hij kantelde zijn hoofd iets zodat hij ook naar binnen kon kijken.

Een kleine puppy keek met zijn wollige zwarte kopje naar hen op. Zijn oogjes waren bijna net zo groot als die van Fannie en met zijn neusje rook hij zijn omgeving.

'Een *hundli!*' riep ze uit. 'Het is een puppy! O! O! Een puppy!'

Gant grinnikte om haar enthousiasme.

Ze draaide zich met een blik van pure vreugde in haar ogen om. 'Is hij echt van mij, kapitein Gant? Echt, echt waar?'

Gant trok zachtjes aan een van de touwtjes aan haar kapje. 'Hij is helemaal van jou, Fannie. Maar vergeet niet, hij heeft een heleboel zorg nodig. Dit is namelijk de eerste keer dat hij bij zijn moeder vandaan is, dus je moet hem een heleboel aandacht geven. O, en natuurlijk een naam.'

Zowel Rachel als Susan Kanagy kwam dichterbij om Fannies 'cadeau' beter te kunnen zien en toonde bewondering en interesse toen Fannie hem voorzichtig uit de mand tilde en tegen haar schouder legde. De puppy nestelde zich direct tegen haar aan en begon haar gezicht te likken.

Rachel keek Gant even aan, met vochtige ogen die een blik van dankbaarheid bevatten. Hij glimlachte, maar uit angst dat zijn emoties hem zouden verraden, dwong hij zichzelf zijn aandacht weer op Fannie te richten. 'Ik moet je vertellen dat hij niet lang zo klein zal blijven. Ik heb zijn vader gezien en als hij op hem gaat lijken, dan wordt het een flinke jongen. Dus je zult hem goed moeten trainen.'

Susan Kanagy keek hem met opgetrokken wenkbrauwen aan.

Fannie zag de uitdrukking van haar moeder. 'Maakt u zich geen zorgen, mama', zei ze. 'Ik zal ervoor zorgen dat hij leert te luisteren. Ik zal *alles* voor hem doen, heus waar.'

'Dat zal inderdaad zo zijn, kind', zei Susan droogjes terwijl ze een blik op Gant wierp. 'Hoe groot *is* zijn vader eigenlijk, kapitein?'

'Behoorlijk groot', antwoordde Gant.

Ze trok opnieuw een wenkbrauw op, maar ze leek niet echt geïrriteerd te zijn.

De lucht was ondertussen donker geworden en nu klonk er een onweersklap. Gant stond op, zette zich met zijn stok schrap op de trap terwijl hij zich voorover boog om de pup achter de oren te krabbelen. 'Ik moet er vandoor voordat het begint te stormen', zei hij. 'Flann is niet zo dol op donder en bliksem.'

'Ik denk dat we allemaal naar binnen moeten gaan', zei Susan Kanagy. 'U mag gerust bij ons blijven eten, kapitein.'

Gant wilde blijven. Maar hij dacht dat Rachel zich meer op haar gemak zou voelen als hij wegging. 'Dank u, mevrouw... *Susan*. Maar Asa zou me ervan langs geven. Hij kookt vanavond en ik heb gezegd dat ik ruim op tijd terug zou zijn.'

'O, alstublieft, kapitein Gant, blijf alstublieft!' smeekte Fannie.

Gant glimlachte naar haar. 'Dat kan ik maar beter niet doen, Fannie. Een ander keertje. Ik kom binnenkort weer langs om te horen hoe je je nieuwe vriendje hebt genoemd.'

'O, ik weet al hoe hij gaat heten.'

'Echt waar?' zei Gant.

Fannie knikte. 'Ik ga hem "Donder" noemen. Zo kan ik altijd

terugdenken aan de dag waarop ik hem van u heb gekregen.'

'Wel, dat lijkt me de perfecte naam voor hem.'

Met de pup die al tegen haar schouder lag te slapen, schoof ze dichter naar Gant toe en keek naar hem op. '*Danki,* kapitein Gant', zei ze met een ernstig gezicht. 'Ik zal heel goed voor Donder zorgen. Hij wordt mijn beste vriend.'

'Het zou me niets verbazen, Fannie. Zo te zien, vindt hij je meteen al leuk.'

'Het is een geweldig *gut* cadeau, kapitein! Het mooiste cadeau dat ik ooit heb gehad.'

Een nieuwe donderslag maakte een einde aan de stilte van de avond en Susan Kanagy spoorde Fannie en Rachel aan om snel naar binnen te gaan. Maar toen Fannie de veranda op liep, met de pup in haar armen, hield haar moeder haar tegen. 'O, nee, Fannie. We kunnen de pup niet binnen hebben...'

'Mama! We kunnen Donder niet buiten laten! Niet in de eerste nacht zonder zijn moeder – en in een storm! Hij zal helemaal niet lastig zijn, mama! Ik zal ervoor zorgen dat hij u niet lastigvalt.'

'Fannie, we hebben nooit dieren binnen gehouden...'

'Maar, mama, Donder is niet zomaar een dier. Hij is *bijzonder!* Hij is een bijzonder cadeau. Alstublieft, mama! Laat hem alstublieft niet alleen buiten blijven! Hij zal doodsbang zijn!'

Susan keek naar haar en toen naar Rachel, die glimlachte en langzaam knikte. 'Nou, goed, het zal voor nu wel geen kwaad kunnen, aangezien hij nog zo klein is.'

Gant keek toe en het verbaasde hem niets dat Fannie haar moeder had weten over te halen. Het meisje rende naar binnen, schijnbaar voordat haar moeder van gedachten kon veranderen. Vlak achter de hordeur draaide ze zich om en zwaaide ze met een brede glimlach naar Gant.

Gant wendde zich tot Rachel, blij om te zien dat haar glimlach niet verflauwde toen ze hem aankeek. 'Wat heb je mijn zusje blij gemaakt, Jeremiah. Ik heb haar niet meer zo blij gezien sinds... ik kan me niet eens meer herinneren wanneer.'

Tot zijn opluchting gebruikte ze zijn naam weer.

'Ik wilde eerst een jong poesje voor haar zoeken,' zei hij, 'zodat ze de poezen die weg zijn sneller zou vergeten. Maar ik weet dat je iemand van wie je gehouden hebt, niet kunt vervangen als je diegene bent kwijtgeraakt.'

Ze keek hem aan en wendde snel haar blik weer af.

Omdat hij de sfeer tussen hen niet nog ongemakkelijker wilde maken, voegde hij er snel aan toe: 'Zoals ik al tegen Fannie zei, wordt het later een hele grote hond. En ik heb van Jonah Weatherly begrepen dat zijn vader een uitstekende waakhond is. Ik dacht – door alles wat er is gebeurd – dat het misschien wel een goed idee was om een waakhond te hebben. Een grote.'

Tot zijn verbazing verscheen er opnieuw een glimlachje rond haar lippen. 'Maar het zal misschien wel een tijdje duren voordat hij zich aan de reputatie van zijn vader kan meten, denk je ook niet?'

Gant ontspande zich iets en glimlachte terug. 'Ja. Zo te zien moet hij nog wel een tijdje groeien.'

Ze bleven elkaar nog enkele seconden zwijgend aankijken. Maar toen er in de verte opnieuw een donderslag klonk, zei ze: 'Je moet gaan voordat de storm echt losbarst.'

Hij knikte. 'Dat denk ik ook. Het was fijn om je weer te zien, Rachel.'

Ze wendde haar blik af. 'En jou ook', zei ze zachtjes.

Hij wilde niet weggaan. Hij wilde niets liever dan blijven. Hij wilde haar aanblik in elke cel van zijn lichaam voelen, haar aanraken. 'Rachel…'

Zonder hem aan te kijken, hief ze een hand alsof ze hem ervan wilde weerhouden nog iets te zeggen. 'Ik… ik moet naar binnen.'

Gant haalde diep adem. 'Goed', zei hij. 'Dan ga ik maar weer.'

Rachel stond vlak achter de deur en keek hem na, met pijn in haar hart. Ze drukte haar handpalm tegen de hordeur, alsof ze hem kon aanraken en terugroepen.

Zou het makkelijker zijn om haar emoties onder controle te houden, om bij hem uit de buurt te blijven, als hij een ander soort man was geweest? Zijn tederheid, zijn vriendelijkheid die als een rivier uit hem vandaan stroomde, maakte het veel moeilijker om niet om hem te geven. Het was datgene wat haar altijd deed smelten voor hem, wat het diepst van haar wezen aanraakte en haar naar hem toetrok.

Was hij maar een ander soort man...

Maar dan zou hij Jeremiah niet meer zijn. En dan was ze wellicht niet van hem gaan houden.

Nee, ze wilde niet dat hij anders zou zijn dan hij was, al betekende dat dat het mes in haar hart daar voorgoed in zou blijven steken. Ze wilde liever leven met de pijn van een liefde die nooit meer zou kunnen zijn dan een voorzichtige vriendschap dan dat hij minder zou zijn dan de man die hij was.

Maar ze moest altijd oppassen – heel goed oppassen – dat haar gevoelens voor hem opgesloten en verborgen bleven voor zijn indringende, intense blik. Als hij ooit zou merken hoe verraderlijk zwak ze was, hoe teer haar emoties waren waar het hem betrof, dan zou hij haar er misschien opnieuw van proberen te overtuigen dat er nog steeds hoop voor hen was – hoop op een gezamenlijke toekomst.

Terwijl de enige hoop die ze in werkelijkheid durfde te hebben, was dat ze de toekomst zonder hem zou overleven.

13

MEER DAN ÉÉN VERRASSING

Gods eigen arm heeft de uwe nodig.

ARTHUR CLEVELAND COXE

Toen Gant eenmaal terug in Riverhaven was, had hij geen tijd om na te genieten van Fannies opgetogen reactie op de pup. Gelukkig was er ook geen tijd voor de melancholie die in hem borrelde sinds zijn korte ontmoeting met Rachel.

Tot zijn verbazing kwam Gideon opdagen voor het diner. Hij had de jongen al meerdere malen uitgenodigd om te komen eten, maar hij nam het aanbod maar zelden aan. Vanavond was hij echter gekomen, fris gewassen en schijnbaar met een goed humeur.

De jongen kon aangenaam gezelschap zijn als hij dat wilde, hoewel dat de laatste tijd niet het geval was geweest. Maar vanavond leek hij meer zichzelf, nam hij deel aan de gesprekken en luisterde hij gretig naar de reisverhalen van Gant en Asa.

'Mist u het niet, kapitein?' zei hij nu, nadat hij de laatste hap van Asa's stoofvlees en beschuit naar binnen had geschrokt. 'Uw leven op de rivier?'

'Soms', antwoordde Gant waarheidsgetrouw. 'Ik ben nooit lang op dezelfde plaats gebleven. Maar zoals met de meeste dingen, raak je gewend aan wat je moet doen en uiteindelijk wordt het net zo natuurlijk als je verleden.'

'Het lijkt me geweldig om zo te leven', zei Gideon met een dromerige blik in zijn ogen.

'Elk leven heeft zijn problemen', merkte Gant op. 'De meeste dingen zien er van een afstand beter uit.'

'Misschien wel, maar ik zou geen bezwaar hebben tegen een avontuur, zo nu en dan.'

'Dat komt omdat je nog jong bent', plaagde Gant. 'Zelfs een avontuurlijk leven verliest na verloop van tijd iets van zijn glorie.'

Ze bleven nog lange tijd aan de keukentafel zitten. Gideon stelde de ene na de andere vraag en Asa genoot zichtbaar van het gezelschap van de jongen. Meer dan eens merkte Gant dat de jongen meer wilde weten over hun werk met weggelopen slaven, maar hij stelde geen rechtstreekse vragen.

Gant was er vrij zeker van dat de jongen al meer wist over hun betrokkenheid bij de Spoorweg dan hij liet doorschemeren, maar hij besloot dat hoe minder hij daadwerkelijk wist, des te veiliger het voor hem was. Daarom gaf hij noch Asa enige extra informatie.

Het was al ver na zonsondergang toen Asa opstond en met de afwas begon. Gant stond ook op van tafel. 'Jij hebt gekookt', zei hij tegen de ander. 'Ik zal de afwas doen.'

Asa wuifde hem weg, maar toen stond Gideon op en liep naar het aanrecht. 'Ik zal wel helpen', zei hij.

Gant kon het niet laten om hem een beetje te plagen. 'Een Amish jongen die afwast? Dat is een verrassing.'

Gideon draaide zich met een grijns om. 'Ik moet toegeven dat het de eerste keren dat ik mijn eigen borden afwaste heel raar voelde. Nu ben ik eraan gewend, maar mamm zou waarschijnlijk flauwvallen als ze me zou zien.'

'Doen Amish mannen de afwas niet?' vroeg Asa.

'Vrouwenwerk', zei Gideon, nog steeds grijnzend. 'Mannen werken buitenshuis. Vrouwen binnen.' Hij zweeg even. '*En* soms buiten – in de tuin, bij de dieren – dat soort dingen.'

'Dus je moeder zou waarschijnlijk nooit verwachten je met je handen in het sop te zien?' vroeg Asa.

Gideon wilde net antwoord geven toen er op de achterdeur werd geklopt.

Vanaf zijn plek bij het fornuis sprong Mac overeind en blafte. Gant legde hem met één woord het zwijgen op. Toen Asa een vragende blik in zijn richting wierp, hief Gant een hand om aan te geven dat hij wel open zou doen.

Het was al zo laat dat het logisch was dat hij niet zomaar opendeed zonder eerst te weten wie het was. 'Wie is daar?'

Eerst klonk er als antwoord niets dan stilte, dus vroeg hij het nogmaals. 'Wie is daar?'

Ten slotte kwam er een antwoord. 'Een vriend van vrienden.' Toen een pauze. 'Kapitein Gant?'

Gant wierp een blik op Gideon. Hij vond het niet prettig dat de jongen hier getuige van was, maar hij kon niets anders doen dan de deur openmaken.

De man die buiten stond, was een kleine, bejaarde zwarte man, gekleed in vieze kleren die losjes rond zijn magere lijf hingen. Hij drukte een gehaakt kapje tegen zijn borst en zijn blik verried een verlammende angst die Gant maar al te bekend voorkwam.

'Bent u de kapitein, meneer?'

Gant knikte. 'En u bent?'

'Ik ben William Bond.' Hij aarzelde en ging toen verder: 'In Marietta is ons verteld dat we hiernaartoe moesten gaan.'

De stem van de man trilde. Eigenlijk leek zijn hele lichaam te beven.

Gant keek langs hem heen. Zelfs in de duisternis werd hij overweldigd door wat hij daar zag.

'Met hoeveel *zijn* jullie?' vroeg hij.

Bond wendde zijn blik af. 'Dertien, meneer. Maar drie volwassen mannen. Voornamelijk vrouwen en kinderen. Een paar tienerjongens.'

Toen keek hij op en Gant zag dat hij een afwijzing verwachtte.

'Kunt u ons helpen, kapitein? Ik weet dat we met een heleboel zijn, maar de vrouwen en kinderen zijn uitgeput. We hebben een plaats nodig om te rusten en een routebeschrijving waar we hierna naartoe moeten.'

Dertien! Durfde hij het aan om zoveel mensen in zijn schuur te verstoppen, samen met de anderen die er al zaten?

Kinderen konden luidruchtig zijn. Hij zou zeker het risico lopen te worden gesnapt. Maar had hij een keuze? Als de toestand van de anderen al net zo slecht was als die van deze man, dan duurde het niet lang meer voordat ze zouden instorten.

Hij draaide zich om om Asa aan te kijken. Die beantwoordde zijn blik, maar zijn ogen verrieden niets.

Het kon zijn dat hij de anderen die zich al in zijn schuur bevonden, in gevaar bracht door er zoveel bij te nemen. Maar hij kon het niet over zijn hart verkrijgen om ze weg te sturen. Ze hadden Marietta al doorkruist. Hij kende geen andere conducteurs in dit gebied. Malachi en Phoebe Esch hadden natuurlijk een veilig station, maar zij konden onmogelijk zoveel mensen onderbrengen.

'Goed dan', zei hij, niet zonder enige aarzeling. 'Jullie zullen in de schuur moeten blijven. Geen lampen. En geen gepraat – geen enkel geluid. Jullie volgen Asa hier – we kunnen niet meer licht dan zijn lamp riskeren. Ik zal wat eten pakken voor jullie. Zorg ervoor dat jullie de kinderen stil houden.'

'Helpt u ons dan om te ontsnappen? Naar het noorden?' vroeg Bond.

'We zullen doen wat we kunnen.'

Gant wendde zich weer tot Asa. 'Neem ze snel mee, zo zachtjes mogelijk. Ik houd de wacht.'

Zonder naar Gideon te kijken, liep hij naar buiten.

'Kapitein…'

Hij wierp een blik over zijn schouder en zag Gideon op hem afkomen.

'Misschien kunt u een extra paar ogen gebruiken.'

Gant aarzelde en knikte toen.

De nacht was gitzwart, zonder maan. Het was het soort nacht waarin Asa graag weggelopen slaven vervoerde, maar daar was nu natuurlijk geen sprake van. Het waren er te veel voor één man. Ze zouden moeten wachten totdat ze een andere conducteur om hulp hadden gevraagd. Bovendien, als de rest van de vluchtelingen in het groepje van William Bond in dezelfde slechte staat als hij verkeerde, hadden ze voedsel en rust nodig voordat ze ook maar *ergens* naartoe zouden kunnen gaan.

❧

Toen ze weer in het huis waren, nadat de weggelopen slaven met voedsel en dekens in de schuur waren verstopt, keek Gant Gideon aan. 'Je had niet mogen zien wat je vanavond hebt gezien. Als je hier je mond niet over houdt, kan dat betekenen dat Asa en ik in de gevangenis terechtkomen – om nog maar te zwijgen over de problemen die deze mensen zullen krijgen.'

De jongen bleef hem aankijken. 'Kapitein, ik weet al heel lang dat u en Asa weggelopen slaven helpen. Ik heb nog nooit iets gezegd. En dat zal ik ook nooit doen.'

Er was iets in Gideon Kanagy waardoor Gant geloofde dat hij hem nog steeds kon vertrouwen. Toch beschouwde hij niets als vanzelfsprekend. 'Je zegt dat je het al wist. Hoe dan?'

De jongen haalde zijn schouders op. 'Ik heb gesprekken tussen mamm en Rachel opgevangen – en tussen u en dokter Sebastian.' Hij zweeg even. 'Bovendien, ik heb hier meer dan eens 's avonds laat lamplicht gezien. Ik ben dan misschien jong, kapitein Gant, maar ik ben niet dom.'

Dat wist Gant heel goed. 'En je hebt niets gezegd? Tegen niemand?'

'Nee. En dat zal ik ook niet doen.'

'Geef je je erewoord?'

'Erewoord.'

Gant keek hem nog een ogenblik onderzoekend aan. 'Dat is goed genoeg, neem ik aan.'

Op dat moment kwam Asa binnen. 'Hebt u nog meer warme koffie of thee klaar, kapitein? Er was niet voldoende voor iedereen.'

'Er staat nog meer op het fornuis. Dat zou genoeg moeten zijn.'

'Ik breng het wel', zei Gideon voordat Asa de kamer door kon lopen.

Asa keek naar Gant, die een knikje gaf. 'Het is goed. Laat hem maar gaan. Wij moeten toch nog een paar dingen bespreken.'

Zodra Gideon de deur uit was, ging Gant aan tafel zitten. Zijn been brandde. Hij had er meer dan normaal op gestaan overdag en dat brak hem nu op.

Asa schonk voor hen beiden een kopje koffie in en ging tegenover hem zitten. 'Dus de jongen weet wat we doen?'

'Nu wel', antwoordde Gant droogjes. 'Hij beweert dat hij het al wist. En dat is waarschijnlijk ook zo. Hem ontgaat niet veel.'

Ze spraken nog enige tijd over hun benarde situatie. Het was al riskant om drie of vier vluchtelingen te herbergen. Maar vijftien mensen verstoppen – degenen die net waren aangekomen plus de twee die al wachtten om te kunnen vertrekken – was meer dan gevaarlijk. Het was gewoonweg roekeloos.

Ze bespraken enkele ideeën, maar konden geen goede oplossing bedenken. Ze leken niets anders te kunnen doen dan wachten.

'Ik zal morgen een boodschap om hulp sturen', zei Gant. 'Maar dat zal op zijn minst enkele dagen gaan duren. We kunnen niet zomaar iemand met je meesturen. Het moet iemand zijn die we kunnen vertrouwen – en iemand die bereid is het risico te nemen.'

'Kapitein, we kunnen niet wachten. Het zijn er te veel. Het kan wel twee of drie dagen duren – als het niet langer is – voordat we iemand hier kunnen krijgen. We moeten zo snel mogelijk voedsel en voorraden verzamelen, zodat ik ze morgennacht mee kan nemen. Ik red het wel. Ik heb wel eerder met acht of negen mensen gereisd.'

'Je gaat dit absoluut niet alleen doen! In de eerste plaats heb je al twee wagens nodig. Je kunt geen vijftien slaven in een wagen proppen zonder om problemen te vragen.'

'Ja, dat kan wel. De meesten zijn toch vrouwen en kinderen. Die nemen niet zoveel ruimte in. Kapitein, hoe langer we wachten, hoe meer kans we lopen om ontdekt te worden. Al die mensen in de schuur – denk je dat je de kinderen en baby's stil kunt houden?'

Dit was een van die momenten waarop Gant zijn situatie verafschuwde – hij vond het verschrikkelijk om gebonden te zijn, niet alleen door zijn manke been, maar ook door zijn bedrijf. Als hij ooit de vrijheid nodig had gehad om zijn boeltje te pakken en gewoon te vertrekken, dan was dat wel nu.

'Misschien zou ik kunnen gaan', zei hij, meer tegen zichzelf dan tegen Asa. 'Misschien zou ik Gideon tijdelijk de leiding over de werkplaats kunnen geven, dan kan ik met je mee.'

'Neem me niet kwalijk, kapitein, maar je zou niet veel hulp kunnen bieden als we een stuk te voet moeten afleggen. En je weet dat dat een mogelijkheid is – het zou niet voor het eerst zijn als we de wagen moeten achterlaten en moeten rennen.'

'Er is geen enkele reden dat *ik* niet zou kunnen gaan.'

Zowel Gant als Asa draaide zich met een ruk om naar Gideon, die in de deuropening stond. Ze waren zo druk bezig geweest om een oplossing voor hun probleem te bedenken, dat ze de jongen niet terug hadden horen komen.

Hij stond er nu, met zijn kin iets geheven en zijn kaken op elkaar geklemd. 'Asa heeft gelijk, kapitein', zei hij. 'U zou er niet eens aan moeten denken om te gaan.' Hij keek Asa aan. 'Ik ga wel.'

Asa wendde zich met een vragende blik tot Gant.

'Geen sprake van', snauwde Gant.

'Waarom niet?' Gideon bleef hem strak aankijken.

'Je weet hier helemaal niets over. Je hebt er geen idee van wat de risico's zijn.'

'Ik weet misschien wel meer dan u denkt. En wat de risico's betreft – ik weet dat u me nog steeds als een kind ziet, kapitein. Maar dat ben ik niet meer. Ik ben een man en ik kan mezelf prima redden.'

Gant keek hem onderzoekend aan en besefte dat hij in elk geval gedeeltelijk gelijk had. De jongen was een man geworden – een stoere, dappere, zelfverzekerde man.

Er drong iets tot hem door. 'Je moeder en je zus,' zei hij, 'zouden me villen als ik jou hierbij betrokken liet raken.'

De lippen van de jongen krulden iets. 'Nee, ze zouden er inderdaad niet *echt* blij mee zijn. Maar het zou *mijn* keuze zijn, niet die van u. Ik kan Rachel en mamm wel aan.'

Gant bleef hem taxerend aankijken. Hij gaf toe, hoewel met tegenzin, dat de jongen – de jongeman – die in zijn keuken stond wellicht inderdaad de oplossing voor hun probleem vormde. Maar als hem iets overkwam, zouden Rachel en haar moeder het hem nooit meer vergeven. En hij zou het *zichzelf* evenmin kunnen vergeven.

'Dit is geen spelletje, knul', zei hij zachtjes. 'Er is geen lol aan en als je denkt dat dit het avontuur is waar je naar op zoek bent, dan kun je net zo goed je geluk beproeven met een stelletje waterslangen als met een groep slavenvangers. Je hebt geen flauw idee wat je te wachten zou kunnen staan.'

Gideons blik gleed van Gant naar Asa. 'Is het het risico waard?'

Gant fronste. 'Wat?'

'Jullie doen dit al heel lang, is het niet, kapitein?'

Gant zei niets.

Gideon drong aan. 'Dan moet het wel belangrijk zijn.'

Gant haalde diep adem. 'Voor mij is het anders, jongen. De Ieren begrijpen de behoefte aan vrijheid maar al te goed. Ik kom van een plek waar daar maar heel weinig van is. Ik weet hoe het is om een slaaf van een ander te zijn.'

Er verscheen een grimmige glimlach op Gideons gezicht en plotseling zag Gant een glinstering in de ogen van de jongen die hij nog niet eerder had gezien.

'De Amish weten ook het een en ander over onderdrukking en het gebrek aan vrijheid, kapitein. En misschien hebt u gelijk dat ik naar avontuur verlang. Maar dat is niet *alles* wat ik wil.' Hij zweeg, duidelijk op zoek naar de juiste woorden. 'Ik voel me nu al maandenlang... nutteloos. Ik heb *niets* weten te ontdekken over degene die de Amish treitert, geen spoortje. Ik heb geen idee waar ik moet beginnen. Dit is tenminste iets wat ik zou kunnen doen om mensen te helpen die weten hoe het is om slecht te worden behandeld.'

Hij zweeg opnieuw en zei toen: 'Asa? Ik geloof in wat jullie doen. Ik wil helpen. En ik *kan* helpen.'

'Hoe moet ik het zonder jou redden in de werkplaats?' vroeg Gant, nog steeds niet overtuigd.

Gideon aarzelde, fronsend. Maar binnen enkele seconden klaarde zijn gezicht weer op. 'Wat dacht u van Sawyer? Terry Sawyer. Zei u niet dat hij op zoek is naar werk?'

'Ik heb een houtbewerker nodig, geen boer!'

'Hij is slim genoeg om het te leren', hield Gideon vol. 'Bovendien, u hebt meer behoefte aan iemand die bestellingen bezorgt en opruimt en helpt bij aparte klussen dan aan nog een timmerman.' Zijn mond vertrok toen hij stopte om adem te halen. 'Niemand doet het in uw ogen toch goed genoeg als het op houtbewerking aankomt. En Sawyer heeft werk nodig. Hij zal wel dolblij zijn als hij de kans krijgt om voor u te werken.'

Gant leunde achterover in zijn stoel, sloeg zijn armen over elkaar en keek de jongen geërgerd aan. 'Zo, jij hebt ook overal een antwoord op, hè, Gideon Kanagy?'

De naïeve uitdrukking van de jongen toen hij antwoordde, leek niet helemaal oprecht. 'Nee, meneer. Niet overal op. Maar ik denk wel dat ik de oplossing ben om Asa te helpen die weggelopen slaven uit de schuur vandaan te krijgen.'

Het was heel goed mogelijk dat hij een vergissing beging waar hij later enorme spijt van zou krijgen, maar iets drong er bij Gant op aan het aanbod van de jongen aan te nemen. 'Asa? Wat denk jij?'

Asa antwoordde Gant, terwijl hij Gideon Kanagy met een glimlachje gadesloeg. 'Ik kijk uit naar het gezelschap van de jonge Gideon', zei hij.

Gant veinsde een geluid van walging.

'Goed dan', zei hij ten slotte. 'Als Asa het goed vindt, dan ga ik er ook mee akkoord. Maar...' Hij stak een hand op om de jongen te beletten te spreken '... jij bent degene die het je moeder en zus vertelt. Ik heb geen zin om me hun woede op de hals te halen als ze ontdekken wat je aan het doen bent.'

Hij had een hekel aan zichzelf omdat hij hiermee instemde. Zelfs als de jongen veilig en wel terug zou keren, dan was het heel goed mogelijk dat Rachel en haar moeder het hem evengoed nooit zouden vergeven dat hij hem had laten gaan. Maar hij kon Asa absoluut niet alleen wegsturen met de verantwoordelijkheid over vijftien vluchtelingen. Dat zou op een ramp uitlopen. En als ze maar een dag te lang hier in de schuur bleven, kon dat hen allemaal ook diep in de problemen brengen.

Hij haalde diep adem. Dit was een van die momenten waarop hij het niet goed leek te kunnen doen, wat hij ook besloot. Maar na alles te hebben overwogen, kon hij alleen maar doen wat hij dacht dat het juiste was en hopen dat God die beslissing zou zegenen.

14

Een onrustige nacht

Want de duistere plaatsen des lands zijn vol holen van geweld.

PSALM 74:20

'Ik kan niet geloven dat je die man verdedigt!'

Tot voor kort had David Sebastian zijn aanstaande nog nooit zo furieus gezien. Susan was normaal gesproken de rust zelve. Maar sinds ze had gehoord dat Gideon naar onbekende oorden was vertrokken met Gants ietwat mysterieuze partner, Asa, snauwde ze voortdurend tegen David.

Alsof hij had kunnen voorkomen dat Gideon Riverhaven verliet. Susans zoon had altijd al een geheel eigen wil gehad. Maar Susan leek ervan overtuigd te zijn dat David het gewoon voor Gant opnam – 'die ongetwijfeld degene is die Gideon met die Asa heeft weggestuurd.'

'Ik verdedig Gant *niet,* Susan', benadrukte hij opnieuw. 'Maar ik zou ook niet weten waarom ik dat zou *moeten* doen. Volgens mij heeft hij niets gedaan waarvoor hij moet worden verdedigd.'

David had haar overgehaald een ritje met hem te maken, in de hoop dat de frisse lucht hen beiden goed zou doen. Het daglicht vervloog snel. Het was een rustige avond met een zacht briesje en hij had gehoopt dat ze korte tijd het onderwerp van Gideon en Gant en andere onrustmakende dingen konden vermijden. Ze hadden de laatste tijd zo weinig momenten alleen gehad dat het vooruitzicht van een uur in elkaars gezelschap voor hem al verrukkelijk voelde.

Maar het mocht niet zo zijn. Ze waren nog niet eens aan het einde van de weg vanaf Susans huis gekomen toen ze alweer was begonnen. 'Je kunt me niet vertellen dat kapitein Gant geen rol heeft gespeeld in Gideons vertrek, David. Zijn vriend Asa is nog maar net terug in Riverhaven, of hij vertrekt alweer, ditmaal met mijn zoon op sleeptouw. Waarom zou hij zoiets doen? En waar zijn ze *naartoe?* Waar zijn ze?'

'Dat weet ik niet, Susan. Maar de jongen heeft je tenminste verteld dat hij wegging. Hij is niet zomaar vertrokken zonder afscheid te nemen.'

Een blik van woede – op *hem* gericht in plaats van op Gideon, vermoedde David – verscheen in haar ogen. 'O, *ja!* Hij kwam me vertellen dat hij voor zaken de stad uit ging met die Asa. Natuurlijk zei hij er niet bij *waar* hij naartoe ging of wat voor soort zaken het waren.'

David haalde zwakjes zijn schouders op. Susan gebruikte maar zelden sarcasme, dus het verbaasde hem dat hij het nu in haar stem hoorde. 'Misschien wist hij niet precies waar ze naartoe gingen…'

'O, probeer me dat niet wijs te maken, David Sebastian. En probeer me ook maar niet wijs te maken dat *jij* niet weet waar ze naartoe gingen. Jij en Gant zijn zulke dikke maatjes. Ze zijn op pad om weggelopen slaven naar het noorden te brengen, hè? Vertel me nu de waarheid!'

Dus ze wist het toch. Of vermoedde het in elk geval. Daar was hij al bang voor geweest. Susan had Rachel tenslotte geholpen om voor Gant te zorgen toen hij voor het eerst op haar boerderij was verschenen, zo zwaar gewond door een geweerschot dat hij bijna was overleden. Zij en Rachel hadden er veel tijd aan besteed om hem weer op de been te helpen. Er viel niet te zeggen hoeveel ze in die tijd te weten was gekomen over Gants werk met de gevluchte slaven.

Ze zou natuurlijk niet alles vertellen wat ze had gehoord, zelfs niet tegen hem. Ze zou bang zijn om Rachel er op de een of andere manier bij te betrekken. Als het op haar kinderen aankwam, kon Susan een moederkloek zijn. Maar hij vroeg zich toch af of ze wist dat er daadwerkelijk geruchten gingen over Amish die betrokken waren bij de Ondergrondse Spoorweg, zoals het werd genoemd. Als de verhalen waar waren, dan zou het hem niet verbazen als de beste vrienden van Susan, Malachi en Phoebe Esch, er iets mee te maken hadden.

'David? Dat *is* toch wat ze aan het doen zijn?'

'Susan…'

'Ach, zeg niet zomaar iets om me op te beuren! Ik heb hier over nagedacht sinds de dag dat ze zijn vertrokken. O, waarom zou Gideon zoiets stoms doen? *Unsinnich!* Het is zinloos! En ook nog eens gevaarlijk. Probeer me maar niet te vertellen dat dat niet zo is. Hij weet dat hij hier nodig is. Hij heeft een baan. Hij helpt me op de boerderij. Hij is nu een man – zo zou hij zich ook moeten gedragen!'

David pakte haar hand. 'Maar zie je dan niet, lieverd, dat het daar nu juist om gaat. Gideon *is* een man. En daarom is hij vrij om te doen wat hij denkt dat goed voor hem is. Als dit niet belangrijk voor hem was, zou hij niet zijn gegaan. Hij heeft hier een goede reden voor, dat zul je zien.'

Tot overmaat van ramp begon ze ook nog te huilen. Dit was nog nooit gebeurd. O, toen Amos, haar man, overleed, was ze natuurlijk verdrietig geweest. Maar zelfs toen had ze in stilte gerouwd en was ze nooit voor zijn ogen ingestort. De Amish lieten hun gevoelens niet blijken. Maar nu, omdat ze zouden trouwen, voelde ze zich voldoende op haar gemak om in zijn aanwezigheid te huilen.

Zodra hij kon, reed hij met de wagen van de weg af en stopte op een open plek, omringd door oude esdoorns en eikenbomen. Hij draaide zich naar haar toe en sloeg zijn armen om haar heen. 'Schat, wind je niet zo op', zei hij teder. 'Gideon is intelligent en sterk. Hij loopt niet in zeven sloten tegelijk. En Asa – je weet dat dat een goede man is, daar ben ik van overtuigd. Hij zal op Gideon letten als dat *nodig* mocht zijn. Alles komt goed met hen. En ik zal je helpen op de boerderij.'

Ze trok zich net genoeg los om hem aan te kunnen kijken. 'O, David... jij bent geen boer! Je bent een dokter! Ik weet dat je zult doen wat je kunt, maar je hebt maar zo weinig tijd. Gideon was gewoon zo'n grote hulp. En ik *mis* hem! Ook al kwam hij nog twee of drie keer per week langs om te helpen, het was niet meer hetzelfde sinds hij als *Englisch* is gaan leven. En nu – nu zie ik hem helemaal niet meer!'

Met een ongemakkelijker gevoel dan ooit tevoren klopte hij haar op haar rug en probeerde haar zachtjes gerust te stellen. Het was lang geleden dat hij geprobeerd had een vrouw te troosten en hij had nooit het gevoel gehad er erg goed in te zijn. Zelfs tijdens het ziekbed van zijn vrouw Lydia had hij zich altijd, ondanks zijn medische vaardigheden, ietwat verloren gevoeld als hij haar gerust probeerde te stellen.

Maar toch was Susan rustiger geworden en haar gejammer was afgenomen tot een zacht gesnik.

David trok haar iets dichter naar zich toe. Hij haatte het verdriet waar ze onder gebukt ging, maar genoot tegelijkertijd van haar nabijheid.

'Als je gelijk hebt, schat,' zei hij, '*als* Gideon met Asa meegegaan is naar het noorden, dan ben ik ervan overtuigd dat hem niets zal overkomen. Gant heeft me een heleboel verteld over zijn vriend Asa. Volgens mij is het een dappere, intelligente en betrouwbare man. Hij zal een goede invloed op Gideon hebben en ervoor zorgen dat hem niets gebeurt. Waarschijnlijk zijn ze terug voor je het weet.'

Ze deed geen enkele poging om zich los te maken uit zijn omhelzing. 'De laatste keer dat Asa weg was, duurde het maanden voordat hij terugkwam', merkte ze op.

'Maar ik denk niet dat dat normaal is. Voor zover ik begrepen heb, brengen dezelfde mensen hen niet altijd de hele weg. Op een bepaald punt treffen ze meestal iemand anders die het overneemt en de reis voltooit.'

Ze keek hem onderzoekend aan. 'Je lijkt heel veel te weten over hoe dit in zijn werk gaat, David Sebastian.'

De waarheid was dat hij *inderdaad* meer wist dan hij liet blijken en zeker meer dan hij haar wilde laten weten. 'Ik heb uitgebreid over de Spoorweg gelezen', zei hij.

'O, dat zal vast wel zo zijn', zei ze op wrange toon.

Hij gaf geen antwoord. Ze liet zich nog even door hem vasthouden voordat ze uiteindelijk overeind kwam. 'David, we moeten weer gaan. We moeten nog bij Rachel langs om Fannie op te halen.'

Hij knikte, hoewel met tegenzin en zocht eerst haar lippen voor een kus.

'Dat zouden we niet moeten doen, David...' Maar ze hield hem nog even vast en zijn hart maakte een buiteling alsof het door een wervelwind werd meegenomen.

'David...'

Hij zuchtte en wilde dat ze konden blijven waar ze waren. Maar het begon fris te worden en hij wilde niet dat ze kou zou vatten. Hij liep niet veel risico om het zelf koud te krijgen. Op het moment niet, in elk geval.

Zachtjes liet hij haar los en pakte de teugels, terwijl hij niet voor de eerste keer dacht dat november voor hem niet snel genoeg kon komen.

In haar keuken trachtte Rachel haar vriendin Phoebe ervan te overtuigen nog niet weg te gaan. 'Het is al donker. Je moet niet alleen naar huis lopen. Mama en dokter Sebastian kunnen hier elk moment zijn om Fannie op te halen. Zij willen je vast wel thuisbrengen.'

'*Danki*, Rachel, maar dat is onzin! Ik loop toch altijd zelf naar huis?'

Rachel hield haar tegen bij de deur. '*Ja*, Phoebe. Je *liep* altijd zelf naar huis. Maar nu is alles anders. Wacht alsjeblieft op mama en dokter Sebastian.'

Phoebe gaf haar een klopje op haar hand. 'Het is lief van je dat je zo bezorgd bent, maar er zal me heus niets gebeuren. Ik wil Susan en de dokter niet tot last zijn.' Ze knoopte haar muts vast. 'Zeg maar tegen je moeder dat ik morgenochtend bij haar langskom met die peperkoek, zoals ik had beloofd.'

Op dat moment kwam Fannie de keuken binnenrennen, haar puppy op de hielen, die naar de deur gleed en vlak voor Phoebe tot stilstand kwam.

'Fannie, ik heb gezegd dat je niet achter Donder aan moet zitten in huis', waarschuwde Rachel. 'Je mag buiten zoveel rondrennen als je wilt, maar niet in mijn keuken!'

'Sorry, Rachel', zei haar kleine zusje. 'Ik was het vergeten.' Maar het was duidelijk dat ze met haar gedachten niet bij Rachels berisping was. Ze had het te druk met het kijken naar de capriolen van de puppy, die rondjes rondom Phoebes voeten rende.

'Ach, het spijt me, Phoebe', zei Rachel. 'Fannie, laat hem rustig worden. En word dan zelf ook rustig, als je toch bezig bent.'

Phoebe lachte. 'Volgens mij hangt er iets in de lucht. Onze honden, Jasper en Tiny, zijn ook de hele dag al wild.'

Rachel wierp Fannie een blik toe toen ze de puppy optilde en hem de keuken uit droeg. 'Ik weet niet wie erger is, Fannie of de hond.'

Met tegenzin deed ze de deur voor Phoebe open. Ze ging op de veranda staan en keek haar na terwijl ze door de tuin liep. 'Wees voorzichtig.'

Phoebe zwaaide en begon met stevige pas naar huis te lopen.

Rachel wachtte tot ze uit het zicht verdwenen was en ging weer naar binnen.

Ze aarzelde slechts heel even en ging toen op zoek naar Fannie en de puppy, omdat ze wist dat spelen met hen haar gedachten af zou leiden van de zorgen die op haar drukten.

Het werd nu steeds eerder donker. De herfst hing in de lucht, met beduidend koelere nachten en de kruidige geur van hout dat uit bijna elke schoorsteen kringelde.

Phoebe Esch was nog nooit zo bang in het donker geweest. Ze was eraan gewend om buiten te zijn na zonsondergang, vooral in de nachten waarin ze heen en weer naar de schuur moest lopen. Normaal gesproken zou ze hebben genoten van de stilte die over het land viel als de duisternis in begon te vallen. Maar om de een of andere reden liep ze vanavond ongewoon snel, om zo vlug mogelijk thuis te zijn.

De vredige en tevreden sfeer waar de velden onderweg normaal in baadden, leek anders. De nacht was drukkend. Zelfs de kleinste geluidjes, waar ze normaal zelden enige aandacht aan besteedde, drongen door tot diep in haar hoofd, alsof ze om aandacht schreeuwden. Het gekraak van een boomtak, het geritsel van gevallen bladeren, het gepiep van een poort en de fluistering van de wind langs een hek leken opgeblazen en onheilspellend.

De enkele boerderijen die in dit gebied stonden, waren zo ver van de weg gebouwd dat het licht dat door de ramen naar buiten scheen zwak was en niet echt hielp om de duisternis rondom haar te verminderen. Phoebe was blij met haar lamp en hield hem iets hoger en verder van zich af om haar pad te verlichten.

Het moest haar verbeelding zijn, maar het klonk alsof er stemmen uit de dichte begroeiing links van haar kwamen. Waarschijnlijk enkele jongeren die lol aan het trappen waren of stiekem zaten te zoenen, aangezien de nacht nog zo mild was.

Die gedachte gaf haar een beter gevoel. Ze had kunnen lachen om haar eigen dwaasheid, dat ze zich zo van streek liet maken door enge ideeën en duistere gedachten. Toch was het vanzelfsprekend om zo schrikkerig te zijn, na alles wat er de laatste tijd was gebeurd, nietwaar?

Ondanks dat, wenste ze onwillekeurig dat ze gedaan had wat Rachel had voorgesteld en had gewacht op Susan en dokter Sebastian – vooral aangezien het zachte avondbriesje inmiddels tot een harde wind was uitgegroeid. Phoebe voelde de eerste regendruppels al in haar gezicht.

Opnieuw vermaande ze zichzelf dat ze zo'n *dummkopf* was. Over vijf minuten zou ze thuis zijn. Ze begon iets sneller te lopen, met bonzend hart en knikkende knieën.

Ze zou Malachi absoluut niets vertellen over haar dwaasheid. Hij zou niet graag willen weten dat ze bang geweest was, natuurlijk, maar hij zou de reden ervoor ook niet begrijpen.

Zijzelf begreep al niet eens waarom ze zo *naerfich* was. Ze was maar zelden nerveus. Dingen die ze zelf niet kon, zou God voor haar doen. Dus waarom zou ze nerveus zijn?

Ze ging zo op in haar gedachten dat ze de stemmen achter zich pas hoorde toen het al te laat was. De klap op haar hoofd kwam geheel onverwacht en deed haar wegzinken in een poel van totale duisternis.

15

SNAKKEN NAAR HULP

Er is een nacht die een gevangenis rondom de ziel bouwt.

ANONIEM

'Voel je je weer iets beter nu?' vroeg David toen ze voor Rachels grote, witte boerderij tot stilstand kwamen.

Susan knikte. 'Ik voel me altijd beter als ik met jou heb gepraat. Wat jij zegt, klinkt altijd zo logisch.'

David lachte een beetje. 'Ik ken mensen die het daar niet mee eens zouden zijn. Maar het helpt *wel* om over dingen te praten, hè?'

'*Ja*. Ik weet het, maar soms vergeet ik dat. Ik weet ook dat ik te fel over kapitein Gant ben geweest. Gideon hoefde vast niet te worden overtuigd om deze trip te gaan maken. Tenzij mijn zoon erg veranderd is, is hij er koppig genoeg voor. Als hij iets wil, dan doet hij het, of het nu slim is of niet. Ik zal niet meer op kapitein Gant afgeven, dat beloof ik.'

'O, ik vind niet dat je op kapitein Gant afgeeft, schat. Het is niet meer dan normaal dat je je zorgen maakt over je zoon, vooral als je niet begrijpt waarom hij zich op een bepaalde manier gedraagt. Maar ik denk *wel* dat Gideon het gevoel moet hebben gehad dat dit het juiste was om te doen. Het is een geweldige jongen, Susan. Hij probeert alleen nog steeds de goede weg voor zichzelf te vinden.'

'Dat weet ik. Maar ik hoop toch dat de goede weg voor Gideon de weg van de Amish zal blijken te zijn.'

'Dat zou heel goed het geval kunnen zijn. Maar zelfs als hij er niet voor kiest om als Amish te leven, dan heb je nog steeds een goede, betrouwbare zoon grootgebracht en kun je erop vertrouwen dat hij het juiste zal doen. Er zijn nog meer manieren om een gelovig leven te leiden en God te dienen, naast Amish zijn.'

Susan bestudeerde deze goede man die binnenkort haar man zou worden. Ze vroeg zich nog steeds af waarom een man als David Sebastian ervoor had gekozen om de rest van zijn leven met haar door te brengen. Zij was maar een eenvoudige Amish vrouw die nooit enig ander leven had gekend, die nauwelijks was opgeleid en niet veel van de wereld wist, afgezien van het kleine plaatsje waar ze woonde.

Terwijl David juist een goed opgeleide man was, een eerzame en knappe man. Hij was *Brits,* waarmee ze, om verwarring te voorkomen, zijn achtergrond aanduidde, aangezien de Amish elke buitenstaander *Englisch* noemden.

Ze zou nooit snappen wat hij in haar zag, waarom hij van haar was gaan houden en met haar wilde trouwen. Maar toen ze de realiteit van zijn liefde en het feit dat hij bereid was om zich te bekeren tot het Amish geloof zodat ze konden trouwen eenmaal accepteerde, was ze bijna meteen gestopt met het zich afvragen. In plaats daarvan dankte ze God dagelijks dat Hij haar voor de tweede keer had gezegend met een goede man die echt van haar hield.

Toen Amos, haar man en de vader van haar kinderen, stierf, was ze ervan uitgegaan dat er nooit meer een andere man in haar leven zou zijn. Ze was gewend geraakt aan het idee dat ze de rest van haar leven alleen zou doorbrengen, afgezien van haar familie. Wat had God haar verrast! Ze was steeds meer gesteld geraakt op David Sebastian, een vriend en de dokter van de Amish en ze was hem gaan vertrouwen. Maar haar liefde voor hem – en zijn liefde voor haar – was een onverwacht maar geweldig *gut* geschenk geweest.

'*Want de Here heeft geweldige dingen gedaan…*'

'Nou,' zei hij nu, 'ik denk dat we maar even naar binnen moeten gaan. Daarna zal ik jou en Fannie thuisbrengen, hoewel ik moet toegeven dat ik het altijd moeilijk vind om afscheid van je te nemen. Wat zal het heerlijk zijn als we straks niet meer elke avond bij de voordeur van elkaar hoeven te worden gescheiden.'

Susan voelde de warmte naar haar gezicht stijgen bij die gedachte. *Ik ben net een schoolmeisje.*

Ze genoot van hun kortstondige momenten van nabijheid en het idee om elk deel van het leven met David te delen als zijn vrouw, maakte haar bijna duizelig van verlangen. Ze zou het absoluut niet hardop aan hem toegeven, maar ze keek net zo uit naar november als hij beweerde te doen.

❧

Een halfuur later stonden Rachels moeder en dokter Sebastian vlak achter de deur van Rachels huis te wachten tot Fannie haar pop, het hondje en de koekjes die ze van Rachel had gekregen, had verzameld.

Uiteindelijk verscheen Fannie, met de pup stevig in haar armen geklemd, terwijl haar moeder de rest van haar aanpakte.

'*Danki* voor de koekjes, Rachel, en dat ik Donder mee mocht nemen.'

Rachel bukte zich om haar zusje een knuffel te geven. 'Graag gedaan. En Donder mag altijd meekomen. Maar je moet hem wel leren gehoorzamen, Fannie. Weet je nog wat kapitein Gant heeft gezegd – hij wordt later erg groot. Dan wil je dat hij goed luistert.'

'Dat weet ik. Ik ga hem meteen trainen.'

'Daar zorg ik wel voor', zei hun moeder vastberaden. 'Je kunt hem nu al groter zien worden. Hoe eerder hij leert om te gehoorzamen, hoe beter.'

Het regende toen Rachel de deur opendeed en ze allemaal de veranda op liepen. Ze aarzelden toen ze Malachi Esch in zijn wagen zagen aankomen.

Verbaasd keek Rachel toe hoe hij uitstapte en op hen afkwam.

'Ik dacht dat ik Phoebe maar beter kon komen halen', zei hij terwijl hij zijn hoed beetpakte toen een windvlaag hem te pakken dreigde te krijgen. 'Ze is heel snel verkouden en ik wilde niet dat ze in de regen zou lopen.'

Rachel fronste haar wenkbrauwen. 'Maar Phoebe is al weg, Malachi', zei ze. 'Ze is bijna een uur geleden vertrokken. Bedoel je dat ze nog steeds niet is thuisgekomen?'

De grote man staarde haar aan. '*Nee*. Al een uur geleden, zeg je?'

'Minstens.'

Rachel wisselde een blik met haar moeder en er kroop een angstige rilling langs haar ruggengraat omlaag. De boerderij van Phoebe en Malachi lag niet meer dan tien tot vijftien minuten lopen bij Rachels huis vandaan.

Malachi kreeg een bezorgde blik in zijn ogen. 'Nou, dan had ze al heel lang thuis moeten zijn. Ik heb haar nergens gezien onderweg hiernaartoe.'

'Misschien is ze ergens gaan schuilen voor de regen.' Rachels moeder probeerde hem ongetwijfeld gerust te stellen, maar zijn gezicht stond uiterst sceptisch.

'Maar waar dan? Er is geen enkele schuilplaats tussen dit huis en het onze.'

'Wel, misschien op de boerderij van de Gingerichs', bedacht mama.

'Tegen de tijd dat ze die zou hebben bereikt, had ze ook al thuis kunnen zijn.' Malachi schudde zijn hoofd. 'Nee, zo ver zou ze niet zijn afgedwaald.'

Met een ongeruste blik zwaaide hij met zijn hand. 'Het spijt me dat ik jullie heb lastiggevallen', zei hij terwijl hij zich omdraaide en terug naar de wagen liep. 'Ze zal wel gevallen zijn of zoiets. Misschien ligt ze ergens langs de weg in de regen. Ik kan haar maar beter gaan zoeken.'

'We gaan allebei, Malachi.' Dokter Sebastian begon naar de trap te lopen en draaide zich toen om. 'Susan, blijf jij met Fannie bij Rachel, voor het geval Phoebe om de een of andere reden terugkomt.'

'Ik ga met je mee', zei Rachel. 'Fannie, blijf jij binnen bij mama, waar het warm is.'

'Rachel, ik denk niet dat je zou moeten...'

'Er zal me niets gebeuren, mama', zei Rachel terwijl ze haar jas van de haak bij de deur trok en van de trap af rende naar Malachi en de dokter.

❧

Het regende pijpenstelen toen ze wegreden en de druppels vielen in razend tempo op het dak van de wagen. Rachel sloeg haar armen om haar borst en tuurde in de duisternis om een glimp van haar beste vriendin op te vangen.

Een hand leek zich om haar keel te sluiten terwijl ze gestaag door de regen reden, de berm, de bomen en velden erachter afspeurend. Hoe verder ze kwamen zonder enig spoor van Phoebe, hoe groter de angst werd die haar hart in zijn greep hield. Ondanks dat ze haar uiterste best deed om zich geen zorgen te maken, borrelde er een misselijkmakend gevoel in haar op dat die zorgen terecht waren.

Na een uur in de regen te hebben gereden en om de paar minuten te zijn gestopt om de omgeving te bekijken, was Rachel bijna verlamd van angst.

Waar is Phoebe? Wat kan haar zijn overkomen tijdens de korte wandeling naar haar huis? En waarom, o waarom, heb ik niet beter mijn best gedaan om haar te laten wachten op de lift die dokter Sebastian haar met alle liefde zou hebben gegeven?

De drukkende nacht leek haar te overspoelen en gevangen te houden, alsof ze opgesloten zat in een nachtmerrie. Maar dit was geen nare droom. Dit was maar al te echt.

Rachel vroeg zich onwillekeurig af of wat er met Phoebe was

gebeurd verband hield met de andere *baremliche* dingen die de Amish overkwamen – de afschuwelijke dingen die bedoeld waren om hen angst aan te jagen, of nog erger, te verwonden.

Een nacht als deze bracht de afgrijselijke herinneringen terug aan de nacht waarin zij en Eli, haar overleden man, waren aangevallen. De nacht waarin Eli was *vermoord*.

In een poging om haar te beschermen, was hij tegen de overtuiging van de Amish om geen geweld te gebruiken, ingegaan en had hij tegen hun aanvallers gevochten. Zijn moeder had Rachels leven gered. Maar aan het leven van Eli was een einde gekomen, daar op een weg dicht bij huis, midden in de nacht toen drie mannen hem hadden doodgeslagen.

En waarom? Wat kon de aanleiding zijn van zoveel kwaad, zoveel haat voor een medemens?

Vier jaar lang vonden er nu al branden, diefstallen en andere geweldplegingen plaats, zoals de aanval op Fannie vorig jaar. Maar daarbij was slechts één dode gevallen – haar geliefde Eli.

De meeste tijd probeerde Rachel niet te denken aan wat er nog zou kunnen gebeuren, welke andere problemen of tragedies de Amish wellicht nog te wachten stonden. Maar hoe kon ze op een avond als deze *niet* aan haar angsten toegeven?

Plotseling werd ze overmand door een verlangen naar Jeremiah. Hij zou weten wat er gebeuren moest. O, ze wilde dat hij hier nu was om te helpen! En Gideon, haar broer – was hij maar niet met Asa weggegaan!

Rachel wist dat de verbittering en boosheid die ze plotseling voelde, veroorzaakt werden door een irrationeel gevoel van verraad. Gideon was al weg en bleef misschien nog wel maandenlang van huis. En Jeremiah was niet fit genoeg om in het donker door regenplassen te waden. En wat konden ze doen dat zij en dokter Sebastian en Malachi niet al deden?

Maar toch leek het erop dat haar kleine *bruder* op een bepaald moment haar 'grote broer' was geworden. De jongen die ooit afhankelijk was geweest van *haar*, was nu een man geworden en ze wilde niets liever dan hem om hulp vragen. Hij hield van Phoebe en Malachi. Hij zou erbij willen zijn.

Wat Jeremiah betrof – het verlangen naar zijn aanwezigheid, zijn kracht en wijsheid, was altijd het grootst als er iets mis was.

En op dit moment voelde Rachel in haar hele wezen dat er iets mis was. Misschien wel *heel erg* mis.

Phoebe Esch lag op een koude, natte plek.

Haar bed was hard en doorweekt van de regen. Het voelde ruig en bekrast, als een oude houten vloer. Iets schraapte en schuifelde door de duisternis terwijl de wind door de muren heen fluisterde.

De stemmen die ze kortgeleden dacht te hebben gehoord, waren nu verdwenen en de stilte was meedogenloos. Iets stils, maar dreigends leek haar te omringen, voor en achter haar en overal om haar heen. Het enige wat ze kon horen, was haar eigen ademhaling, een zwaar, raspend geluid. Haar hoofd bonsde pijnlijk, alsof ze geraakt was met een grote riviersteen.

Ze hoorde de regen op het dak kletteren. De duisternis was dik en ondoordringbaar. Ze hoorde en zag niets. En ze had het koud. Zo koud dat ze lag te beven als een rietje. Haar hele lichaam deed zeer, alsof ze ergens vanaf was gevallen.

Ze tuurde in het donker en spitste haar oren, hoewel ze niet wilde weten wat dat ritselende geluid zou kunnen zijn. Angst dwong haar om zichzelf met haar handen overeind te duwen en af te wachten tot de duizeligheid voorbij was, tot ze op haar knieën kon gaan zitten, opnieuw wachtend.

Een golf van misselijkheid overspoelde haar. Ze hapte naar adem en trok het plakband van haar mond.

Ten slotte lukte het haar om te gaan staan. Ze wankelde, maar viel niet. Toen wachtte ze tot haar hoofd helder werd, terwijl ze het gebons erin probeerde te negeren.

Langzaam nam de pijn iets af. Trillend, net zo goed van angst als van de kou, wreef ze over haar armen en ontdekte dat haar jas was verdwenen. Ze hief een hand en merkte dat ook haar *kapp* weg was en haar haar los hing.

Hoe bang ze ook was, ze kromp inwendig ineen vanwege de schande van wat haar was aangedaan.

Toen voelde ze de koude, natte planken onder haar voeten. Waar waren haar schoenen? Ze had ze gedragen toen ze eerder die avond Rachels huis had verlaten. Dat wist ze zeker!

En waar was ze? Hoe was ze hier gekomen?

Langzaam stelden haar ogen zich scherp, maar nog steeds kon ze geen vormen waarnemen, alleen maar schaduwen.

Ze begon over de vloer te sluipen door voorzichtig de ene voor de andere voet te plaatsen. Ze beefde nog steeds zo erg dat ze haar evenwicht verloor en bijna viel. Ze struikelde, maar vond met haar hand de steun van een muur.

Hetzelfde ruige hout als dat van de vloer schraapte langs haar hand. Ze schuifelde langs de muur verder. Ze kon niets zien, maar vertrouwde op haar gevoel.

Uiteindelijk bereikte ze iets waarvan ze dacht dat het een deur was. Ze vond een dwarsbalk en probeerde die op te tillen. Hij gaf direct mee, maar toen ze tegen de deur duwde, bleef die gesloten.

Ze duwde opnieuw. Nog steeds geen enkele beweging. Wanhopig begon ze met haar vuisten tegen de deur te slaan.

Niets.

Ze wierp zichzelf met haar volle gewicht tegen de deur en er ging een steek van pijn door haar schouder. Maar de deur verschoof geen millimeter.

Als een gevangene zat ze opgesloten in een donkere, onbekende plaats die naar schimmel en ontlasting rook.

Paniekerig probeerde ze haar hoofd koel te houden en bleef ze met haar vuisten op de deur slaan.

Uiteindelijk begon ze te schreeuwen.

16

TOEN DE DUISTERNIS INVIEL

Tik-tak, tik-tak! Geen enkel ander geluid dan dat van de tijd
En de windvlagen die de regen voortstuwen...

JAMES CLARENCE MANGAN

D avid Sebastian was niet snel zenuwachtig, maar op dit
moment kroop het drukkende gevoel van angst langs zijn
ruggengraat omhoog.

Het kwam gedeeltelijk door de nacht, nam hij aan. De dikke
duisternis, de plensregen, de stilte om zich heen.

Hij dacht dat het ook te maken had met de pesterijen die in
de afgelopen maanden in de gehele Amish gemeenschap hadden
plaatsgevonden. Deze goede mensen, die alleen maar afgezonderd
wilden leven, die niemand iets slechts toewensten en niet eens wraak
namen als hen de ergst mogelijke dingen werden aangedaan, leken in
de greep te zijn van een vreemd en meedogenloos kwaad.

Phoebe Esch was een vrouw met een goed hart. Het type zout
der aarde, voor wie vriendelijkheid en goedheid de enige manier
van leven was die ze kende. Phoebe zou haar laatste brood aan een
vreemdeling weggeven, ook al zou ze dan zelf honger moeten lijden.
Ze zou nooit een mens in nood afwijzen, of diegene nu Amish was

of *Englisch*. Ze kon net zo min weigeren de helpende hand toe te steken dan ze kon vluchten voor een brand in haar eigen huis zonder te proberen hem te blussen.

Dat haar iets kon zijn overkomen – misschien iets misdadigs, opnieuw een geweldpleging door dezelfde slechteriken die verantwoordelijk waren voor de andere problemen waar de Amish mee te kampen hadden gehad – was ondenkbaar. Als dat echter het geval zou blijken te zijn, dan was het tijd om de autoriteiten op de hoogte te stellen en eindelijk te reageren.

Wat David betrof, had de wettelijke macht de Amish in dit opzicht keer op keer teleurgesteld. En nu was duidelijk dat het gevaar escaleerde. Er moest iets gedaan worden voor deze geweldloze mensen. Hij wist dat er een zekere mate van haat ten opzichte van hen bestond, omdat ze een leven van pacifisme leidden en weigerden zichzelf te verdedigen – of anderen onder hen. Er was altijd een zekere bitterheid, zelfs woede, geweest over de weigering van de Amish om de wapens te trekken, ongeacht de situatie.

Maar David geloofde – en dat had hij al lang voordat hij had besloten om zichzelf tot het geloof van de Amish te bekeren geloofd – dat deze mensen het recht behoorden te hebben op het geweldloze leven dat hun geloof hen voorschreef. Hij had in zijn leven nog nooit enig bewijs gezien dat geweld of oorlog of conflict enig doel diende of een definitieve oplossing bood voor problemen van individuen, gemeenschappen of volken. Het maakte alleen maar alles kapot.

Dat er een zekere mate van apathie bestond onder sommigen als het aankwam op onderzoek en het streven naar gerechtigheid voor aanvallen op de Amish, daar twijfelde hij niet aan. In al die tijd dat hij als arts onder zowel de Amish als de *Englisch* werkzaam was, had hij er meer dan genoeg bewijs voor gezien. Het was niet wijdverspreid – maar het bestond wel en onverschilligheid kwam vooral naar voren in het gebrek aan vooruitgang dat was geboekt in de zoektocht naar de daders van deze verfoeilijke misdaden tegen de Amish van Riverhaven.

Voordat hij zijn eed aflegde en volledig lid van de Amish kerk werd – met andere woorden, zolang er nog hoop was dat de autoriteiten zouden luisteren naar wat hij te zeggen had – was hij vastbesloten alles op alles te zetten om iets voor de Amish gedaan te krijgen. Twee beambten en hun gezinnen waren patiënten van hem. Misschien zou het hem lukken om hun aandacht te krijgen.

Hij slikte om de brok in zijn keel weg te krijgen toen hij besefte hoe zinloos zijn vastberadenheid om te helpen bij dit probleem was – Phoebe Esch vinden.

Naast hem haalde haar duidelijk verontruste echtgenoot diep adem en kraakte zijn knokkels.

David draaide zich naar hem toe en dwong zichzelf met krachtige stem te spreken. 'We vinden haar wel, Malachi. We vinden Phoebe wel.'

Hij merkte dat Malachi daar niet meer van overtuigd leek dan David zelf.

Phoebe Esch gaf het schreeuwen om hulp ten slotte op. Wie zou er in een nacht als deze buiten zijn om haar geschreeuw te horen?

Ze draaide zich om en ging met haar rug naar de deur toe staan. Tot nu toe had ze geprobeerd het vreemde gevoel dat telkens wanneer ze zich bewoog, er achter haar iets ritselde, te negeren. Maar daar was het weer – het zachte, fluisterende geluid van iets achter haar.

Er *was* iets achter haar. Langzaam en voorzichtig draaide ze haar arm en tastte achter zich, maar ze was stijf en kon niet ver genoeg reiken om iets te voelen.

Plotseling overviel haar de afgrijselijke gedachte dat er iets *op* haar rug zat, aan haar vast. Ze werd misselijk van zwakheid en angst en merkwaardig gewichtsloos. Haar hoofd begon te tollen.

Niet in paniek raken... Waar ik ook ben, de Here God is bij me. Ik ben niet alleen... Nooit alleen.

Ze probeerde te bidden, maar de woorden in haar hoofd waren niet veel meer dan onsamenhangende wanhoopsklanken.

Ze maakte een sprongetje toen er iets in de hoek tegenover haar bewoog en er een kort, schrapend geluid klonk. Boven haar hoofd bleef de regen op het dak hameren.

Ze had het zo koud dat ze nauwelijks kon ademhalen én Phoebe sloeg haar armen stevig om zich heen.

Malachi – hij zou haar gaan zoeken als ze niet thuiskwam. Natuurlijk deed hij dat. Ze probeerde te bedenken hoe lang ze hier al was, maar alle tijdsbesef was verdwenen.

Maar Malachi zou niet direct komen. Hij zou eerst gewoon denken dat zij en Rachel al pratende de tijd uit het oog verloren waren, zoals wel vaker voorkwam.

Maar als het laat werd, rond bedtijd, dan zou hij komen. Hij zou weten dat ze nooit zo lang wegbleef.

In gedachten smeekte ze hem te komen.

Ze beefde nu zo hard dat het pijn deed, alsof elk bot in haar lichaam gekneusd was. De wind gierde langs de zijkant van het gebouw alsof hij zocht naar een manier om binnen te komen. Opnieuw klonk het geschraap in de hoek. Het leek nu dichterbij. Kwam het haar kant op?

Met een ruk draaide ze zich om en begon met haar vuisten op de deur te slaan, terwijl ze het geritsel op haar rug, het schrapende geluid dat absoluut dichterbij was en de stank die tot diep in haar poriën leek door te dringen, probeerde te negeren.

Ze schreeuwde en bonkte, nu volledig in paniek. Haar blik vertroebelde en met geschaafde vuisten bleef ze zo hard ze kon op de deur slaan.

Plotseling ging er een pijnscheut door haar arm, van haar schouder tot haar hand, hetgeen haar de adem benam.

Haar longen stonden in brand.

Phoebe snakte naar adem toen de duisternis haar opnieuw opslokte.

17

Zoeken in de nacht

De storm raasde en tierde...

John Eglinton

Toen ze Phoebe tegen middernacht nog steeds niet hadden gevonden, keerden ze terug naar Rachels huis, waar ze in de keuken samenkwamen om hun opties te bespreken, hoewel ze heel goed wisten dat ze er maar een hadden.

'Ik weet dat iedereen al urenlang slaapt,' zei David, 'maar we moeten iedereen verzamelen. We kunnen het hele gebied niet alleen doorzoeken.' Hij wendde zich tot Rachel. 'Jij hebt toch een bel in je tuin, net zoals je moeder?'

Rachel knikte. 'Ja, en het tijdstip en het weer maken niets uit. Iedereen zal komen.'

'Ja, dat weet ik. Rachel, je hebt het vast ijskoud. Je moet droge kleren aantrekken en iets warms te drinken nemen. En Susan, wil jij Malachi in de tussentijd ook wat te drinken geven? Ik weet dat het geen zin heeft om te proberen hem ervan te overtuigen ons alleen te laten gaan, maar hij moet wel naar huis om droge kleren aan te trekken.'

Phoebes man was een hoopje ellende. Hij zat op een stoel bij de tafel en staarde naar zijn handen alsof hij zich niet bewust was waar hij was of wie bij hem in de kamer zaten.

'Er is al verse koffie. Jij moet ook wat nemen, David. Je bent doorweekt.'

'Eerst de bel', zei hij terwijl hij naar de deur liep.

David *was* doorweekt en hij rilde van de kou. Maar elke minuut dat Phoebe Esch langer vermist bleef, werd de schaduw van angst die al de hele avond boven hun hoofden hing, donkerder. Inmiddels drukte het gevoel dat hij haar *moest* vinden, zo snel mogelijk, zo zwaar op hem dat hij zich bijna ziek voelde door het gewicht ervan.

Hij was niet meer bang dat Phoebe iets ergs was overkomen. Nee, inmiddels schreeuwde elk instinct in hem dat er iets gebeurd *was,* dat ze echt in moeilijkheden zat, hoe dan ook, waar dan ook. Hij kon alleen maar hopen en bidden dat ze haar zouden vinden voordat het *ergste* gebeurde.

Hij had het zo koud dat hij beefde. Maar toen hij aan het touw van de bel begon te trekken, wist hij dat het niet de kille nachtlucht was waardoor zijn handen trilden.

Rachel stond in haar slaapkamer om zich om te kleden en mopperde over het feit dat haar moeder volhield dat *zij* ditmaal degene zou zijn die met de anderen mee ging om naar Phoebe te zoeken, terwijl Rachel hier bleef met Fannie. Ze wist echter uit ervaring dat wanneer mama die toon gebruikte, er geen enkele discussie mogelijk was.

Ze vond het verschrikkelijk dat de buren alweer zo laat opgeroepen werden. Dit was de tweede keer in nog geen drie weken tijd dat er 's nachts een bel werd geluid om de gemeenschap om hulp te roepen.

Maar terwijl ze zich druk maakte over het feit dat de hulp van de gemeenschap alweer zo snel moest worden ingeroepen, wist ze ook dat er geen ongeduld of irritatie zou zijn onder de goede vrienden die altijd eerst aan anderen in plaats van zichzelf leken te denken.

Ze waren een familie, deze Amish uit Riverhaven, een familie die nooit problemen *veroorzaakte,* maar altijd bijsprong als er problemen *waren.*

Wat was het een troost, deze snelheid waarmee gelijkgestemde vrienden en familieleden kwamen als ze nodig waren, om hulp te bieden, bijna nog voordat het kon worden gevraagd.

Maar tijdens haar warme gedachten aan haar goedhartige buren kon Rachel het beklemmende gevoel van angst dat door haar hoofd spookte niet van zich afzetten. Ze werd niet misleid door dit korte moment van afleiding in de veiligheid van haar slaapkamer. Buiten lag iets duisters en sinisters op de loer.

Als Phoebe gewoon langs de weg tussen Rachels huis en het hare was gevallen, dan zouden ze haar hebben gevonden. Ze hadden het gebied meer dan eens grondig doorzocht.

De realiteit was dat haar beste vriendin werd vermist. Ergens tussen hun huizen was iets gebeurd en dat kon alleen maar iets ergs zijn.

Ze huiverde terwijl ze haar haar onder een schone *kapp* vastzette.

Was Jeremiah maar hier. Wat een verschil zou zijn aanwezigheid maken. Ze schrok van de gedachte. Daar was het weer, datzelfde verlangen naar en behoefte aan Jeremiah dat ze al eerder had gevoeld.

Het was niet alsof hij iets kon doen om de situatie te veranderen. Zijn aanwezigheid hier zou geen enkel verschil maken in wat er met Phoebe was gebeurd. Bovendien was het niet waarschijnlijk dat hij iets meer zou weten over waar ze moesten zoeken dan zijzelf of de anderen.

Maar evengoed verlangde ze naar zijn kracht, de manier waarop hij het hoofd koel hield en alle kanten van een situatie bekeek zonder te oordelen. En ze verlangde vooral naar de speciale methode die hij had om rust uit te stralen op bijna iedereen om zich heen.

De Amish hadden nog nooit zoveel vertrouwen in een *auslander* – een buitenstaander – gehad als in Jeremiah. Alleen Doc Sebastian werd nog meer gerespecteerd en geaccepteerd, ondanks dat hij *Englisch* was.

Had de bisschop Jeremiahs bekering nu maar niet geweigerd, dan zou hij nu bezig zijn om een van hen te worden. Hij had hun manier van leven en taal en de vele andere aspecten van het leven als Amish kunnen bestuderen. En het zou Rachel niet zijn verboden om in elk geval bevriend met hem te zijn. Of zelfs om zijn vrouw te worden.

Zoals de zaken er nu voor stonden, zou Jeremiah niet eens te horen krijgen dat er iets met Phoebe was gebeurd. Ze hadden elkaar vertrouwd, die twee, doordat Phoebe deel uitmaakte van het werk van Jeremiah en Asa met de weggelopen slaven.

Niemand, behalve Rachel en haar moeder, wist iets van de betrokkenheid van Malachi en Phoebe bij de hulp aan de weggelopen slaven om naar de vrijheid van het noorden te vluchten. Maar Jeremiah wist het wel en hij zou op elke mogelijke manier willen helpen.

Plotseling realiseerde ze zich welke kant haar gedachten op waren gegaan en besloot ze ze te stoppen. Ze kon niet altijd als er moeilijkheden waren, wensen dat Jeremiah er was. Hij kon niets doen. Helemaal niets.

De reden dat ze hem in de buurt wilde hebben, was egoïstisch, niets meer dan dat. Ze moest de opstandige gedachten die indruisten tegen wat de bisschop had bevolen, negeren.

Ze bad nogmaals, zoals ze deze avond al zo vaak had gedaan, voor de veiligheid van Phoebe. Toen hoorde ze stemmen beneden die erop duidden dat de gemeenschapsleden begonnen binnen te stromen. Ze haalde diep adem en verliet met tegenzin haar kamer om haar vrienden en familieleden uit te zwaaien voor de tweede zoektocht van die avond.

◦◦◦

Toen David weer buiten kwam, zag hij tot zijn opluchting dat het ergste van de storm voorbij was en het nu alleen nog maar zachtjes spetterde, zonder de donder en bliksem en harde wind. De opbeurende gedachte kwam in hem op dat de betere weersomstandigheden misschien ook iets goeds voor hun zoektocht zouden opleveren. Een mengeling van opluchting en dankbaarheid ging door hem heen toen hij alle wagens langs de weg voor het huis geparkeerd zag staan. Sommigen kwamen nog aanrijden, terwijl anderen te voet kwamen, ondanks de regen. Zoals hij al geweten had, dromden alle Amish samen.

De gezichten om hem heen stonden ernstig en er werd geen tijd verspild aan begroetingen. Zodra David hen op de hoogte bracht van de verdwijning van Phoebe, deelden ze zich op in groepjes en gingen gehaast op pad, opnieuw in hun wagens of te voet.

❧

Tegen drie uur 's nachts wist David dat ze moesten ophouden, in elk geval tot het daglicht. De mensen waren koud, nat en uitgeput. De vermoeidheid begon hemzelf ook parten te spelen en hij voelde zich niet zo lekker. Maar hij maakte zich vooral zorgen over Susan. Zij moest ook wel verkleumd en doorweekt zijn van de regen, hoewel hij haar had weten te overtuigen in de wagen te blijven op de momenten dat hij de omgeving ging doorzoeken.

Maar nog meer dan haar lichamelijke toestand baarde haar emotionele toestand hem echter zorgen. Hoe langer ze zochten, hoe meer gespannen en verontrust ze werd, totdat hij het gevoel had dat ze bijna ziek van bezorgdheid was. Ze hield van Phoebe Esch als een zus. Ze waren al jarenlang heel goede vriendinnen en Susans hart zou breken als Phoebe iets ernstigs was overkomen.

Hij besloot de overdekte brug nogmaals over te steken. Ditmaal zou hij de oude, verlaten molen inspecteren. Als hij niets vond, moesten ze eenvoudigweg terugkeren.

Maar toen hij dat tegen Susan zei, protesteerde ze heftig en greep zijn arm beet. 'We kunnen niet stoppen met zoeken, David! Ze moet ergens zijn!'

Deze keer was Malachi met zijn zoon Reuben meegegaan, die te voet was gekomen maar nu de wagen voor zijn vader en hemzelf bestuurde. David was ietwat opgelucht dat hij openhartiger met Susan kon praten dan anders het geval zou zijn geweest, als Malachi hun gesprekken had kunnen horen.

'Susan – liefste, ik ben bang dat we voor vannacht alles hebben gedaan wat we konden. Morgenochtend moeten we eerst naar de politie gaan en aangifte van de vermissing van Phoebe doen.'

Er verscheen een geschrokken uitdrukking op haar gezicht. 'O, David, dat zou ze afschuwelijk vinden! Phoebe zou niemand anders dan de gemeenschap hier bij betrokken willen hebben. Je weet hoezeer ze op haar privacy is gesteld.'

David probeerde te bedenken hoe hij kon zeggen wat er gezegd moest worden. 'Susan, ik vind dit net zo verschrikkelijk als jij, maar ik zie niet in hoe we meer kunnen doen dan we al hebben gedaan. Ik geloof echt dat we rekening moeten houden met de mogelijkheid dat Phoebe is ontvoerd.'

'O, David! Dat zal toch niet! Wie zou zoiets nu doen? Phoebe heeft geen vijanden!'

'Ik weet hoe onwaarschijnlijk het klinkt, maar het is de enige mogelijkheid die overblijft. Als ze onderweg naar huis gewond was geraakt, dan zou iemand haar inmiddels wel hebben gevonden. Ik weet niet meer wat ik anders moet denken.'

Ze reden de brug over en niet voor het eerst voelde David zich er lichtelijk ongemakkelijk bij. Hij vroeg zich onwillekeurig af hoe stevig het oude houten bouwsel eigenlijk was. Hij leek hier al voor eeuwig te staan, zelfs lang voordat de molen was gebouwd. Je kon hem bijna voelen zwaaien tijdens een harde windvlaag en David hield bij elk gepiep en gekraak de adem in.

Toen ze er eenmaal overheen waren, reed hij naar de molen. Het huis was nu al meer dan twee jaar leeg en verlaten, nadat Haden River was vertrokken om verderop langs de rivier een nieuwe molen te bouwen. Hij had het gebouw nooit kunnen verkopen vanwege de onvoorspelbare, vaak voorkomende overstromingen, nog afgezien van de belachelijk hoge prijs die hij ervoor wilde hebben.

Hij hield de wagen stil en bestudeerde het verweerde, ongeverfde gebouw. De molen was bijna volledig omzoomd door bos, dicht begroeid en donker. Afgeschermd tegen de gestaag neervallende regen leek het wel een schip op open zee, zoals het op een kleine helling was gebouwd. Het pad dat naar de deur liep, was nu bijna geheel overwoekerd door de dichte braamstruiken en onkruid.

Plotseling werd David overvallen door een gevoel van isolatie. Of het nu door de stormachtige nacht of het verboden aspect van het gebouw kwam, hij voelde zich terneergedrukt door het dreigende uiterlijk ervan. Altijd ontvankelijk voor de sfeer of ambiance van een landschap of woning, kon hij zich bijna voorstellen hoe iets boosaardigs op het gebouw voor hem rustte. Het was alsof hij het rottende hout en de schimmel en het verval rondom hem bijna kon ruiken. Hij kromp ineen bij de gedachte aan wat hij wist dat hij moest doen.

'Ik ga even binnen kijken', zei hij tegen Susan.

Ze keek naar hem en toen naar de molen. 'Ik ga met je mee', zei ze terwijl ze haar jas iets steviger om zich heen trok.

'Nee', zei David met een hand op haar arm. 'Ik ben zo terug. Wacht hier op me.'

Gewoon voor het geval dat, zei hij tegen zichzelf terwijl hij de extra lamp aanstak die hij had meegenomen. *Gewoon voor het geval dat deze angst die me overvalt niet alleen maar een spelletje van mijn verbeeldingskracht is.*

De lukraak opgehangen deur was afgesloten met een eenvoudige houten plank die David met gemak losmaakte om binnen te kunnen komen.

Zodra hij naar binnen ging, drong de stank pas goed tot hem door, een mengeling van verrotting, vocht en dierenpoep. Hij hief de lamp en keek om zich heen. Het was smerig, met hopen troep en afval, plukken dierenvacht en uitwerpselen, graanstof en restanten van jongeren die het gebouw konden hebben gebruikt voor kattenkwaad of zelfs geheime afspraakjes.

Hij zette nog een paar stappen en hield de lamp nog hoger. Zelfs met het lamplicht was het zo donker dat hij nauwelijks iets kon zien.

Zijn blik bleef rusten op een andere deur, recht tegenover hem. En aan de voet van de deur zag hij haar.

Met haar gezicht omlaag, verfomfaaide kleding en niet eens een jasje of deken om haar tegen de kou te beschermen, lag Phoebe Esch, bewegingloos.

18

PHOEBE VINDEN

Maar, o, als duistere gedachten zegevieren,
Vrees ik het om U de mijne te noemen;
De bronnen van troost lijken op te drogen,
En al mijn hoop verdwijnt.
Maar toch, luisterrijke God, waar zal ik naartoe vluchten?
U bent mijn enige toevluchtsoord;
En toch zou mijn ziel zich een weg naar U banen,
Hoewel ik ter aarde geworpen ben in het stof.

ANNE STEELE

Honderden drums sloegen in het hoofd van David Sebastian terwijl hij naar Phoebe Esch op de grond staarde.

Ten slotte knielde hij naast haar neer. Afschuw stroomde als een bittere stroom door zijn ziel. Hoewel zijn ogen droog waren, huilde zijn hart en zijn geest smeekte om genade terwijl hij controleerde wat hij al wist dat hij zou vinden.

Als arts had hij door de jaren heen te vaak de dood in de ogen gekeken om die niet meteen te herkennen. Maar ondanks dat schreeuwde hij vanbinnen of hij zich ditmaal mocht vergissen.

Alstublieft, Heer.

Toen hij besefte dat het niet zo mocht zijn, balde hij zijn vuisten vanwege de realiteit ervan en snakte naar adem tegen het mes van pijn dat zijn borst leek open te rijten. Even later bestudeerde hij het ding op haar rug voor de tweede keer, het bloed suizend in zijn oren terwijl hij worstelde met een razernij die verboden werd door zijn nieuw aangenomen geloof.

Toen stond hij op, fluisterde een gebed boven Phoebes levenloze lichaam en dwong zichzelf naar Susan terug te keren, die nog steeds buiten wachtte.

S

Zodra Susan David naar buiten zag komen, wist ze het.

Ze bracht een vuist naar haar mond, haar blik op hem gefixeerd, elke stap volgend die hij zette. Toen hij de wagen bereikte, keken ze elkaar aan en ze verslikte zich in de poel van tranen die ze de hele nacht al binnen had gehouden.

Maar toch, misschien zag ze het verkeerd… Misschien was Phoebe gewond, maar kon ze nog worden geholpen… Misschien interpreteerde ze die afgrijselijke blik in zijn ogen wel verkeerd.

Maar toen hij vermoeid in de wagen klom, de lamp neerzette en haar beetpakte, voelde Susan het laatste sprankje hoop wegebben en stortten haar angst, schok en pijn zich uit in een kolkende poel van wanhoop.

'Ik moet haar gaan halen.'

'Nee, Susan. Je kunt nu niets meer doen.'

'Ik moet haar zien, David!'

Maar hij hield haar nog steviger vast. 'Vertrouw me alsjeblieft, Susan. Het is niet wat Phoebe voor je zou willen.'

Haar zachte gesnik sneed dwars door zijn ziel. Hij voelde een zwakheid op hem neerdalen, maar hij hield haar stevig vast, vastbesloten om haar niet te laten zien wat voor afgrijselijks haar beste vriendin was aangedaan.

Uiteindelijk werd ze slap in zijn armen. 'Ze was als een zus voor me', mompelde Susan. 'Wie zou onze lieve Phoebe nu iets aan willen doen? Ze was niets dan goed en leefde volgens haar geloof in de Here God.'

David bleef zwijgen, omdat hij haar niet wilde vertellen dat Phoebes goedheid bijna zeker haar einde had betekend.

19

GEDEELD VERDRIET

Erger je niet aan slechte mensen.

PSALM 37:1

Gant zat op een knie en liet Terry Sawyer zien hoe hij de dwarsbalk van een kapotte schommelstoel moest vervangen. In de afgelopen paar dagen had Gant gemerkt dat de jongere man net zo was als Gideon had voorspeld: een vlotte leerling en dankbaar voor een baan, al was het maar een tijdelijke. Hij bleek een goede hulp te zijn, hoewel hij Gideon niet echt kon vervangen, die zelf inmiddels een bijzonder goede timmerman was geworden.

Gant keek op toen de bel rinkelde en Doc Sebastian binnenkwam. Een blik op het gezicht van zijn vriend maakte hem duidelijk dat er iets mis was.

'Dat moet genoeg zijn', zei hij tegen Sawyer terwijl hij zichzelf overeind hees. 'We zullen het laten opdrogen en het morgen afmaken. Jij kunt maar beter nu de bestellingen gaan rondbrengen.'

Zodra Sawyer de werkplaats via de achterzijde had verlaten, wendde Gant zich tot Doc. 'Dat is die man waar Gideon het misschien met je over heeft gehad, degene wiens vrouw een baby verwacht. Ik hoopte dat je even bij haar langs kon gaan.'

Doc knikte afwezig, maar zei niets.

'Wat is er aan de hand?'

Doc had een asgrauw gezicht en donkere kringen onder zijn ogen en hij zag eruit alsof hij dagenlang geen oog had dichtgedaan. Hij bleef zwijgend staan, met zijn hoed in zijn handen en met hangende schouders. Van uitputting, vermoedde Gant.

'Doc?'

'Phoebe Esch is overleden.'

'Overleden?'

'Ja, gisteravond.'

Doc blies zijn adem langzaam uit, alsof die paar woorden hem zoveel moeite hadden gekost dat hij geen enkele energie meer over had.

Gant staarde hem sprakeloos aan, zijn lichaam stram van verbazing. '*Phoebe?* Wat is er gebeurd?'

Terwijl hij toekeek, verspreidde zich een troosteloze uitdrukking over het gezicht van de ander. 'Het lijkt erop dat ze was ontvoerd.'

'*Ontvoerd...*'

Opnieuw zag Gant de vermoeidheid van zijn vriend. 'Laten we naar achteren gaan', zei hij. 'Ik zal wat water voor ons halen.'

In de achterkamer trok Gant een stoel bij de tafel vandaan. 'Hier, ga zitten.'

Na voor elk van hen een beker water te hebben ingeschonken, nam hij zelf tegenover Doc plaats.

Hij wachtte totdat de ander een flinke teug had genomen en vroeg toen: 'Wat is er gebeurd?'

Doc schudde zijn hoofd. 'Dat weten we niet. Ze was bij Rachel op bezoek geweest en ging daarna lopend naar huis. Maar daar is ze nooit aangekomen. We hebben urenlang gezocht. Eerst waren het alleen Rachel, Malachi en ik. Uiteindelijk hebben we iets na middernacht de hulp van de rest van de gemeenschap ingeroepen.'

Hij bleef even zwijgend zitten, starend naar de beker die voor hem stond. Er bouwde zich een spanning in Gant op en hij merkte dat hij zijn adem inhield, uit angst voor wat hierna ging komen.

Doc ging verder, met hese, trillende stem. 'We hebben haar gevonden, Susan en ik, in de oude molen. Weet je waar dat is?'

Gant knikte.

Doc zoog lucht naar binnen. 'Ze was... slecht behandeld. Niet echt in elkaar geslagen, maar wel als boksbal gebruikt. En gesleurd, denk ik. Ze was kletsnat – het regende natuurlijk het grootste deel van de avond. En ze had blote voeten en haar benen waren bont en blauw. Haar gebedskapje was weg, net als haar jas. Ze had een diepe snee en een bult achter op haar hoofd. Er was duidelijk niet lichtzinnig met haar omgesprongen.'

'Maar was het erg genoeg om haar te *vermoorden*?'

De gedachte dat iemand een vrouw als Phoebe Esch iets aandeed, haar mishandelde en treiterde, deed Gants bloed koken. Even gingen de woorden van Doc aan hem voorbij.

Maar de volgende woorden van de ander drongen wel tot hem door. 'Nee, zo ernstig waren haar verwondingen niet. Ik heb haar vanmorgen nauwkeuriger onderzocht en ik ben er vrij zeker van dat ze aan een hartaanval is overleden.'

Hij zweeg even. 'De mensen die haar dit hebben aangedaan, waren niet van plan om haar te doden, maar wat mij betreft hebben ze haar net zozeer vermoord als wanneer ze een pistool tegen haar hoofd hadden gezet.'

Een storm stak op in Gants hoofd. Phoebe Esch had voor hem altijd de goedheid zelve belichaamd. Met haar vriendelijke gezicht en oprechte blik leek de Amish vrouw bijna wel een heilige, die een man inspireerde om zacht te praten en zachtjes te lopen als ze in de buurt was.

'Hoe kan iemand die goede vrouw iets aandoen?' viel hij uit. '*Waarom* zou iemand haar iets aan willen doen?'

Doc wreef met een hand over zijn gezicht. 'Er is nog meer.'

Gant keek hem aan.

'Ze hadden een vel papier met een tekst op haar rug vastgespeld.'

Er welde een misselijkheid in Gant op. Hij balde zijn vuisten telkens opnieuw.

'"*Slavenvriendin.*" Dat stond erop. Alleen dat maar.'

Gants razernij ging over in verbijstering. 'Iemand weet dat zij en Malachi weggelopen slaven helpen.'

Doc knikte. 'Dat blijkt.'

Gant probeerde na te denken. 'En het is iemand uit de buurt, dichtbij genoeg om iets te hebben gezien. Hoe zou het anders bekend zijn geworden?'

'Dat hoeft niet. Er gaan al een paar jaar geruchten over Amish die weggelopen slaven onderdak bieden. Er zijn nooit namen genoemd, maar waar zijn die verhalen oorspronkelijk vandaan gekomen?'

Gant snapte er niets van. Hij was verward en zijn gedachten liepen over met vragen. 'Heb je *enig* idee wie hier achter zou kunnen zitten?'

'Het kan iedereen zijn', zei Doc. 'Ik ben al bij de politie geweest – en niet voor de eerste keer. Ze zeiden hetzelfde als altijd: "We zullen de zaak onderzoeken." En dat zullen ze ook wel doen. Ze zullen er vast wel oppervlakkig naar kijken, maar ze zullen er niet veel tijd aan besteden.'

Dit had Gant al eerder gehoord. Net zoals Doc vond hij het gebrek aan daadkracht van de arm der wet buitengewoon frustrerend. Maar van de andere kant, wat konden ze eigenlijk doen? Waar zouden ze moeten beginnen?'

Er kwam nog iets anders in hem op. 'Dit moet zwaar voor Rachel en Susan zijn. Ze waren zo goed bevriend met Phoebe.'

Doc knikte opnieuw vermoeid. 'Ze hebben het er zwaar mee. Maar de Amish accepteren de dood relatief eenvoudig. Ze zien het als een deel van het leven, als Gods wil. En zoals je weet, is hun acceptatie van Zijn wil volledig. Het is niet dat ze niet rouwen. Maar het is voornamelijk gedeeld verdriet. De Amish vangen elk verlies als gemeenschap op en dat maakt het op de een of andere manier iets makkelijker te verdragen. Susan en Rachel – en Malachi en de jongens, natuurlijk – vinden het nu moeilijk om ermee om te gaan, zoals je je kunt voorstellen. Vooral gezien de schok – en de wreedheid

– van Phoebes dood. Maar uiteindelijk komt het wel goed met hen.'

Hij stopte en voegde er bedachtzaam aan toe: 'Ik heb het in de loop der jaren telkens weer gezien. De Amish overleven alles. Ze rouwen. Ze accepteren. Ze vergeven. En ze gaan verder. Zo leven ze.'

Gant leunde achterover en bestudeerde zijn vriend. 'Ik neem aan dat jij begrijpt hoe dat mogelijk is, omdat je zoveel op hen lijkt. Maar ik moet toegeven dat ik het *niet* begrijp.'

'Nee, dat zal wel niet. Maar ik wou dat je het wel kon.' Doc keek hem met een vreemde uitdrukking aan, met een blik die zowel bedroefdheid als genegenheid leek te omvatten. 'Jouw eerste gedachte is waarschijnlijk wraak. Je zou het liefst degenen die dit gedaan hebben, te pakken willen krijgen en willen zorgen voor gerechtigheid. Is het niet?'

Gant haalde zijn schouders op.

'De Heer zegt dat de wraak aan Hem toebehoort.'

'Dat weet ik', zei Gant, hoewel hij zich meer dan eens had afgevraagd of God nooit een van Zijn schepsels gebruikte om die wraak uit te oefenen.

Doc keek hem peinzend aan. 'Ik bid voor je.'

Gant maakte een verlegen geluidje en Doc glimlachte even – voor het eerst sinds hij binnen was gekomen. 'O, ja, echt waar, mijn Ierse vriend. Ik bid dat je op een zekere dag deel van een gemeenschap zal uitmaken – van een *familie* – zodat je de genade zult leren kennen van gedeelde lasten in plaats van altijd maar te proberen ze alleen te dragen.'

Gant wendde zijn blik snel af. Niet dat hij niet dankbaar was voor de bezorgdheid en de gebeden van zijn vriend, maar de pijnlijke waarheid was dat hij die gemeenschap al had gevonden, die *familie*, om alleen maar te beseffen dat hij altijd een buitenstaander zou blijven.

Hij probeerde de brok in zijn keel weg te slikken om Doc te vragen naar de begrafenis van Phoebe Esch. Hij was dan misschien geen lid van haar familie of van de Amish gemeenschap, maar hij was wel betrokken genoeg om hun verdriet te delen.

20

VALLEI DER SCHADUWEN

Al drukken de beproevingen des levens zwaar op me,
De hemel zal me zoete rust schenken.

HENRY F. LYTE

Gant ging niet naar de rouwdienst van Phoebe Esch, die volgens Amish traditie werd gehouden in haar huis op de derde dag na haar dood. Hij koos ervoor het lichaam niet te zien, omdat hij haar wilde herinneren als de lieve, levendige vrouw die altijd zo aardig voor hem was geweest.

Hij ging echter wel naar het kerkhof, waar hij achter in de mensenmassa bleef staan. Hoewel Doc en Susan hem hadden uitgenodigd om met hen mee te gaan – en dus ook met Rachel – leek het hem meer respectvol als hij op afstand bleef. Voor de Amish was hij nog steeds een *auslander* en ondanks hun respectvolle en zelfs vriendelijke houding ten opzichte van hem, zouden ze het misschien prettiger vinden als hij afstand hield op een tragische dag als deze.

Bovendien wist hij dat als hij bij Rachel in de buurt zou zijn, het verlangen om haar te troosten ondraaglijk zou zijn, aangezien dat was verboden.

Daarom stond hij nu om zich heen te kijken naar de grond, waar de meest bescheiden grafstenen de laatste rustplaats van de Amish markeerden. Voor zover hij kon zien, stond alleen de naam van de overledene erop en wat hij aannam dat de data van geboorte en overlijden waren, uitgehouwen in hun Duitse taal. De grafstenen zagen er in zijn ogen allemaal hetzelfde uit en dat was precies iets voor de Amish – niemand zou met status of rijkdom willen pochen door een aparte of meer bewerkelijke steen naast een ander graf te plaatsen.

Het was een sombere dag met laaghangende bewolking waaruit het zachtjes begon te miezeren. Phoebes graf was al gegraven en lag te wachten op de eenvoudige vurenhouten kist waarin ze zou worden begraven. Aan de menigte te zien, leek het erop dat elke Amish van de gemeenschap aanwezig was. Een groot aantal 'buitenstaanders' zoals hijzelf, stond op eerbiedwaardige afstand.

Doc had de vorige dag aan Gant uitgelegd dat de dienst op de begraafplaats kort en buitengewoon stil zou zijn, zonder gezang, hoewel de woorden van een Amish lied zouden worden voorgelezen. Het Onze Vader zou ook zachtjes worden voorgelezen, waarna de mensen naar de boerderij van de Eschen zouden gaan voor de traditionele begrafenismaaltijd.

Gants blik bleef rusten op Rachel, die vlak achter Susan, Fannie en Doc Sebastian stond. Er ging een steek van jaloezie door hem heen, want het leek dat Rachel tijdens deze dienst niet zonder troost zou zijn. Samuel Beiler en drie jongens van wie Gant aannam dat het de zoons van de Amish diaken waren, stonden bij haar in de buurt.

In tegenstelling tot zijn normale strenge en ietwat kille blik, keek Beiler nu met een zorgelijke blik naar Rachel, waardoor Gant zijn ogen afwendde. De jongens stonden op onverklaarbare wijze in een stijve, formele houding die bijna militair leek – hetgeen, gezien hun Amish afkomst, bijna zeker een belediging voor hen zou zijn, als ze zich van de gelijkenis bewust waren.

Gant vond het vreemd dat de jongste – een jongen van misschien een jaar of tien – af en toe naar zijn vader keek met een blik die aan angst leek te grenzen, terwijl de oudste, bijna het evenbeeld van Beiler zelf qua grootte en uiterlijk, een uitdrukking had die alleen maar kon worden omschreven als nauwelijks verhulde verveling.

Rachel leek zich niet bewust van het viertal dat rondom haar stond. Gant kromp ineen toen hij zag hoe bleek ze was. Ze had donkere kringen onder haar ogen en het was duidelijk dat het haar grote moeite kostte om haar zelfbeheersing niet te verliezen.

Hij staarde nog iets langer naar haar, met pijn in zijn hart vanwege het verdriet dat van haar gezicht af te lezen was. Uiteindelijk wendde hij zijn blik af, voordat zijn aandacht te veel op zou vallen.

Toen Gant iets later nogmaals in Rachels richting keek, zag hij tot zijn verbazing de oudste zoon van Samuel Beiler met openlijke vijandigheid naar hem staren. Hij vroeg zich onwillekeurig af wat de diaken hem had verteld over de *auslander* in hun midden.

Of was de jongen zich ervan bewust dat Gant een rivaal voor Rachels liefde was geweest? Hij wilde ongetwijfeld niet dat iets of iemand de plannen van zijn vader zou dwarsbomen.

⁓

Rachel dacht dat haar hart in duizend stukjes zou breken voordat de begrafenisceremonie van Phoebe ten einde was. De afgelopen dagen van rouw hadden al haar energie gekost en haar gedegradeerd tot een schaduw van zichzelf.

Haar verdriet was nog veel erger doordat ze wist hoeveel lichamelijke pijn haar beste vriendin was aangedaan voor haar dood. Telkens als ze dacht aan de verschrikkelijke angst en vernedering die Phoebe die nacht had ondergaan, werd ze vervuld met wanhoop en een verboden woede. Ze wist dat haar boosheid verkeerd was en ze deed haar uiterste best om de emotie uit zich te bannen. Maar als ze het zich dan weer herinnerde, kwam de razernij terug.

Ze wou dat Samuel en zijn zoons niet zo om haar heen hingen. Hun nabijheid maakte het veel lastiger om haar gevoelens te verbergen. Hun bedoelingen waren ongetwijfeld goed. Zelfs de jongens hadden hun bezorgdheid over haar verdriet getoond. Maar ze vond hun aanwezigheid en beschermingsdrang zowel verstikkend als vernederend. Zij en Samuel waren niet verloofd of op enige andere manier aan elkaar verbonden.

Waarom kon hij zich dat nu niet realiseren, nu ze vooral de behoefte had om alleen te zijn om te kunnen rouwen?

Niet waar, gaf ze aan zichzelf toe. Waar ze nu vooral behoefte aan had, was aan Jeremiah. Alleen hem in de buurt hebben, alleen de kracht van zijn aanwezigheid voelen, zou al genoeg zijn om haar te troosten. Maar in plaats daarvan had ze hem achter in de menigte zien staan, alleen, omdat het hem verboden was om bij haar te zijn.

Op dit moment leek het bevel van de bisschop dat ze bij elkaar uit de buurt moesten blijven, zo vreselijk oneerlijk.

Haar gedachten waren dan misschien opstandig, maar de waarheid was dat ze te uitgeput en zwak was om veel zelfbeheersing uit te kunnen oefenen. De dagen sinds de dood van Phoebe waren een nachtmerrie geweest. Hoe hard ze haar best ook deed om niet te denken aan wat haar beste vriendin moest hebben doorstaan, ze kon de afgrijselijke beelden die telkens in haar hoofd opdoemden, niet tegenhouden. Zelfs als ze even wegzakte in een slaap die ze zo hard nodig had, werd ze geteisterd door dromen hierover en werd ze badend in het zweet wakker.

En dan was er nog de vraag *waarom.* Ze had sterk het gevoel dat haar moeder en dokter Sebastian meer over de dood van Phoebe wisten dan ze lieten doorschemeren, hoewel ze niet kon bedenken waarom dat zo zou zijn.

Ze durfde nog maar één keer naar Jeremiah te kijken. Toen ze dat deed, werd ze van haar stuk gebracht door de tedere bezorgdheid in zijn blik. Ze wendde haar ogen snel af en knipperde de tranen die ze niet aan hem of anderen wilde laten zien, weg.

Eindelijk was de dienst afgelopen. Samuel probeerde haar arm te pakken alsof hij haar wilde helpen met weglopen, maar ze ontweek hem door naar voren te stappen en de hand van haar moeder vast te pakken.

Ze had geen idee hoe ze de komende maaltijd zou moeten doorstaan. Maar ze had geen keuze, als ze haar moeder niet nog meer van streek wilde maken... en uit respect voor het kostbare leven dat de Amish nu was ontvallen, maar zeker was ontvangen door de Heer, die Phoebe haar leven lang had gediend.

21

DE WEG NAAR HET NOORDEN

De regels van de mensen kwamen in verzet
Tegen de wetten van het land
En we negeerden de wet.

LEVI COFFIN

Ze waren nog maar een paar dagen op weg, maar dat was lang genoeg voor Asa om te zien dat, met uitzondering van een koppige jongen die nog niet volwassen was, Gideon een goed contact had met de slaven die ze vervoerden. Ondanks de grote verschillen tussen hun werelden, leek hij hun vertrouwen al snel te hebben gewonnen.

Daar was niets verrassends aan. De jongen was prettig in de omgang. Bovendien was duidelijk dat hij oprecht geïnteresseerd was in hen als individuen en niet alleen maar als 'vracht' die getransporteerd moest worden.

De meeste van deze mensen waren er niet aan gewend om als mensen te worden behandeld, maar meer als eigendommen – vee dat gebruikt en misbruikt werd door de eigenaren. Het feit dat een jongeman die fatsoenlijk leek zorg wilde dragen voor hun veiligheid en hen wilde helpen hun droom van vrijheid te verwezenlijken moest op zichzelf al voor een eigenwaarde zorgen die hen onbekend was. Maar het besef dat diezelfde onwaarschijnlijke voorvechter daadwerkelijk om hen *gaf* – zelfs in staat was om een echte *vriendschap* met hen aan te gaan – tja, Asa dacht dat het nog wel een tijdje kon duren voordat dat volledig tot hen doordrong. Maar als ze het zich eenmaal zouden realiseren, dan zou dat de jongen een eind op weg helpen in het winnen van hun vertrouwen en respect.

Zo was het jaren geleden ook met hem en kapitein Gant gegaan.

'Je bent diep in gedachten verzonken, Asa, *ja*?'

De vraag van Gideon, die naast hem op de bok zat, bracht Asa terug in zijn omgeving. 'Ik geloof dat ik inderdaad de neiging heb om veel na te denken tijdens deze lange nachten.'

Hij pakte het zakhorloge dat de kapitein hem had gegeven, niet om het te controleren, maar hij vermoedde dat het inmiddels tegen tienen moest lopen. Er was iets te veel maanlicht naar zijn smaak. In tegenstelling tot sommige conducteurs gaf hij de voorkeur aan zo veel mogelijk duisternis. Maar in elk geval was de regen waar ze de afgelopen twee dagen mee te maken hadden gehad, eindelijk opgehouden.

Achter hen, in de trog achter de bok, bewoog Mac en snoof de nachtlucht op. Gideon draaide zich om en aaide de hond. Vanavond zag hij eruit als een typische boerenjongen. Hoewel hij niet langer onder de Amish leefde, droeg hij soms nog hun kleding – vooral als hij zijn moeder een bezoekje bracht. De kapitein had hem echter gewaarschuwd dit niet tijdens zijn reis te doen, want als ze slavenvangers tegenkwamen, zouden die meteen argwanend worden. Een Amish jongen die met een zwarte man reisde, was geen normaal gezicht.

'Hoe hebben kapitein Gant en jij elkaar eigenlijk ontmoet?' vroeg Gideon terwijl hij zich weer tot Asa wendde.

Het was alsof de jongen zijn gedachten kon lezen doordat hij de kapitein plotseling ter sprake bracht, net op het moment dat ook Asa's gedachten die richting op gingen.

'Mijn eigenaar verhuurde me tijdelijk aan kapitein Gant.'

Hij voelde de blik van de jongen op zich. 'Was je een slaaf, Asa?' De vraag was bijna een fluistering.

Asa knikte. 'Ja.'

'Wat erg.' Wederom waren de woorden nauwelijks meer dan een gemompel.

'Het belangrijkste is dat ik nu geen slaaf meer ben, dankzij de kapitein. Uiteindelijk heeft hij voor mijn vrijheid betaald.'

'Kapitein Gant is een goede man.'

Asa wierp een blik op hem. 'Dat klopt. Een betere man dan de meeste mensen ooit zullen weten.'

'Hoe ging dat – toen de kapitein voor je vrijheid betaalde? Of mag ik dat niet vragen?'

Asa maakte een handgebaar om aan te geven dat hij de vraag niet erg vond. 'Ik werkte al een tijdlang voor hem op zijn rivierboot – tijdelijk, zoals ik zei. Uiteindelijk besloot hij dat hij me fulltime in dienst wilde nemen, dus sprak hij met mijn eigenaar over het kopen van mijn papieren. Het kostte enige moeite, maar de kapitein hield vol en uiteindelijk kwamen ze tot overeenstemming.'

Asa ging verder en legde de jonge Gideon in het kort uit dat Cottrill, zijn voormalige eigenaar, later van gedachten veranderde en probeerde om Asa terug te krijgen. Ainsley Cottrill had verschrikkelijke woede-uitbarstingen en toen de kapitein weigerde om hem Asa terug te verkopen, begon Cottrill hem op te jagen.

De kogel die kapitein Gant zo ernstig had verwond, was afkomstig geweest van een van Cottrills mannen. Asa had in de vuurlinie gestaan, maar op dat cruciale moment was de kapitein voor hem gesprongen en had hij zijn eigen leven in de waagschaal gelegd om dat van Asa te redden.

'Dus jullie zijn al heel lang samen?'

Asa knikte. 'Een aantal jaren nu.'

'Waar kom je oorspronkelijk vandaan? Voordat je naar Amerika kwam?'

Gideon stopte en trok een gezicht. 'O, het spijt me. Ik geloof dat ik te veel vragen stel. Maar ik merk steeds dat je anders praat dan de rest van ons.'

Asa glimlachte. Het leek wel of jonge mensen altijd nieuwsgieriger waren. 'Ik kom van een van de Caribische eilanden. Ik heb de naam ervan nooit geweten. Ik ben als kleine jongen naar dit land gebracht.'

'Met je familie?'

Asa wachtte even met antwoorden en besloot de nieuwsgierigheid van de jongen voor dit moment te bevredigen. Ze kwamen op een onderwerp dat hij liever niet besprak. 'Met mijn ouders, ja.'

Hij zei niets over de aframmeling die zijn vader enkele jaren later het leven had gekost of over zijn halfzusje, verwekt door Ainsley Cottrill, hun eigenaar. Cottrill had Ariana verkocht aan een bordeel als straf omdat ze geprobeerd had van de plantage te ontsnappen. Daarna was ze eenvoudigweg uit Asa's leven verdwenen. Hij en de kapitein hadden overal waar ze geweest waren naar haar gezocht, maar niets had mogen baten. Asa had de hoop nooit helemaal opgegeven, hoewel hij wist dat het met het verstrijken van de jaren steeds onwaarschijnlijker werd dat hij haar ooit nog terug zou zien.

Ze reden enkele minuten in stilte verder. Alsof de jongen iets gemerkt had van Asa's terughoudendheid om nog meer vragen over zijn persoonlijke leven te beantwoorden, veranderde hij van onderwerp.

'Wat doen we als we worden aangehouden? Je weet wel – door een slavenvanger?'

'We moeten hard bidden dat dat niet gebeurt. Met vijftien mensen in deze wagen kunnen we alleen maar hopen dat we in de buurt van een bos zullen zijn zodat ze kunnen vluchten en zich verspreiden.'

'Maar wij tweeën moeten in de wagen blijven, toch?'

Asa knikte. 'We geven het paard en de wagen niet weg.' Hij zweeg even en voegde er vervolgens aan toe: 'Vergeet niet dat je mij het woord moet laten voeren als we worden aangehouden.'

'Maak je daar maar geen zorgen over. Ik zal waarschijnlijk te *naerfich* zijn om een woord uit te kunnen brengen.'

'*Naerfich?*'

'Nerveus', legde Gideon uit.

Asa keek hem aan. 'Ik moet erop kunnen vertrouwen dat je je hoofd koel houdt, jongen. Als we worden betrapt, dan kan dat gevangenisstraf voor ons betekenen en die mensen achter in de wagen wacht dan nog een veel erger lot.'

Gideon kreeg een serieuze uitdrukking op zijn gezicht. 'Ik maakte maar een grapje, Asa. Ik zal je niet teleurstellen.'

Daarna leek de jongen geen vragen meer te hebben en liet hij zich op het gestage ritme van de wagen meevoeren totdat hij begon te knikkebollen.

&

Ergens na drie uur 's nachts begon Asa iets van de nervositeit waar Gideon het eerder over had gehad, te voelen. De mensen van het Spencerstation hadden hen afgewezen vanwege ruimtegebrek. Het was een klein huis, zonder schuur en maar een piepkleine kelder, waar zich al zes slaven in verborgen hielden.

Joseph Spencer had zich uitgebreid verontschuldigd, maar Asa snapte zijn dilemma. Nu kon hij alleen nog maar hopen dat het anders zou zijn op het volgende station, iets buiten Freeport, dat ze binnen een uur zouden moeten bereiken.

Als ook zij geen plaats hadden, dan kon hij niets anders doen dan hopen op een donker bos. Bomen waren een schrale vervanging voor een dak boven hun hoofd, maar ze boden in elk geval iets van een schuilplaats. En zolang ze ontdekking konden vermijden, wist hij uit ervaring dat er niet veel zou worden geklaagd.

De zorg van een weggelopen slaaf die onderweg was naar het noorden, had niets met comfort te maken, maar met vrijheid.

22

GESCHONDEN VERTROUWEN

Voordat ik een muur zou bouwen, zou ik willen weten
Wat ik in- of buitensloot...

ROBERT FROST

Vanuit haar keukenraam kon Rachel zien hoe Samuel Beiler zijn wagen tot stilstand bracht en uitstapte, waarna hij met grote passen over de oprijlaan aan kwam lopen.

Ze haalde diep adem en hoopte dat dit onverwachte bezoek niet weer een van zijn niet aflatende pogingen was om haar te overtuigen met hem te trouwen. Ze was nog niet eens bekomen van de schok en de nasleep van de dood van haar beste vriendin Phoebe. Het laatste waar ze nu behoefte aan had, was de druk van Samuels volhardendheid.

Het zou maar al te gemakkelijk zijn om op een moment als dit ongeduldig tegen hem te worden. Hoewel zijn onvermoeibare pogingen om haar het hof te maken, vleiend zouden kunnen zijn voor sommige andere vrouwen uit de gemeenschap, waren ze voor Rachel gênant en uitputtend geworden.

Vooral aangezien de enige man met wie ze ooit zou willen trouwen, verboden voor haar was.

Ondanks dat besloot ze dat ze geduldig met Samuel moest zijn. Hoewel hij haar vaak irriteerde met zijn harde oordelen en dominante houding, nam ze aan dat hij het goed bedoelde. Het was in elk geval niet haar bedoeling om hem tegen haar in het harnas te jagen of om hem te kwetsen.

Snel veegde ze haar handen aan haar jurk af en zette haar *kapp* recht, wachtend op zijn klopje op de deur.

❧

'Mijn zus Rebekah dacht dat je dit misschien wel lekker zou vinden.'

Samuel stond in de keuken en gaf Rachel een schaal heerlijk geurende honingbroodjes.

'O, ze ruiken verrukkelijk, Samuel', zei Rachel terwijl ze de schaal van hem aanpakte en op tafel zette. 'Bedank Rebekah alsjeblieft van me.'

'Nou, we weten hoe zwaar je het de afgelopen dagen hebt gehad, met Phoebes dood en zo. We wilden je even laten weten dat we voor jou en Susan bidden.'

Dit was een andere Samuel dan degene aan wie ze gewend was. In plaats van de strenge uitdrukking en stijve houding die hij normaal gesproken had, leek hij nu een meer zacht en vriendelijk man, die zich oprecht zorgen om haar maakte. Kon het zo zijn dat rampspoed een positief effect op zijn persoonlijkheid had? Misschien had ze zijn bedoeling met dit bezoek toch verkeerd ingeschat.

'Dank je wel, Samuel. Het klopt dat deze dagen zwaar zijn geweest – voor de hele gemeenschap, maar vooral voor Malachi en zijn gezin.'

'*Ja*, natuurlijk', zei hij. 'Maar ik weet dat jij en Phoebe goede vriendinnen waren. Ik wilde gewoon even weten hoe het met je gaat.'

'Dat is erg aardig van je. Het lijkt te helpen om bezig te blijven.'

Hij wees naar een van de eettafelstoelen. 'Mag ik gaan zitten?'

'O, ja! Het spijt me, ik dacht niet na. Ga alsjeblieft zitten. Heb je trek in een kopje thee?'

'Nee, nee. We hebben vandaag gegeten bij Rebekah. Ik moet zeggen dat haar thee niet zo *gut* is als de jouwe, maar ik heb toch al te veel gedronken.'

Rachel wilde dat ze zich niet zo ongemakkelijk voelde in aanwezigheid van deze man, die al jaren een goede vriend van haar en haar familie was. Haar ongemak kwam waarschijnlijk voort uit het besef van zijn interesse in haar. Wat de reden ook was, ze voelde zich nooit helemaal op haar gemak bij Samuel en vroeg zich altijd af wat de achterliggende betekenis was van dingen die hij zei. Soms kostte het haar al moeite om gewoon beleefd te zijn.

Maar ze zou hoe dan ook beleefd *zijn*.

'Ik heb Malachi sinds de begrafenis niet meer gezien', zei Samuel. 'Hoe gaat het met hem?'

'Ik heb hem gisteravond eten gebracht. Hij is natuurlijk heel erg verdrietig en een beetje van slag. Hij was zo dol op Phoebe.'

Samuel knikte. 'Ze hadden een goed huwelijk. Het is iets vreselijks om je levenspartner kwijt te raken.' Hij slaakte een lange, diepe zucht en staarde omlaag naar zijn handen. Rachel kreeg bijna het gevoel dat zijn sombere woorden en houding een manier waren om haar medelijden te wekken.

Maar dat was wel *erg* onaardig van haar. Ze wist hoe het was om een geliefde te verliezen. Was ze zo hardvochtig dat ze niet eens een beetje begrip voor hem op kon brengen?

'Ja, dat is verschrikkelijk', zei ze zachtjes. 'Hoelang is het nu al geleden dat Martha naar de Heer is gegaan?'

Hij hief zijn hand en keek haar met een vreemde blik aan. 'Heel lang. Zoals je weet, is ze gestorven bij de geboorte van onze Joe en hij is bijna acht jaar.' Hij zweeg even. 'Maar we kunnen natuurlijk niet zeker weten dat Martha bij de Heer *is*. Daar kunnen we alleen maar op hopen.'

'O, Samuel, daar twijfel je toch zeker niet aan! Martha was een goede christen – een goed mens en een geweldige vrouw en moeder.' Hij knikte, maar bleef haar aanstaren. 'Dat was ze ook, maar het zou arrogant van me zijn om aan te nemen dat haar goedheid haar een plaats in de hemel heeft verschaft. Alleen de Here God weet waar elk van ons de eeuwigheid door zal brengen, gebaseerd op hoe we hier op aarde leven.'

Rachel geloofde dat specifieke beeld van de hemel al lange tijd niet meer, althans gedeeltelijk, dankzij Phoebe en Malachi die haar en Eli en vele anderen in de loop der jaren hadden geholpen om de waarheid van Gods Woord in te zien – dat het Gods genade was waardoor ze werden gered, niet hun eigen goede werken.

Samuels blik werd scherper. 'Ik neem aan dat je weet dat er geruchten gingen dat Phoebe en Malachi de Schrift op hun eigen houtje bestudeerden, zonder begeleiding. Jij en Eli waren zulke goede vrienden van hen, ik hoop maar dat dat geen invloed heeft gehad op je geloof in de Oude Leefwijze met de verboden interpretaties van het Heilige Woord.'

Rachel was absoluut niet van plan om hier een discussie met hem over te gaan voeren. Ze wist hoe vastgeroest Samuel was in zijn overtuigingen, vooral gezien het feit dat hij diaken was.

'Er gaan zoveel geruchten', zei ze schouderophalend. 'Ik probeer er geen aandacht aan te schenken.'

Hij gaf niet direct antwoord. Toen hij ten slotte begon te praten, was dat op een toon die Rachel in gedachten zijn *diakenstem* was gaan noemen. 'Een goed idee. Maar als diaken moet ik op de hoogte zijn van wat in de gemeenschap gaande is. Het is geen geheim dat er zogenaamde 'Bijbelstudies' plaatsvinden zonder de goedkeuring van de leiders en dat dit al enige tijd gaande is. Dat soort praktijken gaat regelrecht tegen de *Ordnung* in.' Hij zweeg even en voegde er aan toe: 'Zoals je wel weet, Rachel.'

Ze zei niets. Als Samuel als diaken sprak, had Rachel over het algemeen weinig aan zijn monoloog toe te voegen. Soms was het lastig om te bepalen tot op welke hoogte ze veilig een vriendelijk gesprek met hem kon voeren, in tegenstelling tot die keren wanneer ze wist dat ze zich alleen maar problemen op de hals haalde als ze zou proberen hem haar mening te geven. Het leek gemakkelijker om hem zijn zegje te laten doen zonder inbreng van haar.

Zo snel als hij zijn rol als kerkleider had aangenomen, keerde hij nu weer terug in zijn vorige rol van haar vriend en buurman. 'Ik hoop dat Susan het niet moeilijker heeft dan verwacht mag worden.'

Rachel knikte. 'Mama is sterk. En ze blijft bezig, met al het werk op de boerderij en zo – en wat dingen voor de bruiloft, aangezien die niet meer zo ver weg is.'

'O, *ja,* dat is waar. Zij en dokter Sebastian.' Hij wreef over zijn kin. 'Normaal gesproken had dit nooit kunnen gebeuren – een huwelijk tussen Amish en *Englisch.* Maar bisschop Graber vond een uitzondering voor de dokter op zijn plaats.'

Rachel keek hem aan. 'Maar dokter Sebastian zal niet *Englisch* meer zijn als hij met mama trouwt. Binnenkort legt hij de gelofte af en voegt hij zich bij de gemeente. Dan is hij ook Amish.'

Zag ze daar een spoortje afkeuring in de ogen van Samuel flikkeren?

Ze was niet van plan hier nog verder over door te gaan. 'Hoe gaat het met je zoons, Samuel?'

Opnieuw slaakte hij een diepe zucht. 'Het is natuurlijk zwaar voor hen, zonder moeder.'

Zo, daar was ze met open ogen ingetrapt, nietwaar?

'Het is vooral zwaar voor Joe, omdat hij de jongste is', ging hij verder. 'Noah is nu twaalf en een grote hulp op de boerderij. Hij is de stilste. Maar Aaron,' zei hij hoofdschuddend, 'baart me zorgen. Hij zit in zijn *rumspringa,* weet je – een slecht idee en zo'n verraderlijke tijd voor jongeren. Ik kan alleen maar hopen dat hij zijn gezonde verstand gebruikt en niet besluit om zich bij de *Englische* wereld te voegen.'

'Daar hoef je je vast geen zorgen over te maken, Samuel. Je hebt prima jongens. Het komt wel goed met hen.'

Hij keek haar zo indringend aan dat Rachel zich plotseling ongemakkelijk begon te voelen.

'Het zijn prima jongens, *ja*. Ik heb mijn best gedaan met hun opvoeding. Maar zelfs goede kinderen hebben een moeder nodig.'

Toen Rachel geen antwoord gaf, schraapte hij zijn keel en zei: 'Zoals je weet, Rachel, heb ik altijd gehoopt dat jij die rol zou kunnen vervullen.'

'Samuel... alsjeblieft, niet nu...'

'Ik zou een goede echtgenoot voor je zijn, Rachel. Als je je zorgen maakt over het leeftijdsverschil tussen ons, we kennen elkaar zo goed dat leeftijd niet van invloed zou mogen zijn. En ik heb altijd geloofd dat een sterke vriendschap de beste basis voor een goed huwelijk is. En wij zijn toch vrienden?'

'Natuurlijk, maar...'

'Eli is lang genoeg weg om een nieuwe man te kunnen nemen, denk je niet?'

'Tijd heeft er niets mee te maken...'

'Waarom aarzel je dan? Waarom wil je liever alleen zijn dan mijn vrouw worden?'

'Samuel – ik heb het je al uitgelegd. Meer dan eens. Ik... heb die gevoelens niet voor je. Ik kan niet alleen maar trouwen omdat ik niet meer alleen wil zijn.'

Abrupt stond hij op, met zijn stoel over de vloer schrapend. 'Het komt door die *auslander,* hè?'

Geschrokken door de plotselinge verandering in hem, zijn felle toon en de rode kleur die over zijn gezicht trok, zocht Rachel naar woorden maar vond ze niet.

'O, ik weet alles over *Gant!*' Hij sprak zijn naam uit alsof het een vloekwoord was. 'Ik weet alles over jullie twee.'

Rachel voelde het bloed in een bijna duizelingwekkende golf naar haar hoofd stijgen. 'Hoe bedoel je?'

'Ik weet dat Gant bij de bisschop is geweest en toestemming heeft gevraagd om zich tot ons geloof te bekeren. Vanwege *jou* – zodat hij met jou kon trouwen! En ik weet dat je erin moet hebben toegestemd om met hem te trouwen, anders zou hij nooit zo ver zijn gegaan om de bisschop te benaderen! En dan heb ik het nog niet eens over de keren dat jullie samen zijn gezien.'

Zijn mond vertrok van walging terwijl hij met zijn vuist op de palm van zijn andere hand sloeg. 'Hoe kon je het aanleggen met een buitenstaander, een man die je nauwelijks kent, terwijl je niets van mij wilt weten?'

Hij keek haar zo woedend aan dat Rachel haar best moest doen om zich niet geïntimideerd te voelen. Ze stond op en op de een of andere manier lukte het haar zijn blik te beantwoorden.

'Heeft bisschop Graber je dat verteld?'

'Natuurlijk heeft hij het me *verteld*. Hij was al net zo boos op die man als ik. Weet je hoe ik me hierdoor voel, Rachel? Ik heb jarenlang op je gewacht en je smoesjes en uitstel voor lief genomen en nu ontdek ik dat je een verboden relatie met een *Englischer* hebt!'

Volledig van haar stuk gebracht, verbijsterd – en woedend – over het idee dat de bisschop vertrouwelijke informatie openbaar maakte, vocht Rachel om haar zelfbeheersing te behouden. Ze balde haar vuisten en weigerde het om een stap achteruit te doen, hoewel zijn woedende tirade haar compleet had verrast.

'De bisschop had het recht niet om het vertrouwen te schaden. En *jij* hebt het recht niet om me ergens van te beschuldigen, Samuel! Het was niet *mijn* schuld dat je geen genoegen nam met mijn "nee" en maar bleef proberen om me over te halen om met je te trouwen. Ik heb je gezegd – meer dan eens – waarom ik het niet wilde. Lang voordat Jeremiah Gant voet in Riverhaven zette, heb ik al geweigerd om je vrouw te worden en je uitgelegd waarom – herhaaldelijk. Mijn gevoelens voor jou waren niet zoals ze zouden moeten zijn om te trouwen.'

'Maar je gevoelens voor deze man, deze *Gant,* is een heel andere kwestie. Is het niet, Rachel?'

'Het doet er niet toe wat mijn gevoelens nu zijn. En aangezien je blijkbaar alles over de situatie weet, geloof ik niet dat ik je nog iets uit hoef te leggen!'

Rachel stopte. Haar borst brandde terwijl ze haar woede trachtte in te slikken. Het was verkeerd, helemaal verkeerd, om zo boos op Samuel te worden – op *wie dan ook.*

Alsof hij aanvoelde dat hij te ver was gegaan, dat hij het zelfs erger voor zichzelf had gemaakt, leek Samuel zijn best te doen om zijn uitbarsting te temperen.

'Het spijt me, Rachel. Soms heb ik mezelf niet onder controle. Je betekent zoveel voor me...'

'Ben je daarom vandaag gekomen? Om me te *beschuldigen?'*

'Nee! Het was niet mijn bedoeling om je van streek te maken. Echt niet, Rachel. Ik wilde alleen maar kijken of alles goed met je ging.'

Rachel sloeg hem gade en dacht dat hij hier in elk geval de waarheid over vertelde. Maar zijn boosheid was aangewakkerd door haar afwijzing, waardoor opnieuw een muur tussen hen in was gekomen.

Ze had al geweten dat Samuel woede-aanvallen had, ze had het al wel eens gezien en ze had erover gehoord van Eli en een aantal van Martha's vriendinnen. Wat ze niet had geweten, was dat ze zo snel konden oplaaien en dat hij dan zo kwetsend kon zijn. Hij had haar de stuipen op het lijf gejaagd.

Plotseling voelde ze zich uitgeput. Op dit moment wilde ze niets liever dan dat hij wegging. En dat zei ze ook tegen hem.

Hij leek teleurgesteld en zelfs gekwetst over haar verzoek om te gaan, maar hij ging er niet tegen in. *'Ja,* ik zal gaan, Rachel. Maar eerst wil ik me verontschuldigen dat ik zo tegen je ben uitgevallen. Het was de waarheid, maar ik sprak hem uit in boosheid en dat was verkeerd van me. Dat spijt me. Ik hoop... mag ik hopen... dat je me zult vergeven en je niet van me af zult wenden? Ik *geef* om je, Rachel. Dat moet je weten. Ik geef te veel om je om je ooit opzettelijk pijn te doen.'

Ze dwong zichzelf te antwoorden, ondanks de brok in haar keel. 'Alsjeblieft, Samuel – het is beter dat je nu gaat. Alsjeblieft.'

Hij draaide zich om en ging weg, met de bekende kaarsrechte rug waaraan hij zelfs van een afstand herkenbaar was.

Nog lange tijd nadat hij was weggegaan, worstelde Rachel met de boosheid en verontwaardiging die hij in haar had losgemaakt. Het feit dat de bisschop Jeremiahs vertrouwen had geschonden en daarnaast Samuels insinuatie dat ze op de een of andere manier bij een twijfelachtige relatie betrokken was, kolkten in haar met een kracht die door vlees en botten ging.

Ze probeerde haar gedachten op een rijtje te zetten om de bron van de boosheid die in haar woedde te ontdekken, maar het toenemende ongenoegen en ongemakkelijke gevoel vertroebelden al haar helderheid. Ze wist alleen dat een man van God zoals bisschop Graber, het recht niet had om de Amish grondwet van privacy te schenden en vertrouwelijke gesprekken openbaar te maken, of de betrokken persoon nu Amish was of een buitenstaander. En Samuel – die ze al jaren kende en van wie ze gedacht had dat hij haar beter kende en meer respecteerde dan zijn eigen beschuldigingen te geloven – dat hij die dingen had gezegd. Ze kon nauwelijks bevatten wat ze vandaag had gehoord!

Haar afschuw over de verschrikkelijke dingen die Samuel had gezegd, brandde als een laaiend vuur diep in haar – vooral omdat ze gedwongen was om toe te geven dat ze niet helemaal onschuldig was aan de beschuldigingen die Samuel naar haar hoofd had geslingerd.

De waarheid was dat haar gevoelens voor Jeremiah *inderdaad* over de grenzen van wat puur en acceptabel was voor een ongetrouwde Amish vrouw, waren gegaan. Bovendien had ze veronderstellingen gehad. In haar al te menselijke arrogantie had ze aangenomen dat de Here God hun verlangen om bij elkaar te zijn, zou inwilligen, dat Jeremiahs bekering zou worden goedgekeurd, dat ze zouden kunnen trouwen en dat hun liefde door de gemeenschap en de kerk erkend en gelegaliseerd zou worden.

Ondanks dat zat de bisschop ook fout. O, ze wilde hem ermee confronteren en zijn beschuldiging van Jeremiah beantwoorden met een eigen oordeel. Maar dat kon ze natuurlijk niet doen. Een bisschop kon niet worden beschuldigd. Ze kon *niemand* vertellen wat hij had gedaan.

Hoe moest ze dan de draaikolk van emoties stoppen en een einde maken aan de verkeerde gevoelens die haar overspoelden?

Dat kon ze niet. Maar er was Iemand die het wel kon – Degene die stormen op zee en de wind kon laten liggen, kon zeker een einde maken aan de onrust in haar geest.

Rachel wist dat ze op dit moment moest communiceren met die Persoon. Zonder aarzelen liet ze zich midden in haar keuken op haar knieën vallen en vroeg om Zijn vergeving en vrede.

23

Bijzondere verzoeken

Een goede man verleent gunsten aan zijn vijanden
Evenals zijn vrienden.

Anoniem

Gant had Terry Sawyer de ochtend vrij gegeven omdat het niet zo goed ging met zijn vrouw, waardoor hij alleen in de werkplaats was toen Samuel Beiler binnenkwam.

Hij was een stoel aan het matten voor Lucas Reilly. Matten was geen werkje dat hij leuk vond. Hij deed het dan ook niet zomaar voor iedereen, maar Lucas was een vriend geworden en had tevens een aantal klanten naar de werkplaats gestuurd, dus leek het maar een kleine gunst.

Het was halverwege de ochtend en hij had een doffe hoofdpijn vanwege slaapgebrek. Hij sliep al niet goed meer sinds de dood van Phoebe Esch. Niet alleen had haar verlies hem diep geraakt, maar hij bleef zich ook afvragen wat er nu weer ging komen. Telkens wanneer hij net in een rusteloze slaap was weggezakt, werd hij alweer wakker en lag hij de rest van de nacht te woelen. Dan dacht hij aan Rachel en maakte hij zich zorgen omdat ze alleen in haar boerderij was, ver van de bewoonde wereld.

Gisteravond was niet anders geweest, dus had hij geen bijzonder goed humeur. Beilers binnenkomst verraste hem volledig. In de smalle kloof tussen verbazing en verwarring wist hij zichzelf echter op de een of andere manier voldoende onder controle te houden om beleefd te zijn.

'Meneer Beiler', zei hij terwijl hij overeind kwam. 'Wat kan ik voor u doen?'

De diaken droeg de typische kledij van de Amish, maar hij zag er nogal vormelijk uit voor iemand die hard voor zijn brood werkte. Hij nam zijn zwarte, breedgerande hoed af toen hij binnenkwam. Het feit dat de Amish strohoeden nu waren opgeborgen tot het warme weer terugkeerde, vormde een goede indicatie dat de zomer ten einde was.

Hij had een plechtige, starende uitdrukking, zoals Gant van hem gewend was. Daarnaast viel het vleugje minachting in zijn ogen of zijn stijf op elkaar geklemde kaken niet te missen.

Hij bleef op enkele meters afstand staan.

'Ik heb gehoord dat je mooie meubels maakt, *ja?*'

Gant knikte behoedzaam en vroeg zich af waar dit over ging.

'Ik wil je iets laten maken. Het is een bijzonder geschenk voor iemand.' Terwijl Beiler de woorden uitsprak, kreeg hij een nieuwsgierige blik in zijn ogen.

Ook Gants nieuwsgierigheid was gewekt en met zijn instincten op scherp, bestudeerde hij de man. Waarom zou Beiler een opdracht geven aan iemand die hij duidelijk niet mocht?

'Je wilt dat ik een meubelstuk voor je maak?'

Beiler stak zijn kin iets in de lucht. *'Ja,* dat klopt.'

'En wat mag het zijn?'

'Een mooi dressoir, ongeveer zo groot – zoals dit.' Beiler gebruikte zijn handen om de afmeting aan te duiden. 'Iets verfijnds.' Hij zweeg even. 'Het moet bijzonder zijn. Kun je dat?'

Gant voelde de spier naast zijn oog samentrekken. 'Ik neem aan van wel. Maar u zei dat het een geschenk is. Betekent dat dat u hem snel nodig hebt? De reden dat ik dat vraag, is dat ik op dit moment achterloop met de bestellingen.'

Beiler leek over Gants vraag na te denken. 'Niet zo heel snel, *nee*. Rachel is pas eind januari jarig.'

De zeurende pijn in het hoofd van Gant zwol aan tot een gebonk. Waarom deed Beiler dit? De man probeerde blijkbaar iets duidelijk te maken, maar wat? En waarom?

Terwijl hij vocht om zijn woede binnen te houden, sloegen zijn gedachten op hol. Toen drong het tot hem door. Beiler bakende zijn territorium af. Hij waarschuwde Gant indirect om op afstand te blijven – in een poging Rachel binnen te sluiten en Gant buiten, door hem te laten geloven dat Rachel en hij meer dan gewoon vrienden waren.

Als dat het geval was, dan betekende het dat Beiler erachter was gekomen dat Gant verliefd op haar was en misschien ook wel dat Rachel die gevoelens beantwoordde, of in elk geval ooit beantwoord *had*. Maar als de man *zoveel* wist, wist hij dan ook dat de bisschop elke mogelijkheid van een toekomst samen had uitgesloten? Of probeerde hij gewoon de zekerheid te krijgen dat hier nooit verandering in zou komen? Was het dressoir niets meer dan een list, een excuus om hier te komen en Gant te confronteren?

Of had Rachel hem een reden gegeven om dit te doen? Hij dacht niet dat een Amish man een bijzonder geschenk aan een vrouw zou geven, tenzij ze getrouwd of verloofd waren of dat in elk geval van plan waren. Had Rachel eindelijk ingestemd om met Beiler te trouwen?

Hij werd misselijk van de schok en de teleurstelling. Toch kon hij niet geloven dat Rachel zo erg was veranderd. Hij had gezien hoe ze soms naar Beiler keek – bijna alsof ze hem niet eens *mocht*, laat staan dat ze overwoog om met hem te trouwen. Hij dacht ook dat Beiler niet echt verwachtte dat hij een opdracht van hem zou aannemen, dat hij aannam dat Gant zou weigeren om het dressoir te maken.

Wel, dat had je verkeerd gedacht, diaken. Helemaal verkeerd. Want als jij bereid bent om het bedrag dat ik ervoor ga rekenen uit te geven, dan ben ik bereid om de opdracht te doen. Al is het alleen maar omdat jij dacht dat ik het toch niet zou doen.

In de tussentijd weigerde hij te geloven – tenzij hij het uit Rachels eigen mond hoorde – dat ze van gedachten was veranderd en toch met Beiler zou trouwen.

'Dat zal een leuke verrassing voor Rachel zijn', zei hij, zijn trots en de bittere smaak van zijn woede inslikkend. 'Maar het zal niet goedkoop zijn. U wilt vast niets minder dan het beste en door zo ver vooruit te bestellen, kan ik er ruim de tijd voor nemen en u een prachtig exemplaar leveren.'

Het was duidelijk dat Beiler zo'n snelle acceptatie niet had zien aankomen. De ogen van de Amish man werden groot en hij werd een beetje rood. Maar na enkele seconden knikte hij instemmend. 'De prijs is geen probleem', zei hij stijfjes. 'Zolang het redelijk is.'

'Ik moet zeggen, het verbaast me een beetje dat u zo'n belangrijk project aan een buitenstaander overlaat', merkte Gant op. 'Ik heb gezien dat enkele Amish mannen handig met hout zijn. Weet u zeker dat u het door mij wilt laten doen?'

Beiler was duidelijk gegeneerd, maar leek zijn zelfbeheersing snel te hervinden. 'Ik heb geen tijd om aan houtbewerking te doen. Ik ben boer.'

'Aha. Nou, dan moet ik alleen nog weten wat voor houtsoort en ontwerp u wilt. Ik zal enkele tekeningen halen die ik al heb, dan kom ik zo terug.'

Zonder de ander nog een blik toe te werpen, liep Gant naar het magazijn, waar hij met gebalde vuisten en op elkaar geklemde kaken bleef staan. Toen de golf van woede ten slotte wegebde en hij weer rustig kon ademhalen, pakte hij enkele ontwerpen, zette een grimmige glimlach op en keerde terug om Beilers opdracht te noteren.

Hij was net klaar met zijn lunch in de achterkamer toen Terry Sawyer binnenstormde. De jongere man was duidelijk van streek en buiten adem. Zijn haar hing voor zijn ogen en zijn gezicht was vuurrood. Zo te zien, had hij de hele weg vanaf het pension gerend.

'Kapitein Gant!'

'Wat is er, Sawyer?'

'Het is mijn vrouw! De baby komt! Die dokter Sebastian die Ellie al eens eerder heeft onderzocht – denkt u dat we hem snel nog een keer kunnen laten komen?'

Gants stoel schraapte over de houten vloer toen hij opstond. 'Ik weet niet hoe snel we hem hier kunnen krijgen, maar ik zal iemand sturen om hem te gaan halen.'

Toen hij nog eens naar Sawyers gezicht keek, voegde hij eraan toe: 'Ga jij nu maar terug naar je vrouw. Ik zal de dokter laten komen.'

Sawyer draaide zich om en rende weg, terwijl hij een dankbetuiging over zijn schouder riep.

Gant pakte zijn stok en ging op zoek naar Harley Ware, een zwarte jongen die zijn familie hielp met klusjes voor de mensen in de stad. Na rondvraag te hebben gedaan, vond hij de jongen in de winkel van Loyal Frissom, waar hij het verrotte hout rondom een raam dat werd vervangen, stond weg te hakken.

Frissom stemde toe om de jongen het werk te laten uitstellen om dokter Sebastian te gaan halen. Nadat hij zijn handen aan een verflap had afgeveegd, reed hij met de bestelwagen die Frissom had aangeboden naar de voorkant van de winkel.

'Haal hem zo snel je kunt', zei Gant tegen hem, terwijl hij zich de paniek op het gezicht van Terry Sawyer herinnerde.

Natuurlijk hadden de meeste nieuwe vaders waarschijnlijk diezelfde blik als de geboorte zich aankondigde. Maar hij mocht het jonge stel graag en wilde dàt alles goed zou gaan.

Het zou fijn zijn als er voor de verandering eens *iets* goed zou gaan.

24

ZORG OM EEN VRIEND

Help ons elkaar te helpen, Heer,
Elkaars kruis te dragen;
Laat elk een helpende hand uitsteken,
En de zorg van zijn broeder voelen.

RALPH HARRISON

Gant werkte nog toen dokter Sebastian en Susan Kanagy die avond de werkplaats in kwamen lopen.

Ze zagen er allebei voldaan uit. Doc was zelfs een en al glimlach, ook al zag hij er uitgeput uit.

'Zo, ik zie dat Harley je heeft gevonden', zei Gant. 'En ik moet zeggen dat je nieuwe assistente een waardevolle toevoeging aan je praktijk is, Doc.'

Susan glimlachte naar hem en Gant grijnsde terug. De vrouw had zo'n glimlach die je direct verwarmde.

Net zoals haar dochter.

'Ik dacht dat mevrouw Sawyer het misschien wel prettig zou vinden om nog een vrouw bij zich te hebben', zei Doc. 'Ze is hier nog niet lang genoeg om veel vrouwen in de stad te kennen. Susan heeft al meerdere baby's ter wereld gebracht in de loop der jaren, daarom heb ik haar meegenomen.'

'Dus we *hebben* een baby?' vroeg Gant.

'Inderdaad', antwoordde Doc. 'Een meisje. Het is een kleintje, maar ze lijkt helemaal gezond te zijn.'

'En hoe gaat het met mevrouw Sawyer?'

'Beter dan met *meneer* Sawyer', antwoordde Doc droogjes. 'Ze is uitgeput, natuurlijk, maar gezien alle problemen die ze onderweg hiernaartoe hebben gehad, zou ik zeggen dat ze er niet slecht vanaf is gekomen.'

'Dat is fijn om te horen. Hebben ze haar al een naam gegeven?'

'Naomi Fay. Naar de moeder van mevrouw Sawyer, zei ze.'

'Mooie naam.' Gant wees naar een paar stoelen in de hoek. 'Ga zitten. Jullie zullen allebei wel moe zijn.'

'We kwamen eigenlijk om je mee uit eten te nemen', zei Doc. 'We *zijn* wel moe, maar we wilden eerst iets eten voordat we terug naar huis gaan. Zullen we met z'n allen naar het pension gaan om daar de gebakken kip met knoedels van mevrouw Haining te eten?'

Gant aarzelde omdat hij het stel tijd gunde om alleen samen te zijn.

'Je hebt lang genoeg gewerkt', zei Doc, terwijl hij naar de voorkant van de werkplaats liep en het bordje met de tekst *gesloten* aan de deur hing. 'Bovendien moet je toch eten.'

Om eerlijk te zijn, had Gant het gevoel dat hij vanavond geen leuk gezelschap zou zijn. Er was een stortvloed aan emoties in hem ontwaakt sinds zijn gesprek met Samuel Beiler die ochtend, waarvan de meesten niet positief waren. En Doc kende hem te goed om zijn slechte humeur niet te herkennen.

Opnieuw probeerde hij te protesteren. 'Ik loop eigenlijk ver achter met mijn bestellingen...'

'Je bent de enige timmerman in de stad', zei Doc. 'Natuurlijk loop je achter met je bestellingen. De mensen wachten wel als ze geen andere keuze hebben. Kom nu mee – we gaan niet zonder je weg.'

'O, goed dan', gromde Gant. Slecht humeur of niet, hij had ook weinig zin om nu alleen te zijn. 'Ik zal het zaagsel even van mijn handen wassen en de achterdeur op slot doen.'

⁓

'Als je zin hebt om naar boven te gaan om het nieuwste lid van de familie Sawyer te begroeten,' zei David, 'dan ben je vast welkom.'

Gant schudde zijn hoofd en stond op van tafel. 'Ik wacht wel tot morgen. Ze zullen nu alle drie wel wat rust kunnen gebruiken.'

De eigenaresse, Mara Beth Haining, kwam op dat moment naar hun tafel toe. 'Ik hoop dat jullie allemaal lekker hebben gegeten.'

Nadat ze alle drie enthousiast op haar woorden hadden gereageerd, fronste ze enigszins in Gants richting. 'Ik heb u al een tijdje niet meer gezien, kapitein. Betekent dat dat u teleurgesteld bent in mijn kookkunsten of dat u gewoon niet zo goed eet als u zou moeten?'

'Mevrouw Haining, alleen iemand die niet goed bij zijn hoofd is, zou teleurgesteld zijn in uw kookkunsten', stelde Gant haar gerust. 'Nee, mevrouw, ik heb het gewoon druk gehad. U maakt nog steeds de beste gebakken kip van drie landen en uw knoedels kunnen een volwassen man aan het huilen maken.'

'Wat bent u toch een vleier!' plaagde ze.

Ze wendde zich tot Doc en vroeg hem naar de nieuwe baby en haar ouders. 'Hebben ze vannacht nog iets nodig? Ik zal zo eten naar ze laten brengen. Kan ik nog iets anders doen?'

'Ik heb gezegd dat ze het u gewoon moeten laten weten als ze ergens hulp bij nodig hebben', antwoordde Doc.

Mara Beth Haining was een echte 'belle' uit het zuiden met een prachtig accent. Doc Sebastian was van mening dat de vrouw de juiste mix was van moederlijke zorgzaamheid en een warme, betrokken informaliteit die de gasten van haar pension en restaurant het gevoel gaven alsof ze een tweede thuis hadden.

Zij en haar man waren naar Riverhaven verhuisd en hadden een pension geopend, maar slechts twee jaar later was Emery Haining aan een beroerte overleden. Mara Beth wilde niet datgene opgeven waar ze zo hard voor hadden gewerkt. Ze had de schouders eronder gezet en bezat nu een van de meest succesvolle combinaties van pension en restaurant in zuidelijk Ohio.

Met haar lieve, moederlijke gezicht stond ze aan de top van de enkele vrouwelijke ondernemers van het land. Hoewel ze kinderloos was, met haar dat net zo sneeuwwit was als de onberispelijke blouses die ze altijd droeg, moederde ze over elke ziel die onder haar dak kwam.

David mocht haar net zo graag en had net zoveel bewondering voor haar als iedereen in de stad. Hij mocht het jonge stel met de pasgeboren baby ook graag en dacht dat ze geluk hadden dat ze onderdak hadden gevonden in het huiselijke pension van Mara Beth. En natuurlijk was dat dankzij Gant.

Toen ze weg was, zei David: 'Dat is een vrouw die een geweldige moeder zou zijn geweest. Wat bijzonder spijtig dat ze zelf nooit kinderen heeft gehad.'

'Ik denk dat ze het goedmaakt door de halve stad, naast haar gasten, onder haar hoede te nemen', zei Gant. 'De mensen hier kunnen niet genoeg goede dingen over haar zeggen.'

'Over bemoederen gesproken,' zei Susan, 'een groepje van onze buurvrouwen heeft kleding voor de baby verzameld en genaaid. Ik ben van plan om alles morgenavond naar de stad te brengen.'

'Niet alleen…' reageerde David meteen.

'Ik ga niet alleen, David. Rachel en Fannie gaan met me mee. We nemen ook wat baksels mee.'

'Ik zou mee kunnen gaan', zei hij.

'Dat is niet nodig. Je hebt het erg druk en we redden het prima.' Ze zweeg even en trok een wenkbrauw op. 'Maak je niet zo druk, David.'

Druk? Ze had er geen idee van. De waarheid was dat hij haar eigenlijk geen moment uit het oog wilde verliezen. Als Susan iets zou overkomen…

Hij stond zichzelf niet toe de gedachte af te maken.

'Voel je vrij om langs te komen in de werkplaats', bood Gant aan. 'Misschien kan ik zelfs met jullie meegaan? Dan voel ik me misschien iets minder ongemakkelijk. Ik moet bekennen dat ik niet veel weet over een bezoek aan een pasgeboren baby.'

David zag dat Susan Gant onderzoekend aankeek.

'Wat een goed idee, kapitein Gant', zei ze. 'Je kunt ons helpen met dragen en dan kan Fannie je gedag zeggen. Dat zal ze leuk vinden.'

David was een beetje verbaasd over Susans voorstel, maar toen hij de tevreden uitdrukking op Gants gezicht zag, was hij blij dat ze het had aangeboden. Natuurlijk was Fannie niet de enige die de kapitein graag wilde zien.

❧

'Moeten we bij Rachel langsgaan om Fannie op te halen?' vroeg David toen ze na het eten uit de stad terugreden.

'Nee', zei Susan. 'Ze blijft logeren. Ze wilde blijven en Rachel zei dat ze haar hulp morgenochtend wel kon gebruiken bij het afmaken van een of twee vogelhuisjes. Ik wil zelf meteen een paar dingen gaan bakken, dus ik haal ze later wel op. Ze kunnen me helpen alles bij de buren op te halen en in te laden.'

'Het was aardig van je om Gant mee te willen nemen', zei hij. 'Ik neem aan dat je wel zag hoe blij hij keek.'

Susan knikte. 'Het zal ook goed voor Rachel zijn om er even uit te zijn. Ze rouwt nog steeds om Phoebe. Wij allebei, maar ik denk dat Rachel de neiging heeft om erg in zichzelf te keren als ze verdrietig is.' Ze zuchtte. 'Ik denk dat we allemaal op onze eigen manier rouwen.'

'Dus Rachel maakt nog steeds vogelhuisjes?'

'O, daar is ze heel hard mee bezig, David. Ze is er altijd wel eentje in elkaar aan het zetten of aan het verven. Ze geniet er echt van.'

Hij zei niets totdat ze het ravijn bij de boerderij van de Lapes waren overgestoken. 'Jammer dat de situatie tussen haar en Gant zo is. Ze zouden het zo fijn vinden om samen te zijn, denk ik – zelfs om samen te werken, aangezien ze allebei een passie hebben voor werken met hout en dingen maken.'

'Het is om een heleboel redenen jammer', zei Susan zachtjes. 'Maar de bisschop keurt het natuurlijk niet goed dat ze vogelhuisjes maakt.'

'De bisschop lijkt veel dingen niet goed te keuren', zei David, op ongewoon scherpe toon. 'Waaronder Gant.' Hij zweeg even en ging toen verder. 'Wat dat betreft, ben ik het niet met hem eens. Ik heb altijd gedacht dat Rachel en Gant goed voor elkaar zouden zijn – en goed *met* elkaar.'

Susan draaide zich om en keek hem aan, met een bewonderende blik, zoals altijd. Ze bestudeerde zijn slanke lichaam, de lichte golving in zijn zilvergrijze haar en de vriendelijke blik in zijn ogen. Wat had ze een geluk dat ze openhartig met David kon praten, in de wetenschap dat niets van wat ze hem zou vertellen bij iemand anders terecht zou komen. Hij was niet alleen haar aanstaande echtgenoot – maar hij was ook een goede vriend van haar. En dat was hij al heel lang geweest voordat ze verloofd waren.

'Om eerlijk te zijn,' zei ze, 'begrijp ik niet waarom de bisschop kapitein Gant en Rachel niet in elk geval een kans wilde geven. Ik vind dat hij wel erg snel alle hoop voor hen in de kiem heeft gesmoord.'

Hij gaf lange tijd geen antwoord, maar Susan kende hem goed genoeg om te weten dat hij nadacht over wat ze had gezegd.

Zijn uiteindelijke antwoord klonk bedachtzaam, zelfs een beetje aarzelend. 'Je denkt toch niet dat de houding van de bisschop ten opzichte van Gant iets met Samuel Beiler te maken heeft, hè?'

'Waarom zou je dat in vredesnaam denken?' vroeg ze verwonderd.

Hij haalde zijn schouders op. 'Tja, Samuel *is* een diaken, een van de leiders van de kerk. Als de bisschop zich bewust is van zijn interesse in Rachel, zou het dan niet mogelijk zijn dat hij de voorkeur aan hem boven Gant geeft? En dat hij zelfs zo ver zou kunnen gaan om te zorgen dat hij "vrij spel" heeft, zogezegd? Samuel is tenslotte geboren en getogen Amish en is daarnaast ook nog diaken – het is niet meer dan logisch dat de bisschop liever zou willen dat Rachel met een Amish man trouwt in plaats van met een buitenstaander.'

Zijn woorden verbijsterden haar. 'Maar – dat zou niet *juist* zijn. Hij is de *bisschop*. Hij zal toch niet willen dat Rachel met een man trouwt die ze herhaaldelijk heeft geweigerd.'

'Ik weet niet of het zo onwaarschijnlijk is, Susan. Denk er maar eens over na. Als je het vanuit het gezichtspunt van de bisschop bekijkt, is Gant een onbekende, een buitenstaander, een volslagen vreemdeling. Hij komt oorspronkelijk zelfs uit een ander land en heeft nooit iets met de Amish gemeenschap te maken gehad.'

Ze staarde hem aan. 'Maar David – je zou jezelf kunnen omschrijven.'

Hij keek haar aan en glimlachte een beetje. 'Dat klopt, schat. Maar met één groot verschil: de Amish hebben me nu al jarenlang geaccepteerd als vriend en dokter.' Hij stopte en voegde er toen aan toe: 'Bovendien heeft Samuel Beiler jou nooit het hof gemaakt, terwijl hij al jaren met Rachel wil trouwen.'

Susan wendde haar blik af en staarde naar de weg terwijl ze over zijn woorden nadacht. David had het vast bij het verkeerde eind. Zou een bisschop zelfs maar op die manier kunnen denken, laat staan zich zo harteloos *gedragen*?'

'Susan? Ik wilde je niet van streek maken.'

Ze draaide zich weer naar hem toe. 'O, je hebt me niet van streek gemaakt. Maar echt, David, ik kan zoiets niet geloven over de bisschop.'

'Ik weet zeker dat hij er niets verkeerds mee zou hebben bedoeld. Hij zou gewoon het beste voor Rachel hebben gewild. In zijn optiek zou Samuel de betere man voor haar zijn.'

Susan keek hem onderzoekend aan. 'Maar als je gelijk hebt – dat zou zo oneerlijk zijn!'

'Ja, hè?' zei hij zachtjes. Even later voegde hij eraan toe: 'Maar ga niet de rest van de avond lopen piekeren over een of ander dom idee van mij. Je hebt vast gelijk. Een bisschop zou boven dergelijk gedrag horen te staan en dat is bij bisschop Graber vast het geval. Vergeet dat ik erover begonnen ben.'

Susan haalde diep adem en knikte. 'Je hebt gelijk. Laten we ons er niet meer mee bezighouden. We kunnen het maar beter helemaal vergeten.'

Hij gaf een kneepje in haar hand. 'Vergeef je het me?'

'Er valt niets te vergeven. Ik begrijp hoe je zoiets zou kunnen denken, vooral aangezien we zowel om Rachel als om kapitein Gant geven en gezien de situatie. Maar ik kan echt niet geloven dat je gelijk hebt.'

'Zoals ik al zei, het was gewoon een domme gedachte. Ik moet toegeven dat ik zou willen dat er toch een mogelijkheid voor hen komt. Als een man zo gelukkig is als ik met jou ben, dan is het waarschijnlijk logisch dat hij zijn vriend diezelfde mate van geluk toewenst.'

Nu gaf Susan een kneepje in *zijn* hand. 'Jij en kapitein Gant zijn goede vrienden geworden, hè? Je geeft echt om zijn welzijn.'

Hij knikte. 'Hij zou het natuurlijk nooit toegeven, maar ik denk dat hij heel eenzaam is. Ik zou heel graag willen dat er iets goeds in zijn leven komt.'

Susan zei het niet hardop, maar ze dacht dat ze Davids bezorgdheid over zijn vriend goed begreep. Ook zij zou blij zijn als het geluk op Gants pad zou komen.

Vooral als dat ook geluk voor Rachel betekende.

25

EEN MOMENT VAN VERWONDERING

Hoop, vrees, gebeden, verlangens, vreugde en verdriet,
Jullie bevatten ze allemaal, o kleine handen!

LAURENCE BINYON

Rachel bleef aarzelend bij de ingang van Jeremiahs timmerwerkplaats staan. Ze voelde zich niet op haar gemak en durfde niet goed naar binnen te gaan, maar toch wilde ze hem zo graag zien dat de pijn ervan tot diep in haar hart leek te zijn doorgedrongen.

Fannie aarzelde echter geen seconde en trok aan Rachels hand om mee naar binnen te gaan. 'Ik ben zo blij dat kapitein Gant met ons meegaat naar de baby. Jij ook, Rachel? Alles is leuker als hij erbij is!'

Leuker had niets te maken met de emoties die op dat moment in Rachel opborrelden, maar ze wist een glimlach voor haar zusje op te brengen terwijl ze achter haar en haar moeder de werkplaats in liep.

Eerst hield ze haar blik op de grond gericht en keek ze alleen op wanneer hij sprak.

'Zo, dit is een belangrijke gebeurtenis', zei hij en zijn zware, diepe stem overspoelde Rachel als een golf en voerde het laatste restje kalmte dat ze nog bezat mee.

'Drie prachtige dames in mijn nederige werkplaats en allemaal tegelijk. Let op de steunbalken, Terry – straks stort het gebouw nog in.'

Toen Fannie giechelde, keek Rachel op. Tot haar opluchting keek hij haar niet meteen aan, maar stond hij met zijn armen over elkaar geslagen naar haar zusje te grijnzen.

Rachel had hem niet meer gezien sinds de begrafenis van Phoebe en haar keel werd droog bij zijn aanblik. Het kostte haar al haar wilskracht om hem niet als een of andere *dummkopf* aan te gapen. Hij droeg geen werkkleding, maar had er duidelijk moeite voor gedaan om er netjes uit te zien.

Jeremiah was zelfs op zijn slechtste momenten een knappe man – en ze had hem op zijn slechtste momenten gezien, vlak nadat hij was neergeschoten – maar vandaag zag hij er aantrekkelijker uit dan ooit in zijn witte, gesteven overhemd en een donkere, zilverachtige stropdas. Hij had zelfs zijn meestal wild krullende haardos weten te temmen. Ze vroeg zich onwillekeurig af wie dat mooie witte overhemd zo perfect gesteven had, maar ze zette het van zich af voordat ze over een antwoord kon gaan speculeren.

Gelukkig kwam haar moeder op dat moment naar voren en gaf hem de appelmoestaart die ze die ochtend had gemaakt en die nog steeds geurde van de oven. 'Ik heb ook iets voor jou en meneer Sawyer zelf meegenomen, kapitein.'

Jeremiahs ogen werden groot toen hij de taart van haar aanpakte en een punt van het servet dat hem bedekte, optilde. 'Toe maar! Als dat zelfs maar half zo goed smaakt als hij eruitziet en ruikt, mevrouw Kanagy – *Susan*', corrigeerde hij, 'dan kan ik niet wachten tot ik kan aanvallen!'

Susan wendde zich tot meneer Sawyer en vroeg hem naar zijn vrouw en de baby. Op dat moment beantwoordde Jeremiah Rachels blik en keek haar diep in de ogen. De warmte en tederheid die uit zijn blik sprak, zorgde ervoor dat ze de hare snel moest afwenden.

Alsof hij haar ongemak opmerkte, richtte Jeremiah zijn aandacht op Fannie. 'En hoe gaat het met Donder, mejuffrouw Fannie?'

'O, u zou hem moeten zien, kapitein Gant! Mama zegt dat hij groeit als kool, maar dat hij wel een beetje onhandig is! Ik ben hem al aan het trainen en hij is heel slim. Hij pakt alles heel snel op!'

'Nou, dat is goed om te horen.' Hij rechtte zijn rug en zei: 'Dames, wat mij betreft, kunnen we gaan. Terry past op de werkplaats terwijl wij zijn nieuwe dochter een bezoekje gaan brengen. Het is een heerlijke ochtend, als jullie zin hebben om te lopen.'

'O, we hebben te veel meegenomen, kapitein Gant', zei Susan tegen hem. 'Ik denk niet dat we alles kunnen dragen, zelfs niet als we allemaal helpen.'

'Zal ik de wagen dan besturen? Passen we er allemaal in?'

'Als je het niet erg vindt, kapitein Gant, dan laat ik jou de wagen wel besturen. Wij kunnen dan gaan lopen en van de zon genieten. Vind je dat goed?'

'Dat is prima. Zoals je wilt.'

'Ik wil met kapitein Gant meerijden, mama', zei Fannie.

'Nee, je loopt met ons mee, kind. Laat de kapitein maar even rustig zelf rijden.'

Een ondefinieerbare emotie flikkerde in zijn ogen en Rachel vroeg zich af of hij dacht dat mama niet wilde dat Fannie met hem meereed omdat hij een *auslander* was – een buitenstaander.

Wat Jeremiah ook dacht, Rachel wist dat haar moeder hem vertrouwde. Het zou nooit haar bedoeling zijn om hem te kwetsen. Het feit dat ze Fannie niet met hem mee wilde laten gaan, had waarschijnlijk meer te maken met de manier waarop ze het meisje beschermde – tot een mate die Rachel vreesde – sinds de aanval op haar zusje vorige winter.

Maar toen Fannie haar nogmaals smeekte, leek haar moeder van gedachten te veranderen. 'O, goed dan. Als kapitein Gant het niet erg vindt. Maar praat hem onderweg de oren niet van zijn hoofd.'

'Het is me een genoegen om je gezelschap te hebben', zei hij met een knikje naar Fannie, die breeduit naar hem glimlachte.

Terwijl Rachel haar moeder de werkplaats uit volgde en toekeek hoe Jeremiah Fannie de wagen in hielp en er toen omheen liep om zelf plaats te nemen achter de teugels, wilde ze niets liever dan dat zij Fannies plaats naast hem in kon nemen.

Het besef dat ze zelfs na al die tijd dat ze gescheiden waren geweest nog steeds dicht bij hem wilde zijn, drong als een mokerslag tot haar door. Ze schaamde zich voor haar zwakheid, voelde zich vernederd door haar foute gevoelens voor een man die haar verboden was en walgde van zichzelf, dat ze nog steeds een sprankje hoop had dat de zaken er op de een of andere manier, op enig moment anders voor zouden komen te staan, waardoor ze toch samen zouden kunnen zijn.

Ze wist dat ze alles moest doen wat ze kon om die hoop voor eens en voor altijd te laten varen. Toch had ze het gevoel dat ze zich aan die laatste strohalm vastklampte omdat ze wist dat als ze losliet, haar hart ongeneeslijk zou breken en de toekomst die haar wachtte, niets meer zou zijn dan een uitgestrekt niemandsland vol lege dagen en verwoeste dromen.

Zoiets geloven was waarschijnlijk verkeerd, een schending van haar geloof, maar toch leek de gedachte van een leven zonder liefde – de liefde van Jeremiah – haar in een impasse te brengen waar geloof en liefde het moeilijk vonden, zo niet onmogelijk, om naast elkaar te bestaan.

❧

Rachel voelde Jeremiah naar haar kijken terwijl ze voor het raam stond met het lieve babymeisje in haar armen, maar ditmaal bloosde ze niet bij zijn intense blik. Ze werd te zeer in beslag genomen door de piepkleine Naomi Fay, het warme bundeltje in haar armen met haar zachte babygeur, om veel aandacht voor iets of iemand anders in de kamer te hebben.

Wat was een baby toch een geweldig geschenk! Wat er ook allemaal verkeerd was in deze wereld, ondanks verdriet dat bleef sudderen en problemen die teisterden, een baby kon licht, goedheid en zoveel vrede brengen!

Rachel had er heel lang verdriet van gehad dat de Here God haar en Eli geen kinderen had geschonken. Het zou zoveel hebben betekend om een kind van hem te hebben gehad om op te voeden en lief te hebben. Ze bestudeerde het kleine gezichtje dat bijna schuilging onder de deken en trok haar voorzichtig nog dichter tegen zich aan, haar warmte opsnuivend terwijl ze haar zachtjes wiegde.

Ze was de laatste die het kostbare bundeltje vasthield – afgezien van Jeremiah – en instinctief liep ze naar hem toe en reikte hem de baby aan. Hij keek geschrokken, op zijn hoede en aarzelde. Hij schudde zijn hoofd, maar Rachel zag dat hij in de verleiding kwam.

'Je kwetst mevrouw Sawyer als je haar niet heel even vasthoudt', zei ze zachtjes.

Hij keek Rachel aan, wierp toen een blik op het bundeltje in haar armen, haalde diep adem en nam de baby vervolgens van haar over. Hij staarde lange tijd naar Naomi Fay en zijn geschrokken blik ging over in een glimlach terwijl hij met haar naar het raam liep en ging staan waar Rachel net had gestaan.

Rachel was niet voorbereid op de manier waarop het schouwspel aan de andere kant van de kamer indruk op haar maakte. Ze zag hoe het kleine meisje bijna opging in de veiligheid van Jeremiahs gespierde armen, zo voorzichtig tegen zijn brede borst aan genesteld en ze voelde hoe haar hart een sprongetje maakte.

Maar ze werd vooral geraakt door de uitdrukking op zijn gezicht. De sterke trekken waren verzacht tot een blik van verwondering. Hij leek het kind in zijn armen vol verbazing te bestuderen, alsof niets ter wereld hem had kunnen voorbereiden op een wonder als dit.

De zorgen en frustraties die op zijn gezicht geëtst waren geweest, hadden nu plaatsgemaakt voor een blik van eerbied en fascinatie die haar tot in het diepst van haar ziel trof. Plotseling was de eenzame man verdwenen en in zijn plaats stond een man die een glimp had opgevangen van verbluffende liefde en perfectie en die, in elk geval voor even, getransformeerd was.

Een hevig verlangen kwam in Rachel omhoog en vulde haar hart, keel en zintuigen. Ze had kunnen huilen om wat ze samen nooit zouden hebben, dit wonderbaarlijke geschenk, deze zegening die ze nooit zouden delen.

En op dat moment bad ze dat de genade van God op de een of andere manier op een dag op Jeremiah neer zou dalen, een einde zou maken aan zijn eenzaamheid en hem deze vreugde zou schenken; dit kostbare geschenk van ongelofelijke liefde.

'O, Here God, zelfs als het niet met mij kan zijn, vul zijn armen en hart en zijn leven met de wonderbaarlijke zegening van een gezin van hemzelf om lief te hebben en te koesteren.'

Toen wendde ze haar blik af, zodat hij noch iemand anders in de kamer de tranen in haar ogen zou zien blinken.

ঔ

Gant werd te zeer in beslag genomen om zich te concentreren toen hij afscheid nam in het pension en terugliep naar de werkplaats.

De middagzon begon af te zwakken en de dreiging van regen begon zichtbaar te worden in de lucht.

De belofte van een opkomende storm paste bij zijn humeur.

Hij had gezien hoe ze naar de baby keek toen ze haar vasthield – de onmiskenbare uitdrukking van verlangen, de bijna heilige verwondering die op haar mooie gezicht te zien was. Het had hem als een mokerslag geraakt, die smachtende blik en die gloed die ergens uit het diepst van haar wezen leek te stralen.

Op dat moment besefte hij dat Rachel naar dezelfde dingen verlangde als hij – een einde aan de eenzaamheid, een gezin en een thuis om met dat gezin te delen. Ze was voorbestemd voor die dingen, voorbestemd om van een man te houden en een baby in haar armen te hebben. Niet de baby van iemand anders, maar van zichzelf.

Hij wilde – verlangde er wanhopig naar – degene zijn die haar die dingen schonk.

Maar diegene *was* hij niet. Er was hem verteld dat hij diegene niet kon *zijn*.

Hij vroeg zich af – hoe vaak vroeg hij zich dat elke dag niet af – of het Gods wil was die de deur voor elke kans voor hen om samen te zijn, had gesloten, of dat het alleen de wil van een bejaarde *bisschop* was.

Had hij het te snel opgegeven? Zou hij langer en harder moeten vechten? Of zou hij het daardoor alleen maar moeilijker voor Rachel maken, moeilijker voor hen allebei?

Hij had geprobeerd bij haar uit de buurt te blijven, maar telkens als hij dacht dat hij sterk genoeg begon te worden om zichzelf van haar te bevrijden, leken ze door iets naar elkaar toe gedreven te worden – en zodra ze bij elkaar waren, stak het mes nog dieper in zijn hart dan ooit tevoren.

Hij ging zo in zijn gedachten op dat hij bijna struikelde over een losliggende plank voor de kruidenier. Hij hervond nog net op tijd zijn evenwicht en liep verder, nu voorzichtiger. De eerste regendruppeltjes begonnen op zijn schouders neer te vallen, maar het kon hem eigenlijk niets schelen dat de storm elk ogenblik leek te kunnen losbarsten.

Er drukte iets op hem, hij werd voortgedreven door een drang. In de afgelopen jaren had hij dit soort meedogenloze druk nog maar enkele keren gevoeld, maar vaak genoeg om te weten wat het betekende. Dus vertraagde hij zijn pas nog meer en begon in stilte de woorden die op zijn hart lagen, uit te spreken, woorden die uiteindelijk de vorm aannamen van een gepassioneerd, hoewel aarzelend, gebed.

'*U weet dat ik haar niet wil opgeven, dat alles in me haar als vrouw, vriendin en minnares wil hebben, voor de rest van mijn leven. Maar het lijkt erop dat ik, nog meer dan dat ik haar voor mezelf wil, wil dat ze gelukkig is. Ze is niet voorbestemd om alleen te zijn – wat een verspilling*

zou dat zijn, Heer. Wat een verspilling. Ze is voorbestemd voor liefde,
goedheid, moederschap en vreugde. Ze is voorbestemd voor alle prachtige
dingen, voor het beste dat U haar kunt geven.

Dus als ze dat alles niet met mij kan hebben – als het echt Uw wil
is dat we nooit samen zullen zijn – geef me dan de kracht om een stap
opzij te doen en me niet te bemoeien met wat U voor haar wilt. Geef me
de kracht om weg te lopen als dat is wat U wilt. En niet alleen maar een
klein tijdje, maar voorgoed. Voor Rachels bestwil.'

Hij werd zich nu pas bewust van de koude, door de wind
voortgejaagde regen die op zijn huid neerkwam en hem helemaal
doorweekte. Met opgetrokken schouders liep hij haastig verder.

26

GODS WERK DOEN

Wat de beproeving ook moge zijn,
God zal voor u zorgen.

CIVILLA D. MARTIN

De week ging kalm voorbij in het frisse ritme van de herfst. Met veel hulp van de buren was het hooi in balen verpakt, was de appeloogst binnengehaald en waren de cider en appelboter gemaakt. Susan was heel dankbaar voor de manier waarop haar vrienden – zowel Amish als *Englisch* – waren bijgesprongen om Gideons afwezigheid goed te maken. Het meeste zware werk van deze tijd van het jaar was nu achter de rug en ze hield zich bezig met het laatste inblikken en andere seizoenstaken.

Halverwege de ochtend had ze een aantal broden klaarstaan om te rijzen, de houtoven grondig gereinigd, de keukenvloer geveegd en een appeltaart gebakken die er verrukkelijk uitzag, zoals ze zelf zei. Ze zou de rest van de ochtend een aantal soorten koekjes en andere versnaperingen bakken voor de gemeenschappelijke maaltijd na de dienst van de volgende ochtend die op de boerderij van Abe Gingerich zou plaatsvinden.

Susan keek altijd uit naar hun tweewekelijkse diensten, gehouden in hun eigen huizen en schuren in plaats van in een formeel kerkgebouw. Deze gewoonte was ontstaan tijdens de vervolging van hun voorouders in het oude land. Er werd gezegd dat het verplaatsen van hun diensten van de ene naar de andere plek het voor de autoriteiten moeilijker maakte om hen te lokaliseren. Dat was nu natuurlijk niet meer het geval, maar de reden deed er niet echt toe. De Amish geloofden dat een huis ook hun kerk was.

Tegenwoordig hadden de Amish andere problemen, waarvan sommige nijpender waren dan gesnapt worden tijdens hun kerkdiensten.

Er werd op de voordeur geklopt en Susan wierp een blik op haar jurk voordat ze opendeed. Ze droeg nog steeds haar werkjurk, die vol zat met vlekken van bloem en deeg, toen ze door de gang liep.

Voordat ze de deur echter had kunnen bereiken, was Malachi Esch al binnengekomen en riep haar. Toen pas herinnerde ze zich dat ze de deur niet had afgesloten nadat ze die ochtend de veranda had geveegd. Er was een tijd geweest waarin het niet nodig was om iemand de toegang te ontzeggen, maar de Amish maakten tegenwoordig steeds vaker gebruik van sloten.

'O, ik ben blij dat jij het bent, Malachi', zei ze terwijl ze haar handen aan haar schort afveegde. 'Ik ben zo vergeetachtig dat ik er niet altijd aan denk om de deuren op slot te doen.'

'Dat kun je maar beter wel doen', zei hij met een blik waarin zijn verdriet nog steeds zichtbaar was.

'Kom binnen, Malachi. Is alles goed?'

'O, *ja*', zei hij terwijl hij zijn hoed afdeed, maar de tas die hij mee naar binnen had genomen nog steeds stevig vasthield. 'Heb je even tijd voor een bezoekje, Susan?' Zoals gewoonlijk sprak hij in de taal van de Amish.

'Ik heb genoeg tijd voor bezoek. Het is fijn om je te zien', zei ze en nam zijn hoed aan en hing die aan een haak naast de deur. 'Laten we naar de keuken gaan. Ik heb koffie op het fornuis staan.'

'Zoals altijd, Susan. En waar is de kleine Fannie vanmorgen?'

'O, ze is al met haar puppy bij Rachel. Ze maken zoete aardappel-taarten voor de dienst morgen.'

'Dat klinkt heerlijk', zei hij. 'Ik zal op zoek gaan naar die taarten.'

In de keuken leek hij niet te weten wat hij met zichzelf aan moest, totdat Susan hem vroeg om te gaan zitten. Pas toen ze een kop verse koffie voor hem had neergezet en er zelf ook een stoel bij getrokken had, liet hij de tas los die hij had meegenomen.

Bij elke andere voorganger zou Susan wellicht een zekere mate van ongemak hebben gevoeld bij een onverwacht bezoek als dit, maar dat gold niet voor Malachi Esch. Zij en Amos hadden jarenlang een hechte vriendschap met hem en Phoebe gehad voordat hij die taak ooit op zich had genomen.

Susan had nog nooit enig signaal gezien dat hij op een of andere manier veranderd was sinds hij de gemeenschap als voorganger was gaan dienen. Malachi was gewoon – Malachi. Toch wist ze dat als ooit bekend zou worden dat hij en Phoebe jarenlang de *hele* Schrift hadden bestudeerd, niet alleen de stukken die goedgekeurd waren door de bisschop, dat voor grote problemen voor hem kon zorgen.

En dan had ze het nog niet eens over hun hulp aan weggelopen slaven. Susan was nog niet helemaal over haar verbazing heen om *daar* achter te komen.

'Ik wilde je dit nu maar meteen komen brengen', zei Malachi nu, terwijl hij de tas die hij had gedragen, in Susans richting duwde.

Malachi was nooit erg spraakzaam geweest, behalve wanneer hij predikte en leek nu naar woorden te zoeken. 'Phoebe heeft ooit eens gezegd dat als haar iets zou overkomen, ik jou dit moest geven. Er zit ook iets in voor Rachel. Weet je, Phoebe had jullie allebei heel hoog. Ik dacht dat jullie misschien wel iets wilden hebben om haar te herinneren.' Zijn stem brak bij die laatste woorden en hij keek omlaag naar de tafel.

Susans blik ging van Malachi naar de tas.

Alsof ik iets nodig zou hebben om mijn beste vriendin te helpen herinneren...

Ze gluurde in de tas en haalde toen een Bijbel tevoorschijn. Voorzichtig sloeg ze hem open en realiseerde zich dat het *Phoebes* Bijbel was.

'O, Malachi – dit kan ik niet aannemen! Je wilt hem vast zelf houden.' Hij schudde zijn hoofd. 'Nee, we hadden allebei onze eigen *Biewel*. Al heel lang geleden heeft Phoebe gezegd dat ik hem aan jou moest geven.' Hij zweeg even. 'Je zult er waarschijnlijk een heleboel aantekeningen in vinden. Ze vond het fijn om de teksten die belangrijk voor haar waren, te onderstrepen.'

Susan wist niet goed wat ze moest zeggen. 'Wat is dit een prachtig geschenk, Malachi. Ik beloof je dat ik hem altijd zal koesteren. Echt waar.'

Malachi, die nooit een sentimentele man was geweest, schraapte zijn keel. 'Nou, dat is dan goed. Er zit een kleine gedichtenbundel in voor Rachel. Ze hield ervan erin te lezen. Ik kan niet zeggen dat ik haar ooit iets anders heb zien lezen dan haar Bijbel en die gedichten. Wil jij hem aan Rachel geven?'

'Natuurlijk.' Susan aarzelde, maar vroeg ten slotte: 'Hoe gaat het met je, Malachi? Ik weet dat het moeilijk is.'

Hij knikte en streek langs zijn baard. 'Ik kan niet ontkennen dat ik er soms moeite mee heb. Maar je weet hoe ze was. Ze zou niet willen dat ik de hele dag *schlimm* – met een lang gezicht – voor me uit zou zitten te kijken. God is goed – ik weet waar *mei fraa* is – mijn vrouw is veilig in de armen van de Here Jezus. En over een tijdje zal ik weer bij haar zijn. Ze zou tegen me hebben gezegd dat ik geduld moet hebben, denk je ook niet?'

Er was een tijd geweest waarin Malachi's overtuiging van zijn behoud Susan een ongemakkelijk gevoel had gegeven en haar zelfs zou hebben gechoqueerd. Dit geloof maakte geen deel uit van dat van de Amish. Maar de laatste tijd was ze erover na gaan denken. Volgens Rachel – en ook Phoebe, Malachi en David – hing het geloof in een hemel voor christenen niet af van het doen van goede werken in iemands leven. Phoebe zelf had er meer dan eens op gestaan dat

Susan Gods Woord zou gaan bestuderen en dat ze dan de zekerheid van de behoudenis zelf ook zou ontdekken.

Haar handen gleden over de versleten kaft van de Bijbel van haar beste vriendin en op dat moment besloot ze dat ze het advies van Phoebe op zou volgen. Misschien zouden die onderstreepte teksten waarover Malachi het had gehad, haar naar de waarheid leiden die Phoebe haar zo graag had willen laten inzien.

Toen ze opkeek, zag ze dat Malachi naar haar keek. 'Het spijt me', zei ze, zich schamend dat ze haar gedachten zo had laten afdwalen tijdens zijn bezoek. 'Ik dacht gewoon aan Phoebe.'

Hij knikte. 'Aan wie zou je beter kunnen denken?' Hij stond op. 'Ik heb weer genoeg van je tijd in beslag genomen. En ik moet ook weer aan het werk. Ik kan maar beter weer gaan.'

Susan kwam ook overeind. 'Nogmaals bedankt dat je bent gekomen, Malachi, en dat je me Phoebes Bijbel hebt gegeven.'

Even keek hij Susan niet aan. 'Je bent een goede vriendin voor ons – voor Phoebe en mij – en voor onze zoons geweest', zei hij zachtjes. 'Als ze kon, zou ze vast tegen je zeggen dat je voorzichtig moet zijn en dat je goed op jezelf en je twee dochters moet passen.'

Verwonderd zei Susan: 'Natuurlijk zal ik dat doen.'

Hij bleef nog even staan, met een frons op zijn voorhoofd. 'Ik weet dat ze je heeft verteld wat we doen.'

'Wat jullie doen?'

'De hulp aan de gevluchte slaven. Phoebe zei dat ze het tegen je had gezegd.' Hij keek om zich heen, alsof hij er zeker van wilde zijn dat er niemand anders in de buurt was.

'*Ja*', zei Susan, die zich bewust was van waar hij naartoe wilde. 'Dat heeft ze verteld.'

'Volgens mij zijn ze daarom achter haar aan gegaan.' Hij aarzelde en ging toen verder: 'Het is geen geheim dat onze families al jarenlang bevriend zijn. Het zou kunnen dat er mensen zijn die denken dat jij er ook bij betrokken bent, Susan. Misschien Rachel ook. Dus wees voorzichtig. Houd jullie deuren op slot en let goed op.'

'O, Malachi, denk je echt dat ze Phoebe daarom ontvoerd hebben?'

'Ik denk dat er geen twijfel over mogelijk is, gezien wat ze op dat papier hebben geschreven', zei hij en zijn gezicht verstrakte. 'Maak je maar geen zorgen over ons', zei Susan, die hoopte dat ze dapperder klonk dan ze zich voelde. Ze aarzelde en vroeg toen: 'Maar ik vraag me af – ben je van plan om ermee door te gaan? Na wat er is gebeurd...'

Hij schudde langzaam zijn hoofd, zonder haar aan te kijken. 'Je kunt maar beter niet te veel over die dingen weten', zei hij. 'Maar laat me je een vraag stellen. Als ik degene was geweest die ze te pakken hadden genomen in plaats van Phoebe, denk je dan dat zij zou zijn gestopt met het doen van Gods werk?'

Susan keek hem onderzoekend aan. 'Geloof je dat dan nog steeds – dat wat je doet Gods werk is? Ondanks wat Phoebe is overkomen?'

'Ik kan het niet anders zien. Ik zie het net zoals Phoebe. Ze zei altijd dat we iets van Gods genade konden overbrengen op die arme slaven en dat het een vreselijke zonde zou zijn om hen niet te helpen als we dat konden.'

Hij zweeg even en zijn gezicht was verdrietig, maar overtuigd. 'Phoebe zei altijd dat we niet moesten vrezen zolang we Gods wil deden, dat Hij ons zou verdedigen en redden. Het was niet dat ze nooit nerveus was over wat we deden – maar ze geloofde dat we het kwaad niet mochten laten overwinnen.'

Susan wees hem er bijna op dat God Phoebe *niet* had gered, maar alsof Malachi haar gedachten kon lezen, zei hij: 'Onze Phoebe zou ons zeker vertellen dat de Heer haar inderdaad op de best mogelijke manier heeft gered, door haar tot Zich te nemen.' Hij stopte en voegde er daarna aan toe: 'Ik zal bidden dat de Here God jou en de jouwen zal beschermen.'

'Dank je wel, Malachi. En *da Herr sei mit du*', antwoordde Susan zachtjes. De Here zij met je.

Ze stond hem vanaf de veranda na te kijken terwijl hij over de oprijlaan naar zijn wagen liep, met ietwat hangende schouders en een zware tred.

Zijn waarschuwingen vulden Susans hoofd. Ze huiverde – niet vanwege de kilte van de dag, maar omdat ze zich onwillekeurig afvroeg of het nog wel mogelijk was voor de Amish van Riverhaven om veilig te zijn.

27

VRAGEN EN ANTWOORDEN

Ik heb gehoord dat koningin Victoria zegt
Dat als we allemaal ons land en de ketenen van slavernij achter ons laten
En de zee oversteken
Zij aan de overkant zal staan te wachten
Met wijd uitgestrekte armen.

UIT EEN ABOLITIONISTISCH LIED

Gideon was inmiddels zo gewend aan het reizen in de nacht dat hij nauwelijks meer de behoefte voelde om voor zonsopgang te slapen. Soms vermoedde hij echter wel dat Asa zou willen dat hij *wel* moe werd, zodat hij hem niet zoveel vragen meer stelde.

Toch was de oudere man de vriendelijkheid zelve en keek hij Gideon alleen strak aan als hij een bepaalde vraag het antwoorden niet waard vond of als de jongen daarmee een van zijn grenzen overschreed.

Gideon begon langzaam te leren waar ze heen konden reizen en waar niet. Hij had bijvoorbeeld ontdekt dat Asa niet graag persoonlijke informatie gaf. Ondanks het feit dat ze nu al meer dan drie weken samen onderweg waren, wist hij niet meer over Asa's leven als een slaaf dan toen ze Riverhaven verlieten. Maar dat was niet erg. Gideon dacht dat als *hij* als slaaf had geleefd, hij er waarschijnlijk ook niet graag over zou praten.

Hij vond het echter wel frustrerend dat het bijna net zo moeilijk was om gegevens over de Spoorweg bij hem los te peuteren als persoonlijke informatie. Eerder vanavond had Asa hem bijvoorbeeld direct het zwijgen opgelegd toen Gideon had gevraagd naar de 'stations' in en rond zuidelijk Ohio.

'Er zijn er heel wat, maar niet zoveel als er nodig zijn', was Asa's vage antwoord geweest.

Gideon was een beetje geërgerd geweest over de korte reactie van de man, vooral gezien het feit dat hij zelf ook een behoorlijk risico nam – volgens Asa en Gant in elk geval – om bij de mysterieuze Spoorweg te helpen.

Toen de tweede poging om informatie te krijgen ook mislukte, deed Gideon er verder nukkig het zwijgen toe. Maar na ongeveer een uur begon hij zich net een opstandige schooljongen te voelen en besloot hij zich te verontschuldigen.

'Het spijt me dat ik zo nieuwsgierig ben, Asa', zei hij. 'Ik weet niet altijd wanneer ik moet stoppen met vragen stellen.'

Hij zag een klein glimlachje rond Asa's lippen spelen en maakte daaruit op dat de andere man niet echt geïrriteerd was.

'Waarom heb je zoveel interesse in weggelopen slaven, jonge Gideon? Ik denk echt dat je de meest nieuwsgierige jongen bent die ik ooit heb ontmoet. Je lijkt overal wel vragen over te hebben.'

Gideon grinnikte. 'Niet overal over. Maar aangezien ik nu betrokken ben bij de Spoorweg, zou ik er *inderdaad* graag zo veel mogelijk over willen weten.'

Asa draaide zich om en keek hem nu zelf nieuwsgierig aan, alsof hij over Gideons woorden nadacht. 'Dat kan ik wel begrijpen', zei hij ten slotte. 'Maar het punt is dat hoe meer je weet over hoe alles in zijn werk gaat, hoe meer gevaar je loopt. Je niet meer te vertellen dan wat je echt moet weten, is een manier om je te beschermen.'

Gideon ergerde zich aan de insinuatie dat hij beschermd moest worden. 'Ik ben geen klein kind meer, Asa. Ik ben volwassen, ook al lijken jij en de kapitein te denken dat ik nog als een kind moet worden behandeld. En ik vraag je niet om me alle geheimen van jou en kapitein Gant te verklappen. Maar toen ik zei dat ik wilde helpen, bedoelde ik niet alleen op deze ene tocht, snap je? Ik bedoelde op de lange termijn.' Hij zweeg even. 'Ik wil alleen maar weten hoe alles werkt. Verder niets wat je me niet wilt vertellen.'

Asa keek hem opnieuw onderzoekend aan. Ten slotte zuchtte en knikte hij. 'Goed dan. Als je zoveel risico neemt, dan heb je ook het recht om iets meer te weten over waar je mee bezig bent. Maar je moet begrijpen dat de Spoorweg geen georganiseerd, vast systeem is. Het verandert voortdurend, soms zo vaak dat degenen die er al jaren in werkzaam zijn de veranderingen niet eens bij kunnen houden.

In feite is het gewoon een campagne die over vele staten is verspreid om weggelopen slaven te helpen vrijheid te verwerven, het liefst in Canada – maar in elk geval zo ver mogelijk naar het noorden.'

'Waarom Canada?'

'Daar is het veiliger. Een zwarte man kan jarenlang als vrij man in een van de noordelijke staten leven, maar als een slavenjager hem op het spoor komt en gevangen neemt, dan kan hij nog steeds worden teruggestuurd naar zijn eigenaar. De wetten in Canada zijn anders dan de onze. Ik geloof dat er een tijd zal komen waarin alle staten echt "vrije staten" zullen zijn, maar op dit moment is vrijheid bijna nergens gegarandeerd, zelfs niet in het noorden. In Canada wordt een bevrijde slaaf door de wet beschermd. Maar zelfs hier in Ohio werkt de wet tegen hem.'

Gideon luisterde, gretig om te leren en gefascineerd door het verhaal dat Asa met zijn diepe stem vertelde. Hij onderbrak hem maar zelden, tenzij hij vroeg om iets te verduidelijken dat hij niet direct volledig begreep.

'Je moet begrijpen dat een slaaf door zijn eigenaar niet als een *persoon* wordt gezien', zei Asa. 'Een slaaf is *bezit*. Gekocht en betaald, eigendom van degene die geld voor hem heeft neergelegd. In de denkwijze van de eigenaar kan hij een slaaf zo slecht behandelen als hij wil, hem laten werken tot hij er dood bij neervalt of hem verkopen. Hij heeft hem volledig in zijn bezit – lichamelijk en geestelijk – als hij al gelooft dat een slaaf een geest *heeft*. Hij kan hem vermoorden als hij dat wil, hoewel dat geen goede investering van zijn geld is, dus zal hij dat niet snel doen met een "goede" slaaf.

Een slaaf heeft geen opleiding – het is wettelijk niet toegestaan om een slaaf te leren lezen. Hij heeft geen geld, geen andere wetten dan die van de blanken en geen enkel recht, zelfs niet met betrekking tot zijn familie.

Steeds opnieuw worden familieleden van een slaaf zonder enige waarschuwing verkocht en als hij protesteert, kan hij geslagen worden omdat hij zijn stem verheft tegen zijn "meester". Hij kan niets bezitten, nergens heengaan en zelfs niets leren tenzij zijn meester dat goedkeurt. Voor zijn eigenaar is hij niets meer dan een lastdier.'

Asa onderbrak zijn verhaal even om goed om zich heen te kijken. Toen hij zijn blik weer op de weg voor zich richtte, kon Gideon de last die op de man drukte bijna voelen. Op dat moment besefte hij dat Asa hem indirect een pijnlijk duidelijk beeld schetste van hoe zijn eigen leven als slaaf geweest moest zijn.

'Je begrijpt dus hoe moeilijk – hoe *onmogelijk* – het voor een slaaf is om zonder hulp vrijheid te verwerven', ging Asa verder. 'Veel van deze hulp is van blanken afkomstig: abolitionisten, predikanten, boeren, kooplieden, dokters, leraren, huisvrouwen. Maar er zijn ook andere zwarten nauw betrokken bij het werk. Allerlei mensen op allerlei plaatsen riskeren celstraffen en zetten zelfs hun leven op het spel om gevluchte slaven te helpen ontkomen.

In de loop der jaren worden de routes naar het noorden steeds vaker genomen. Veilige plaatsen – "stations" – waar goede mensen – "stationschefs" – bereid zijn om onderdak en voedsel te bieden aan de weggelopen slaven, zijn overal langs de routes te vinden. Anderen zoals ik – ik word een "conducteur" genoemd – zorgen ervoor dat ze vervoerd en zo goed mogelijk beschermd worden. Het is niet zo vreemd dat de term "Ondergrondse Spoorweg" en bijpassende namen zijn ontstaan, omdat tegelijkertijd de *echte* spoorwegen overal in het land werden aangelegd – en vanwege de geheimzinnigheid van het werk ontstonden de termen "ondergrondse" en "spoorweg" en kwamen er andere woorden bij die daarmee te maken hebben.

De laatste tijd wordt erover gesproken dat die spoorwegtermen te vrijuit worden gebruikt, dat er te veel wordt gepraat over het werk en dat sommige mensen die erbij betrokken zijn, te openlijk vertellen over de Spoorweg en hun aandeel erin. Dat brengt niet alleen henzelf en de slaven die naar het noorden worden vervoerd in gevaar, maar het vormt ook een bedreiging voor de slaven die nog steeds in gevangenschap leven. Hun eigenaren hebben gehoord over succesvolle ontsnappingen en worden dus extra voorzichtig en nemen maatregelen om die ontsnappingen tegen te gaan.'

Hij wierp een blik op Gideon. 'Hoe actiever de Spoorweg wordt, hoe groter de behoefte aan geheimhouding wordt, niet alleen voor de bescherming van de mensen die zelf bij de Spoorweg betrokken zijn, maar ook voor de slaven die hun kans om te ontsnappen afwachten. Daarom is kapitein Gant er zo fel op dat we er het zwijgen toe doen.'

Opnieuw keek hij overal om zich heen en tuurde halsreikend in de verte.

'Waar komt al het geld hiervoor vandaan, Asa?' vroeg Gideon. 'Het klinkt als een enorme onderneming.'

'Het is inderdaad groot en het wordt steeds groter', antwoordde Asa. 'En hoewel het altijd aan veranderingen onderhevig is, werkt het niet zonder enige organisatie. De fundering lijkt dan misschien op het toeval te berusten, maar tot nu toe is het altijd voldoende geweest. Er dragen een heleboel mensen aan bij. Het zou je verbazen welke offers mensen willen brengen om te helpen. Stationschefs zijn eraan gewend zonder enige waarschuwing voedsel en kleding te schenken en ik heb gezien hoe goede christelijke vrouwen de dekens van hun eigen bedden trokken om gevluchte slaven 's winters warm te houden.'

Toen hij zich ditmaal tot Gideon wendde, gloeide er een meeslepend licht in Asa's ogen. 'God gebruikt mensen die *bereid* zijn zich te laten gebruiken, jonge Gideon. We hoeven geen heiligen of niet zonder zonde te zijn. We moeten alleen maar beschikbaar zijn.' Hij stopte. 'Net zoals jij. Jij hebt jezelf beschikbaar gesteld voor Gods werk – en hier ben je dan.'

Op deze wijze had Gideon er nog niet aan gedacht. Om eerlijk te zijn, had hij er helemaal niet echt goed over nagedacht. Hij verafschuwde het idee van slavernij en hij wilde iets doen dat nut had – iets wat van betekenis was. Maar hij had er niet over nagedacht dat hij door *God* werd gebruikt.

Hij besloot dat hij er misschien *toch* over na moest gaan denken.

~

Ze hadden niet meer dan ongeveer nog een uur tot zonsopkomst. Hoewel ze op sommige dagen korte stukjes in daglicht hadden afgelegd, had Asa gewaarschuwd dat dat deze ochtend niet kon. Ze naderden een stuk weg bij Canton, die berucht was vanwege slavenvangers. Dus moesten ze zich tot het vallen van de avond in bebost gebied verstoppen.

Gideon reed en Asa leek te doezelen toen de paarden plotseling ergens van schrokken. Mac had liggen slapen in de trog achter de bok, maar werd nu alert en begon zachtjes te grommen totdat Gideon hem tot stilte maande. Asa schrok wakker en schoot overeind toen een van de paarden hinnikte en naar links trok. Achter in de met zeil overdekte wagen kreunde een kind en hoestte een man.

Zonder enige waarschuwing stapte een bebaarde man in kostbare kleding tussen de bomen vandaan en bleef midden op de weg voor hen staan. Gideon trok aan de teugels om de paarden te laten stoppen. Mac gromde opnieuw dreigend en Gideon maande hem weer tot stilte. 'Wie is dat?' fluisterde hij ademloos tegen Asa, die zijn hoofd schudde.

'Geen idee.'

De man stak een hand op. 'Ik ben een vriend', zei hij zo zachtjes dat Gideon hem nauwelijks kon verstaan. 'Jullie zijn in gevaar! Er is geen tijd om het uit te leggen. Stuur je wagen hiernaartoe, de bossen in.' Hij gebaarde in de richting van de dichte bebossing rechts van de weg.

'Rijd er diep in. Zorg dat jullie helemaal uit het zicht zijn! Ik zal laten zien waar. Er zijn overal slavenjagers! Haal jullie mensen zo snel mogelijk uit de wagen', drong hij aan, ietwat buiten adem. 'Nemen jullie allebei een groepje van hen mee. Verstop je op verschillende plaatsen, niet allemaal bij elkaar. Ik zal voor de wagen zorgen. Als het veilig is, kom ik voor jullie terug. Beweeg je niet. Verlaat je verstopplek niet totdat ik terugkom. Ga nu – jullie *moeten* opschieten!'

Toen hij dat had gezegd, klom hij op de rand van de wagen en reed met hen mee, terwijl de wagen vervaarlijk over de oneffen weg zwaaide. Ze stopten pas toen ze een plek bereikt hadden die zo donker was door de omringende bomen, dat het wel een grot leek.

Gideon gaf de teugels over en sprong uit de wagen. Toen draaide hij zich om en vroeg: 'Hoe heet u, meneer?' Maar de man schudde zijn hoofd en stak opnieuw een hand op, met de woorden: 'Ik ben een vriend.'

Gideon rende naar de achterkant van de wagen. Mac keek toe hoe hij en Asa de vluchtelingen tot stilte maanden en hen hielpen uitstappen. Een vrouw met een peuter aan haar rokken zag er zo mager uit dat Gideon dacht dat ze elk moment kon bezwijken, dus pakte hij het kind, tilde hem over zijn schouder en bleef de anderen nog verder de bossen in leiden.

Daar scheidden ze van elkaar. Asa's groep ging naar links, terwijl Gideon zich met zijn groepje een weg verder naar rechts baande. Toen ze uiteindelijk stopten, liep de jonge Micah, die al opstandig en koppig was sinds hun vertrek uit Riverhaven, naar Gideon toe, zette zijn handen op zijn heupen en zei: 'En wat gaan we nu doen?'

Gideon sloeg hem vermoeid gade. Hij schatte de jongen op een jaar of zestien, zeventien, maar hij was groot – groter dan Gideon of Asa – en gespierd. Vanaf het begin van de tocht leek hij al op een of andere confrontatie uit te zijn.

Gideon had daar echter geen zin in. 'We wachten. En je moet zachtjes doen. Volgens de man die ons waarschuwde, zijn hier overal slavenvangers. Je zou ook kunnen helpen om de kinderen stil te houden.'

De jongen uitte iets wat als een grom klonk en toen kwam Mac tussenbeide en bleef als bevroren staan. Micah wierp de hond een verachtelijke blik toe, maar Gideon merkte dat hij niet dichterbij kwam.

'Mooie oplossing is dit', barstte hij uit. 'We worden allemaal gepakt – wacht maar af.'

Gideon zette de peuter die hij had gedragen op de grond en stuurde hem naar zijn moeder.

'We worden niet gepakt als we hier blijven, stil zijn en wachten – zoals die man zei.' Geïrriteerd over de brutale blik van de jongen, voegde Gideon eraan toe: 'Denk je dat je voor nu kunt helpen met de kleintjes in plaats van te klagen?'

Gekleed in een zelfgemaakte broek en een paar te grote laarzen nam de jongen de houding van een belangrijk man aan. 'Denk je dat ik hier blijf om weer geboeid te eindigen? Ik ben al eens gepakt en teruggebracht. Ditmaal brengt niemand me levend terug! Zodra het weer nacht wordt, ben ik hier weg.'

Gideon keek hem onderzoekend aan en probeerde in gedachten te houden wat voor leven de jongen waarschijnlijk tot nu toe had gehad. Ondanks de opstandigheid en ongemanierdheid van de jongen, had hij na wat hij van Asa had gehoord over het leven van een slaaf, toch medelijden met hem.

'Het zou dom zijn om er in je eentje vandoor te gaan', zei hij. 'Je beste kans is hier bij ons blijven.'

De mond van de jongen vertrok smalend. 'Alsof jij en die oude man enige hulp zijn.'

Gideons geduld begon nu op te raken. Hij haalde zijn schouders op. 'Zoek het dan zelf maar uit. Maar als je het zwaar hebt gehad, bedenk dan hoe het zal zijn als je nog een keer wordt gepakt. Je kunt er maar beter nog eens goed over nadenken voordat je iets doms doet.'

'Ik hoef niet naar jou te luisteren', kaatste de jongen terug en liep weg.

Gideon keek hem even na en nam Mac toen mee om de kleintjes gerust te stellen – evenals de volwassenen.

ᐧᑯ

Het was een lange, spannende dag. Gideon kon zich niet herinneren hoe vaak hij naar Asa's geruststellende aanwezigheid had verlangd. De man straalde iets uit wat waarschijnlijk zelfs rust kon brengen in oorlogsgebied. Na de hele dag in de bossen te hebben doorgebracht te midden van angstige vluchtelingen en hongerige, drukke kinderen, terwijl hij zich afvroeg hoe lang dit zou doorgaan en wat er voor hen zou liggen, was hij zelf ook uitgeput.

Toen de man die hen van de weg af had gehaald tegen zonsondergang weer verscheen, was dat een grote opluchting. Maar die opluchting verdween al snel toen hij hoorde wat er kwam.

'Jullie zijn met te veel om op een plaats te blijven, maar ik heb twee stations in de buurt gevonden waar jullie kunnen wachten tot het juiste moment om de weg weer op te gaan.'

Terwijl hij verderging, merkte Gideon dat hij sprak als een hoogopgeleide man en dat hij de schone, eeltloze handen van een edelman had. Hij vroeg zich onwillekeurig af wie hij was en waarom hij bereid was zijn eigen veiligheid op het spel te zetten door een groep weggelopen slaven te helpen.

'Als we er zeker van zijn dat de slavenjagers het gebied hebben verlaten, zullen we ervoor zorgen dat jullie herenigd worden en jullie rantsoenen aanvullen, zodat jullie verder kunnen. In de tussentijd breng ik jullie naar een plek om de nacht door te brengen – en waarschijnlijk meerdere nachten.'

Er drong iets tot Gideon door terwijl hij de mensen terug in de wagen hielp. Hij hoopte maar dat dit oponthoud hen niet al te zeer zou vertragen. Zijn moeder trouwde in november en ze was waarschijnlijk al van streek omdat hij Riverhaven had verlaten om met deze mensen mee naar het noorden te reizen, maar ze zou nog veel bozer zijn als hij niet op tijd terug was om haar met Doc Sebastian te zien trouwen.

Hij *moest* echt terug zijn voor zijn moeders bruiloft!

28

NACHT VAN REGEN EN ANGST

Ik vrees geen kwaad.

PSALM 23:4

Het was middernacht geworden. De wind was aangewakkerd en het regende pijpenstelen. In zijn huis op de heuvel ijsbeerde een piekerende Jeremiah Gant in de kamer. Hij wist het niet zeker omdat hij maar half bij bewustzijn was geweest en volgens Doc Sebastian op het randje van de dood had verkeerd, maar hij dacht dat de nacht waarin hij bijna een jaar geleden in Riverhaven was aangekomen veel op deze nacht had geleken.

Hij herinnerde zich niets van die nacht, helemaal niets, behalve dat hij zijn ogen lang genoeg moest hebben geopend om wat leek op het bezorgde gezicht van een engel, te zien. Hij herinnerde zich dat gezicht, niets meer.

Rachel.

Tijdens dit soort nachten zou hij, als hij had gedronken, inmiddels laveloos zijn geweest. Maar alcohol was nooit een probleem voor hem geweest. Hij had er te veel mensen door verwoest zien worden om diezelfde weg te volgen.

Niet dat hij zijn gemoedstoestand aan een ander mens zou opbiechten, maar dit was een nacht waarin de eenzaamheid hem aan leek te vliegen. Hij wilde dat zijn hond Mac er was. En Asa. Vannacht miste hij hen allebei verschrikkelijk.

Hij moest glimlachen, al was het maar flauwtjes, bij de ironie ervan. Jarenlang had hij zichzelf wijsgemaakt dat hij tevreden was met de eenzaamheid – dat hij niemand nodig had en op die manier zelfs beter af was. Hij koesterde zijn vrijheid tenslotte. Vrijheid was de reden dat hij naar dit land was gekomen. Zonder banden kon hij gaan en staan waar hij wilde, zolang hij dat wilde, zonder dat hij de last van sommige mannen had en er een gezin en geliefden op zijn thuiskomst wachtten.

Hij was geen man, had hij zichzelf wijsgemaakt, die beperkt kon worden doordat anderen van hem afhankelijk waren. Integendeel, hij was een man die vrijheid nodig had om te overleven, zoals andere mannen voedsel nodig hadden.

Jarenlang had hij in die misleidende gedachten geloofd en was hij tevreden geweest met die manier van leven. Als ongenoegen door zijn hoofd cirkelde als roofvogels die een prooi zochten, dan negeerde hij dat. Hij had zijn boot, zijn werk en de rivier. Meer had hij niet nodig.

En toen kwam hij in Riverhaven.

Hij bleef bij het raam staan en keek naar buiten, maar zag niets. Het was alsof de hele nacht gesluierd ging onder een gordijn van zwarte regen. Hij hief zijn schouders en rekte zijn nek, om de spanning van de dag die aanzwol tot een barstende hoofdpijn, van zich af te zetten.

Maar het was de pijn in zijn hart waardoor hij zo van de kaart was.

Zijn geveinsde vreugde in zijn eenzame leven was in rook opgegaan en vervangen door zijn liefde voor een aantrekkelijke, liefdevolle vrouw met donkere ogen en een adembenemende glimlach. Een vrouw die hem voor het eerst had geleerd dat liefde veel meer omvatte dan *verlangen,* dat het veel groter was en veel dieper ging dan hij ooit voor mogelijk had gehouden, dat het wellicht net zoveel met hemelse zaken te maken had als met aardse gevoelens. Een vrouw die ervoor gezorgd had dat hij wilde wat goed voor haar was, zelfs als dat pijn en eenzaamheid voor hemzelf betekende.

Zij was de vrouw die hij niet kon krijgen.

Maar het feit dat ze verboden voor hem was, betekende niet dat ze zijn gedachten en gebeden en hart niet vulde, elk uur van de dag. Ook hielp het niet om zijn angst voor haar te verjagen – de angst dat iets van het kwaad dat zich in de vallei van Riverhaven had genesteld haar op de een of andere manier in zijn klauwen zou krijgen en zou vernietigen.

Er was een tijd geweest waarin hij niet in het kwaad geloofde, in elk geval niet in de letterlijke zin die hij uiteindelijk in de Bijbel had ontdekt. Hij had de realiteit van het kwaad voor het eerst ingezien toen hij oog in oog kwam te staan met slavernij en met eigen ogen het bestaan zag van iets dat zo slecht, boosaardig en immoreel was dat hij niet langer kon geloven dat iets *minder* dan het kwaad ten grondslag lag aan wat mensen in staat waren om elkaar aan te doen. Later, toen zijn zoektocht om het te begrijpen – onder Asa's subtiele leiding – hem uiteindelijk tot het Woord van God had geleid, begon hij te snappen hoeveel vermommingen het kwaad kon aannemen om te misleiden en te verwoesten.

Hij liep naar het walnoothouten bureau dat hij enkele maanden geleden voor zichzelf had gemaakt en ging zitten. Hij legde zijn hoofd op zijn handen en probeerde te bidden. Zelfs nu nog, jaren nadat hij zijn leven aan zijn Schepper had overgegeven, vond hij het soms moeilijk om zijn diepste verlangens, angst en dankbaarheid onder woorden te brengen.

Lange tijd was hij trots geweest op zijn onafhankelijkheid en had hij op niets en niemand behalve zichzelf gerekend. Of iets hem lukte of mislukte, weet hij alleen aan zichzelf.

Zijn leven – alles wat hij was – overgeven aan een ander, zelfs aan de God van het universum, was soms buitengewoon moeilijk voor hem geweest. Zijn onderwerping, die niet alleen soms frustrerend was geweest, maar soms een schijnbaar onmogelijk binnenstebuiten keren van zichzelf had betekend, was niet gekomen als een golf die aan land komt en voor eens en voor altijd gaat liggen, maar als een vloedgolf die steeds opnieuw over de rotsen aanspoelde. Vannacht overweldigde zijn angst voor Rachel evenals haar familie en alle Amish met wie hij bevriend was geraakt – ook al was hij een buitenstaander – zijn aangeboren neiging tot onafhankelijkheid en beleed hij zonder moeite zijn behoeften en zwakheden.

Iemand *moest* ontdekken wie verantwoordelijk was voor het geweld waar de Amish mee te maken hadden. Deze golf van agressie kon alleen gestopt worden als de oorsprong ervan werd gevonden.

'Gebruik me, Here God, als U dat wilt. Gebruik al mijn kracht om deze duistere kracht die de goede mensen van Riverhaven vervolgt, te vernietigen. Ze vechten zelf niet, ze gaan zelf niet op zoek naar de vijand, ze verdedigen zelfs hun eigen leven niet. Laat me zien welk gezicht dit kwaad heeft en geef me de macht en de middelen om het uit hun midden te verdrijven.

Ik geloof dat ik U ook om geduld moet vragen, Heer, want iets zegt me dat dit geen gemakkelijke taak zal zijn. En, alstublieft, terwijl U aan het werk bent en ik zit te wachten, omring Rachel en haar geliefden, haar buren en vrienden – omring al deze goede mensen met Uw aanwezigheid, Uw bescherming en Uw kracht...'

Op dat moment werd de buitenmuur getroffen door een windvlaag, waardoor de ramen van de oude boerderij rammelden en er een rilling over zijn rug ging.

Het huis leek te zuchten onder de kracht van de wind en het herinnerde hem er spottend aan hoe alleen hij eigenlijk was.

Rachel kon niet slapen. Ze had het twee frustrerende uren lang geprobeerd, maar de wind was fel en de wolken leegden zichzelf in hard kletterende stortbuien.

Ze was niet bang voor donder en bliksem, maar wind maakte haar altijd rusteloos. Bijna een uur geleden had ze het ten slotte opgegeven en was naar de keuken gegaan. Nadat ze de kerosinelamp op tafel had aangestoken, pakte ze haar Bijbel en ging zitten lezen.

Vannacht voelde ze de eenzaamheid van het huis. Ze was nooit bang geweest om alleen te wonen, toen ze er eenmaal aan gewend was dat Eli er niet meer was. Maar in de afgelopen paar maanden – en vooral nu, na wat er met die arme Phoebe was gebeurd – voelde ze zich 's nachts vaak angstig.

Fannie bleef natuurlijk vaak logeren en ze was altijd blij met haar gezelschap, maar ze besefte dat haar zusje niet *elke* nacht kon blijven. Vannacht, in de gierende wind en een felle regenstorm, merkte ze dat ze opschrok bij elk geluidje.

Een van de dingen die ze het meest miste aan getrouwd zijn was het gezelschap van Eli. Hun tijd samen was meestal rustig en ontspannen. Ze konden urenlang samen zijn zonder veel te zeggen – zij las terwijl Eli bezig was met zijn houtsnijwerk of de Bijbel bestudeerde. Het had altijd genoeg geleken, gewoon bij elkaar zijn.

Soms vroeg ze zich af hoe het zou zijn geweest als zij en Jeremiah hadden mogen trouwen.

Ze kon haar gedachten maar beter niet die richting op laten gaan, dat was zinloos...

Toch leek haar geest niet van hem los te kunnen komen, misschien omdat de nacht waarin hij vorig jaar november bij haar huis was gekomen, had geleken op *deze* nacht. Het had die nacht ook gestormd, met een harde wind en stortregen. Ze betwijfelde of ze ooit nog zou vergeten hoe ze hem de eerste keer had aangetroffen, zwaar leunend op Asa, ernstig bloedend, meer dood dan levend en zo hulpbehoevend.

Eerst had ze geweigerd om hem binnen te laten, maar Asa had zo wanhopig en vriendelijk geleken – en Jeremiah, tja, die leek geen dreiging te vormen, aangezien hij nauwelijks bij bewustzijn was.

Ze haalde diep adem, keek neer op de Bijbel die voor haar op tafel lag en begon te lezen. Al snel zocht ze in de Bijbel naar verzen die te maken hadden met angst, of liever, *moed* bij angst.

'De Here is met ons; vreest hen niet.'

'De Here is mijn licht en mijn heil, voor wie zou ik vrezen? De Here is mijns levens veste, voor wie zou ik vervaard zijn?'

'Vrees niet, want Ik ben met u.'

'De Here is mij een helper, ik zal niet vrezen; wat zou een mens mij doen?'

Gedurende het volgende uur las en bad Rachel. Ze bad om moed en steun, wat er ook op haar pad mocht komen. Ze bad om een muur van bescherming rondom haar familie en vrienden, rondom de gehele gemeenschap – en rondom Jeremiah.

Ten slotte werd ze rustig en kwam er een vrede over haar. Ze legde haar Bijbel weg, blies de lamp uit en ging terug naar bed. En hoewel ze de echo van eenzaamheid nog steeds in haar huis en in haar ziel voelde, viel ze na enige tijd toch in slaap, met de verzekering van Gods Woord in haar hart: *'Vrees niet, want Ik ben met u.'*

29

ZORGEN VOOR
DE BISSCHOP

Hij schenkt genezende krachten
Aan hen die ze in Zijn naam gebruiken;
De kracht die de zoom van zijn gewaad bezat
Is nog steeds dezelfde...
Die goede Dokter leeft
Als uw Vriend en Leidraad;
De Genezer van Nazaret
Zal naast u gaan.

JOHN GREENLEAP WHITTIER

D avid Sebastian verliet het huis van Isaac Graber met grote
bezorgdheid over zijn patiënt.

De gezondheid van de bisschop baarde hem op
meerdere vlakken zorgen, waarvan niet de minste zijn diabetes was.
De bejaarde Graber was een omvangrijk man die van eten hield.
Hij hield vol dat hij zich trouw hield aan het dieet dat David hem
geadviseerd had te volgen en nooit buiten zijn boekje ging.

David geloofde hem. Hij was tenslotte een Amish bisschop, niet het soort man dat onbetrouwbaar was.

Maar toch was zijn gewicht in de afgelopen maanden drastisch toegenomen en David vermoedde al enige tijd dat de extra kilo's te wijten waren aan de toenemende kortademigheid en afname van lichaamsbeweging van de man. Dit was vaak een vicieuze cirkel – gewichtstoename leidde tot minder lichaamsbeweging en verminderde lichaamsbeweging zorgde meestal weer voor een gewichtstoename. Het probleem werd nog eens verergerd door de leeftijd van de bisschop. Over enkele dagen zou hij tweeëntachtig worden.

Naast zijn bezorgdheid vanwege de lichamelijke problemen van bisschop Graber, nam zijn vrees voor diens mentale conditie ook toe. De bejaarde bisschop begon tekenen van dementie te vertonen. Als dat waar was, kon hij de afname van een rationele gedachtegang ervaren, een ernstiger vorm van geheugenverlies dan normaal was voor een hoge leeftijd en een onvoorspelbare, onkarakteristieke – vooral voor de bisschop – neiging tot verwarring bij het nemen van beslissingen.

Nadat hij het huis van Graber had verlaten, besloot David naar Riverhaven te rijden om samen met Gant te lunchen. Hij kon zijn vermoedens over bisschop Graber natuurlijk niet bespreken – zelfs niet met zijn beste vriend. Niet eens met Susan trouwens. Het zou niet alleen onprofessioneel zijn, maar het was ook iets wat niet bij de leefwijze van de Amish hoorde. Hij nam aan dat hij inmiddels voldoende Amish was om dingen op hun manier te doen.

Maar een lunch met zijn gevatte Ierse vriend zou in elk geval tijdelijk helpen om zijn gedachten af te leiden van meer zorgelijke zaken, zoals de gezondheidstoestand van de bisschop en wat het zou betekenen als de man achteruit bleef gaan. Als Isaac Graber tenslotte lichamelijk en geestelijk aftakelde, dan moesten er beslissingen worden genomen.

Bisschop Graber was nu al een aantal jaren weduwnaar. Hij woonde alleen in het *Davidi Haus,* het 'huis van de grootouders' dat verbonden was met het huis van Noah, zijn jongste zoon en diens gezin.

De Amish zorgden voor elkaar. Als een man op leeftijd was en niet meer kon werken, dan ging de boerderij over op de jongste zoon en verhuisden de ouders naar een kleiner huis op het terrein, een huis dat speciaal voor hen werd gebouwd.

Noah Graber, de zoon van de bisschop, was een drukke boer met acht kinderen en een vrouw die ongetwijfeld van zonsopgang tot zonsondergang bezig was met die kinderen, haar man en hun huis. Maar ze zorgden vol liefde voor de stamvader van hun familie.

Nee, Davids bezorgdheid had niets te maken met de kwaliteit van de zorg die bisschop Graber zou ontvangen.

De vraag die hem bezighield terwijl hij de kruising naderde en rechtsaf sloeg op de weg die naar Riverhaven leidde, had meer te maken met hoe het verder moest met het besturen van de Amish gemeenschap.

Wat zou er bijvoorbeeld gebeuren wanneer een bisschop of een ander lid van het bestuursorgaan dat verantwoordelijk was voor de praktische en geestelijke leiding aan een Amish district, zijn taken niet meer uit kon voeren?

Naderde bisschop Graber dat punt?

David was er niet zeker van. Hij moest rekening houden met de mogelijkheid dat dit een tijdelijke terugval was en dat de bisschop weer zou opknappen en de verontrustende symptomen zouden verdwijnen.

Maar als dokter met jarenlange ervaring, wist hij dat hoewel een gedeeltelijk herstel mogelijk was, het niet *waarschijnlijk* was. Waar lag zijn eigen verantwoordelijkheid als huisarts van de bisschop? Wat zou er gebeuren als hij dacht dat Isaac Graber niet langer in staat was om zijn taken als bisschop naar behoren uit te voeren? Wie moest hij dat dan vertellen?

Of zou bisschop Graber de zaak in eigen handen nemen en de

beslissing nemen die het beste voor de gemeenschap was?

Liever gezegd, als en wanneer de tijd om te handelen aanbrak, zou de bisschop dan nog *in staat zijn* om de juiste beslissing te nemen?

❧

Toevallig was Gant niet in de werkplaats toen David aankwam. Terry Sawyer legde uit dat zijn werkgever die ochtend naar Marietta was gereden om 'wat zaakjes af te handelen' en waarschijnlijk pas later die middag terug zou zijn.

'Nou, aangezien ik toch in de buurt ben,' zei David, 'kan ik net zo goed even bij die kleine meid van je langsgaan om te zien hoe het met haar gaat. Denk je dat je vrouw het erg zou vinden als ik er even op bezoek ga?'

'Natuurlijk niet', zei Sawyer. 'Ellie zal vast blij zijn om u te zien.'

En zo stond David een paar minuten later bij het raam van de woonkamer van de Sawyers met een rozige, kirrende baby in zijn armen, die verbazingwekkend veel op haar moeder leek.

'Ik geloof dat het prima met haar gaat, mevrouw Sawyer. Ze lijkt al wel gegroeid sinds ik hier vorige week was.'

Ellie Sawyer glimlachte en kwam naast hem staan. 'Ik ben zo blij dat u dat zegt, dokter. Het is ook zo'n lieve baby. Ze huilt bijna nooit en ze is bijna altijd tevreden.'

'Ah, dan hebt u echt een kleine charmeur. Haar vader zal ook wel dol op haar zijn.'

Tot zijn verbazing zag David een schaduw over het gezicht van de jonge moeder trekken. Hij verdween snel weer, maar hij dacht niet dat hij het zich had ingebeeld – vooral toen ze aarzelde voordat ze antwoord gaf.

'Ja, Terry is… erg trots op haar.'

David gaf de kleine Naomi Fay aan haar terug. Op een zo luchtig mogelijke toon zei hij: 'Hoelang zijn meneer Sawyer en u eigenlijk al getrouwd?'

'Bijna drie jaar nu', zei ze terwijl ze de baby tegen zich aan drukte. Ellie Sawyer sprak met een stem die zo zacht was dat David iets naar haar toe moest buigen om haar te kunnen verstaan. Het was een kleine, delicate vrouw om te zien, met blond haar en grote blauwe ogen. Hoewel ze fragiel oogde vanwege haar geringe omvang, had David toch het gevoel dat ze wellicht sterker was dan ze eruitzag.

'Nou,' zei hij, 'we hopen dat jullie het hier zo leuk vinden dat jullie besluiten om te blijven.'

'O, dat zal waarschijnlijk niet gebeuren', zei ze. 'Terry begint al rusteloos te worden. Hij kijkt ernaar uit om naar Indiana te trekken. Hij heeft het altijd moeilijk gevonden om lang op één plaats te blijven.'

Dat klonk David niet plezierig in de oren, niet wanneer het ging over een man met een vrouw en een pasgeboren baby. 'Jullie hebben daar familie, hè?'

Ze knikte. 'Terry heeft een oom die ons een stuk land wil geven om te verbouwen. Het zal niet veel zijn en we moeten nog een huis bouwen, maar misschien kunnen we ons dan eindelijk vestigen.'

David dacht een verlangende toon in haar stem te horen. 'Het is altijd fijn om een eigen plekje te hebben.'

'Dat zal wel', antwoordde ze op vage toon terwijl ze de baby over haar andere schouder legde. 'We hebben altijd veel rondgetrokken, dus ik hoop dat we in Indiana kunnen blijven.'

'Weten jullie al wanneer jullie vertrekken?'

Ze wendde haar blik af. 'We hebben het geld er nog niet voor. Terry zal nog een tijdje moeten blijven werken voordat we kunnen gaan en ik wil liever niet gaan reizen totdat de baby iets groter is.'

'Dat is slim bedacht, mevrouw Sawyer. Het is beter om te wachten, al is het alleen maar om bestwil van de baby.'

Opnieuw versomberde haar gezicht. 'Terry heeft het erover om voor ons uit te gaan, om alles klaar te maken en zo.' Ze aarzelde en voegde er toen aan toe: 'Hij denkt dat Naomi beter in staat zal zijn om te reizen als hij terugkomt, en ik ook.'

Dus *dat* zat haar dwars. Het was logisch dat ze zich niet prettig voelde bij het idee om hier alleen in een tweekamerappartement achter te blijven, zonder familie en met een pasgeboren baby.

'Misschien verandert hij nog van gedachten', zei David om haar gerust te stellen. Zorgen waren niet goed voor haar of de baby.

De blik die ze hem toewierp, maakte duidelijk dat ze weinig hoop had dat dat ging gebeuren, maar ze zei alleen maar: 'Misschien', en liet het onderwerp rusten.

Terwijl David haar gadesloeg, vermoedde hij dat ze zich meer zorgen maakte over hun situatie dan ze liet doorschemeren, maar het was niet aan hem om er dieper op in te gaan.

Voordat hij vertrok, vroeg hij nog wel of ze iets nodig hadden. Toen ze hem echter verzekerde dat ze 'dankzij kapitein Gant' niets tekort kwamen, nam hij afscheid en ging zonder verdere discussie weg.

Terwijl hij wegreed, kon David Ellie Sawyer en haar omstandigheden niet uit zijn hoofd zetten. De jonge vrouw leek gevangen te zitten in een situatie waar ze zelf niets aan kon veranderen. Blijkbaar begon haar man, zoals ze het zelf zei, 'rusteloos' te worden. Ze had ook gezegd dat ze in slechts drie jaren al 'veel rondgetrokken' hadden. Dat was geen goede voorbode voor de toekomst.

Ze hadden een pasgeboren baby, nauwelijks eigen bezittingen en blijkbaar was hun enige kapitaal het geld dat Sawyer bij Gant verdiende. In zo'n korte tijd kon dat nog niet veel zijn.

Zolang ze hier waren, zou Gant erop toezien dat ze nergens gebrek aan hadden. David had zijn vriend ook wat geld toegestopt om te helpen en rekende daarnaast niets aan medische kosten. Maar als ze eenmaal uit Riverhaven vertrokken waren, zouden ze het zelf moeten zien te rooien, in elk geval zolang ze onderweg waren.

Ellie Sawyers onwil om alweer te vertrekken, was onmiskenbaar. Maar ze had duidelijk ook afkeer van het idee om alleen achter te blijven zonder haar man. Hij leefde onwillekeurig met haar mee.

Hij zuchtte en vertraagde de wagen iets. Susan zei dat hij te hard reed, hetgeen hij waarschijnlijk uit gewoonte deed. Hij haastte zich zo vaak naar een noodgeval dat snel rijden eenvoudigweg normaal voor hem was geworden.

Susan had ook gezegd dat hij zich te druk maakte over zijn patiënten. Ze zei bang te zijn dat hij zichzelf er uiteindelijk ziek mee maakte. Hij had het altijd moeilijk gevonden om zichzelf los te maken van de zorg voor een patiënt. Hij nam aan dat dat gewoon in zijn aard lag.

Hoe dan ook, hij verwachtte niet dat hij nog zou veranderen, niet na al die jaren. Hij zou waarschijnlijk altijd een grotere last dragen dan hoorde voor degenen die hij behandelde. En bij die gedachte kwam bisschop Graber weer in hem op.

Hij probeerde zichzelf ervoor te behoeden het ergste te voorzien, maar voor het geval het nodig was, hoe zou hij de situatie met de zieke bisschop afhandelen?

Er waren slechts drie mannen die hij met een dergelijk verzoek kon benaderen zonder de privacywet van de Amish te schenden. Hij kon een van beide voorgangers in vertrouwen nemen, Abe Gingerich of Malachi Esch, of de diaken die de broeders diende – Samuel Beiler.

Samuel Beiler viel voor hem direct af. Hij kende Beiler al jaren, had twee van zijn zoons ter wereld gebracht en zijn overleden vrouw behandeld tijdens haar ziekbed. Hij vond de Amish diaken een schijnbaar kille man met een onmiskenbare minachting voor iedereen buiten zijn gemeenschap. Zelfs David, zijn eigen huisarts, had hij nooit enige vriendelijkheid getoond.

Bovendien wist hij – nee, *vermoedde hij* – bepaalde dingen over Beiler die hem tot op de dag van vandaag een vervelend gevoel gaven. Hij zou zich er niet prettig bij voelen om met hem over de bisschop of wie dan ook te moeten praten.

Abe Gingerich was een van hun twee voorgangers en een goede man, evenals Malachi Esch.

Hij wist meteen dat hij zich het meest op zijn gemak zou voelen tijdens een gesprek met Malachi. Hij wilde de man liever niet met extra problemen opzadelen, nu hij ongetwijfeld nog steeds rouwde om zijn vrouw, Phoebe. Maar als het noodzakelijk zou worden om iemand op de hoogte te stellen van de verslechterde gezondheid van de bisschop, zou er misschien genoeg tijd zijn verstreken en zou Malachi het rouwproces hebben afgesloten.

Op dit moment besloot hij dat hij het beste de toestand van de bisschop scherp in de gaten kon houden en niets moest zeggen. Hij kon ook hopen dat het uiteindelijk niet nodig zou zijn om iemand anders te raadplegen, dat ofwel de bisschop zelf of een familielid daar zorg voor zou dragen. Hij kon tenslotte nauwelijks geloven dat niemand anders de veranderingen in bisschop Graber had opgemerkt. In elk geval moest een van zijn familieleden of misschien een van de broeders tekenen van de achteruitgang in zijn gezondheidstoestand hebben gezien.

Zijn gedachten gingen terug naar Ellie Sawyer en haar man. Hij dacht dat hij zijn zorgen om het stel wel met Gant zou bespreken. Het leek tenslotte alleen maar eerlijk dat zijn vriend op de hoogte was van het feit dat zijn parttime werknemer wellicht niet lang meer zou blijven.

Sawyers vrouw vermoedde blijkbaar dat dat het geval was.

30

WOORDEN VAN
EEN VRIEND

Wist je dat ik heb gewacht, geluisterd en gebeden,
En dat ik werd opgevrolijkt door het kleinste woord van je?

AUTEUR ONBEKEND

Toen Gant hoorde dat Doc eerder die dag in de stad en op zoek naar hem was geweest, besloot hij impulsief hem diezelfde avond nog een bezoekje te brengen.

Gant vroeg zich af of er iets bijzonders was waardoor hij naar de werkplaats was gekomen. Maar zelfs als dat niet het geval was, had hij zelf een paar dingen die hij met zijn vriend wilde bespreken. Bovendien had hij hem al een hele tijd niet meer alleen gesproken. Het was tijd voor een bezoekje.

Hij hoopte nog een glimp van Rachel op te vangen als ze toevallig buiten was als hij langskwam, dus liet hij Flann rustig stappen. Maar ze was in geen velden of wegen te bekennen en hij gaf het dier weer de sporen toen hij verder reed.

Voor het huis van Doc bleef Gant nog even in het zadel zitten, terwijl hij om zich heen keek. Dankzij Docs genereuze aanbod was dit de plek geweest waar hij in de laatste weken van zijn herstel vorige winter zijn verblijf had gehad.

Het was een klein huis, dat van Doc Sebastian was en soms door hem werd gebruikt – voornamelijk in de winter – om dichter bij de Amish patiënten te zijn als het weer slecht was of er een zwangere vrouw op het punt van bevallen stond. Maar toen hij zich eenmaal bekeerd had tot het Amish geloof en zich verloofd had met Susan Kanagy, had de dokter zijn huis verkocht, een boerderij tussen Riverhaven en Marietta, en was hij hier komen wonen, aan de rand van de Amish gemeenschap.

In de afgelopen maanden had hij er een stuk aan laten bouwen om als kantoor te gebruiken. Gant had een deel van het werk verricht en Gideon de rest. Doc en Susan waren natuurlijk van plan om na hun huwelijk in haar boerderij te gaan wonen, maar hij zou evengoed nog een kleine kantoorruimte nodig hebben en als deze plek helemaal was opgeknapt, zou het prima dienst kunnen doen.

Omdat hij al jarenlang de dokter van de Amish was, zou hij, nadat hij zijn geloften voor zijn bekering had gedaan en met Susan was getrouwd, evengoed als arts werkzaam blijven – maar alleen onder de Amish. De bisschop had besloten dat er niet 'gedokterd' mocht worden onder buitenstaanders. Gant zag dit opnieuw als een voorbeeld van te veel zeggenschap van de Amish leider, maar hoewel Doc toegaf dat hij niet blij was met deze verordening, was het ook niet als een verrassing gekomen – hij had al verwacht dat zijn praktijk beperkt zou worden na zijn toetreding.

Doc had zelfs al contact gehad met andere artsen en medische praktijken om een andere dokter in het gebied te krijgen.

Gant had het fijn gevonden om hier te wonen tijdens zijn herstel. Hij had het leuk gevonden om de Amish buren te leren kennen en hij had genoten van de rustige, natuurlijke schoonheid van het platteland.

Maar na verloop van tijd was hij gaan beseffen dat de schijnbare vrede van zijn omgeving misleidend was, want de Amish uit Riverhaven werden geteisterd door een onophoudelijke stroom van vandalisme, gemene streken en diefstallen.

Uiteindelijk was de pesterij geëscaleerd in een aanval op Rachels zusje, Fannie. Het meisje was aangevallen door enkele jongens van wie ze dacht dat ze *Englisch* waren. Ze hadden haar gepest, geduwd en uiteindelijk geschopt totdat ze bewusteloos in de sneeuw viel.

Fannie was hersteld, in tegenstelling tot Phoebe Esch, het laatste slachtoffer van de verschrikkingen die deze goede mensen werden aangedaan. De dood van Phoebe had ertoe geleid dat de hele gemeenschap zich ongetwijfeld afvroeg wat hierna zou gaan gebeuren.

Plotseling zwaaide de hordeur aan de voorkant van het huis open en kwam Doc naar buiten.

'Zo. Blijf je hier de rest van de dag mijn huis bewonderen of kom je nog binnen?' plaagde Doc hem.

Gant grijnsde en door de grap van de ander werd zijn humeur meteen beter. Hij twijfelde er niet aan dat hij de rest van de avond nog meer van die geintjes zou horen.

❦

Het was nog maar begin oktober, maar de avond was koud – zo koud dat Gants gewonde been 's avonds nog meer pijn deed dan normaal.

Binnen knapperde het haardvuur. 'Ah', zei Gant terwijl hij ervoor ging staan. 'Dat voelt goed.'

Doc kwam uit de keuken met twee koppen warme appelcider. Hij gaf er een aan Gant. 'Of wil je liever koffie?' vroeg hij.

Gant schudde zijn hoofd. 'Helemaal niet. Heeft Susan deze gemaakt?'

'Samen met Rachel. En Fannie wilde me laten geloven dat zij ook had meegeholpen.'

Gant glimlachte. 'Ongetwijfeld.'

'Alle vrouwen zijn druk bezig geweest, met de oogst en het extra werk dat dat voor hen meebrengt. Telkens als ik langskom, ga ik weer weg met een pot appelboter of een kan zoete cider. Help me herinneren dat ik jou ook wat van hun huisvlijt meegeef.'

'Dat is een aanbod dat ik met beide handen aangrijp.'

Doc ging voor het vuur zitten, maar Gant wachtte nog een paar minuten en liet de hitte op zich inwerken voordat hij er een stoel bij pakte.

'Het been zal wel niet van de kou houden', zei Doc.

Gant trok een gezicht. 'En zo koud is het nog niet eens. Ik had niet gedacht dat het nog zo gevoelig zou zijn.'

'Het wordt erger als je ouder wordt.'

'Ah, nog iets om naar uit te kijken.'

'Heb je nog iets van Gideon en Asa gehoord?'

'Ik heb bericht gehad van een van de stations waar ze pasgeleden zijn langsgekomen. Het ging met hen allebei goed en tot nu toe hebben ze nog niet veel problemen gehad.'

'Susan maakt zich zorgen, niet alleen om hun veiligheid, maar ze is ook bang dat Gideon niet op tijd terug zal zijn voor de bruiloft. Ik hoop echt dat hij het redt. Ze zal zo verdrietig zijn als hij er niet bij is.'

'Oh, als ze Canton eenmaal hebben bereikt, neemt iemand anders het van hen over en dan kunnen ze teruggaan. Ze zouden ruimschoots op tijd terug moeten zijn.'

'Mooi zo.' Doc nam een slokje van zijn cider.

Gant sloeg hem gade en was er vrij zeker van dat de man nog meer dwarszat, afgezien van de bruiloft. 'Is er iets aan de hand?' vroeg hij.

Doc bleef even zwijgen, met een bedachtzame uitdrukking op zijn gezicht. 'Niet echt', zei hij daarna. 'Maar er is iets waarvan ik denk dat je het moet weten.'

Hij vertelde over het gesprek dat hij met Ellie Sawyer had gehad en dat ze verteld had dat haar man misschien enige tijd zonder haar verder zou trekken.

Gant dacht erover na en ontdekte dat het hem eigenlijk niet

verbaasde. 'Ik heb de rusteloosheid in hem gezien. Het is een man die nauwelijks langer dan een paar minuten kan blijven zitten en hij heeft het voortdurend over "als ze in Indiana zijn." Nee, het is geen grote schok om te horen dat hij vertrekt voordat ze daar eigenlijk geld voor hebben. Maar het is wel jammer. Ik vind het niet erg om zijn vrouw te helpen als hij weg is en er zullen nog wel meer mensen in de stad zijn die willen helpen als ze horen dat ze dat nodig heeft – maar het is niet eerlijk tegenover haar. Helemaal niet. Volgens mij kan hij beter wachten totdat zij en de baby in staat zijn om met hem mee te gaan.'

Doc knikte instemmend. 'Zou het helpen als een van ons met hem gaat praten?'

'We zouden het natuurlijk kunnen proberen, maar ik heb zo mijn twijfels. Hij is niet iemand die op een plaats kan blijven, denk ik. En als een man onrustig wordt, dan is de kans dat je hem nog tegenhoudt niet zo groot.'

'Waarom krijg ik het gevoel dat je uit eigen ervaring spreekt?'

Gant haalde zijn schouders op. 'Ik zal het niet ontkennen. Ik weet hoe het is, of in elk geval hoe het was.'

Er hing enige tijd een comfortabele stilte tussen hen in, totdat Doc zijn armen uitstrekte, alsof hij de spanning in zijn rug probeerde te verlichten. 'Zullen we een spelletje doen?'

Het tweetal had vele avonden doorgebracht met een dambord tussen hen in. Omdat ze allebei zo competitief waren, lieten ze maar zelden een kans om te spelen schieten. Maar op dit moment had Gant iets anders aan zijn hoofd. 'Misschien later. Ik wil je eerst iets vragen.'

Doc zette zijn kopje op de tafel naast zich neer. 'Prima.'

Gant zocht naar de juiste woorden. Doc was tenslotte een heel eind op weg om zelf Amish te worden en er leken allerlei onderwerpen te zijn die in die gemeenschap niet werden besproken. Hij wilde zijn beste vriend niet beledigen, maar hij had Samuel Beiler niet meer uit zijn hoofd kunnen zetten sinds de dag dat de man naar zijn werkplaats was gekomen.

'Als je hier geen antwoord op wilt geven, dan is dat niet erg. Ik wil je niet voor het blok zetten. Maar wat ik wil weten, is of een Amish man een kostbaar geschenk – geen klein, onpersoonlijk cadeautje – ooit aan een Amish vrouw zou geven als ze niet getrouwd of minstens verloofd waren?' Hij zweeg even. 'Liever gezegd, zou zij zo'n geschenk *aannemen?*'

Doc keek hem onderzoekend aan. 'Heeft dit iets met jou en Rachel te maken?'

'Vertel me gewoon wat je denkt, gebaseerd op je kennis van de Amish.'

Doc fronste zijn wenkbrauwen. 'Tja, ik denk dat het van de omstandigheden afhangt, maar ik zou zeggen dat het hoogst onwaarschijnlijk is van beide kanten. Zelfs als hij dat gebaar zou maken, ben ik er vrij zeker van dat zij zou weigeren. Amish relaties en zelfs hun gewoonten in de verkeringstijd, worden geleid door geheimzinnigheid en strenge regels. Een stel bespreekt hun relatie niet eens met hun eigen ouders. En wat bijzondere geschenken betreft – het kan gewoon niet, afgezien van een man aan zijn vrouw of misschien bij verloofde stellen. Ik zou het Susan moeten vragen om er zeker van te zijn, maar zelfs bij een verloofd stel betwijfel ik of er meer gegeven wordt dan een aandenken, misschien iets kleins voor de verjaardag van de ander.'

Hij stopte en voegde er toen aan toe: 'Beantwoordt dat je vraag?'

Gant dacht snel over Docs uitleg na en antwoordde vervolgens: 'Ja, dat bevestigt mijn eigen vermoeden.'

'Zoals ik al zei, ik zou het Susan moeten vragen om er zeker van te zijn, maar ik geloof dat het zo werkt.'

'Nee, zeg maar niets tegen Susan.'

'Dus het heeft *wel* iets met jou en Rachel te maken.'

'Met Rachel misschien. Niet met mij.'

Doc trok een wenkbrauw op. 'Een andere man dan jij geeft Rachel een bijzonder geschenk? *Wie?*'

Gant keek hem aan en vroeg zich af hoeveel hij kon zeggen. Maar hij vertrouwde David Sebastian meer dan enig andere man, afgezien van Asa. Hij moest dit kwijt voordat het nog meer aan hem ging vreten.

'Mag ik je vragen om er niets over tegen Susan te zeggen?'

Daar leek Doc over na te moeten denken. 'We hebben geen geheimen voor elkaar…'

Gant knikte om aan te geven dat hij het begreep.

'Maar als het zo belangrijk voor je is, dan zal ik je vertrouwen niet beschamen, zolang ze niet gekwetst wordt door het niet te weten.'

'Dit heeft niets met Susan te maken, dat zweer ik je. Alleen met Rachel.'

Hij stopte en wachtte op het antwoord van zijn vriend.

'Goed dan.'

'Het gaat over Samuel Beiler.'

Docs gezicht vertrok. 'Wat is er met hem?'

'Hij kwam laatst in de werkplaats om een dressoir voor Rachel te bestellen. Voor haar verjaardag.'

Doc perste zijn lippen op elkaar en zijn ogen vernauwden zich terwijl hij Gant aan bleef kijken. 'Dat vind ik een beetje vreemd.'

Gant boog zich naar voren. 'Ik ook. Maar wat nog vreemder is, is dat ik het gevoel kreeg dat hij niet dacht dat ik de opdracht aan zou nemen.'

'Maar als dat zo is, waarom zou hij die bestelling dan bij jou doen?'

Gant zuchtte diep. 'Dit klinkt misschien nog merkwaardiger, maar ik had het gevoel dat hij me opzettelijk iets probeerde te laten geloven, dat hij duidelijk wilde maken dat hij en Rachel… een stel zijn. Hij leek echt verbaasd toen ik ermee akkoord ging om het dressoir te maken.'

Doc fronste. 'Ik vertel je natuurlijk niets nieuws als ik zeg dat Beiler *zou willen* dat Rachel en hij een stel waren. Daar hebben we het al eerder over gehad.'

'Ja, dat klopt', zei Gant knikkend. 'Rachel heeft me zelf genoeg verteld om me te laten weten dat Beiler nogal... volhardend is in zijn pogingen om haar het hof te maken.'

'Dan weet je ook dat ze geen interesse heeft.'

'Tot nu toe niet.'

'Je denkt toch niet echt dat ze van gedachten is veranderd? Dat klinkt helemaal niet als Rachel. Als ik haar zie als Beiler in de buurt is, krijg ik de indruk dat ze de man zelfs niet eens *aardig* vindt.'

'Maar als ze hem blijft afwijzen, waarom doet Beiler dan zoiets? Als er niets tussen hen is veranderd, dan moet hij weten dat ze zo'n geschenk nooit van hem zou aannemen.'

'Ik weet niet wat ik daarop moet zeggen, maar ik geloof geen seconde dat Rachel plotseling gevoelens voor hem heeft gekregen. Misschien heb je het goed gezien – misschien wil hij gewoon dat je *denkt* dat ze van gedachten is veranderd zodat je bij haar uit de buurt blijft. Maar als dat zo is...'

Gant zag de radertjes in Docs hoofd bijna draaien toen zijn woorden wegstierven. 'Als dat zo is,' herhaalde Gant zachtjes, 'dan is de enige uitleg ervoor dat Beiler op de een of andere manier weet dat ik gevoelens voor Rachel heb en misschien zelfs dat ik me tot het geloof van de Amish wilde bekeren zodat we konden trouwen. Maar hoe zou hij dat kunnen weten?'

Hij wachtte, maar toen de andere man geen antwoord gaf, ging hij verder. 'Niemand wist van Rachel en mij behalve *Rachel* – en jij en bisschop Graber. Ik kan niet geloven dat Rachel Beiler over ons heeft verteld en ik geloof dat ik jou goed genoeg ken om te weten dat jij niemand iets zou hebben verteld. Maar gezien wat jij me net hebt verteld over dat de Amish hun relaties zelfs niet met hun eigen familieleden bespreken, hoe kan Beiler iets weten over mijn gevoelens voor Rachel? Waarom zou hij me wantrouwen? De bisschop zal toch niets tegen hem hebben gezegd?'

'Nee, dat kan ik me niet voorstellen', zei David in een poging overtuigend te klinken.

Met het oog op de vermoedens die de laatste tijd aan hem knaagden, kostte het hem grote moeite om een neutrale blik te blijven houden, maar hij dacht dat het hem misschien toch gelukt was toen Gant niets meer over de bisschop zei.

'Nou, *iets* heeft Beilers daden veroorzaakt. Hij lijkt me niet het soort man dat impulsief dingen doet', merkte Gant op.

Allerlei gedachten schoten door Docs hoofd terwijl hij antwoord gaf op Gants opmerking. 'Ik denk dat je gelijk hebt, dat hij je wilde laten geloven dat hij en Rachel een stel zijn. En waarom hij die behoefte had...' Hulpeloos haalde hij zijn schouders op. 'Ik heb geen idee. Het klinkt mij ietwat pervers in de oren. Maar ga je dat dressoir echt maken?'

'Ja.' Gants glimlach was allesbehalve vriendelijk. 'Maar je wilt vast niet weten wat ik denk terwijl ik ermee bezig ben.'

'Nee', zei Doc droogjes. 'Dat denk ik ook niet.'

'Maar je bent er dus van overtuigd dat hij Rachel niet voor zich heeft gewonnen?'

'Daar ben ik zeker van', zei Doc. 'Ik kan me niet eens een situatie voorstellen waarin dat zou kunnen gebeuren.' En dat kon hij ook echt niet. Hij wilde dat hij niet clandestien hoefde te zijn tegen zijn vriend. Het was al in hem opgekomen dat als Isaac Graber geen bisschop meer was, er misschien weer nieuwe hoop voor Gant en Rachel was. Hij wilde dat hij Gant die hoop kon geven, maar hij *kon* de medische ethiek gewoonweg niet schenden, evenmin als hij tegen de Amish gewoonte om de privacy te bewaren, in kon gaan – zelfs niet waar het zijn beste vriend betrof.

Tot zijn opluchting veranderde Gant van onderwerp. 'Nou, ik heb je vanavond weer lang genoeg lastiggevallen met al mijn vragen. Dank je wel dat ik mijn verhaal kon doen. Nu ben ik er klaar voor om je eens flink in te maken op het dambord.' Hij hief zijn kopje. 'Als je genoeg hebt, zou ik ook best nog wat lusten.'

Omdat David zo afgeleid was, twijfelde hij er niet aan dat Gant hem *inderdaad* in zou maken.

Gedurende de rest van de avond deed hij zijn best om zich op het spel te concentreren, maar zijn bezorgdheid over de bisschop – en nu deze kwestie van Samuel Beilers gedrag – riepen alleen maar meer vragen in hem op.

Toen ze uitgespeeld waren en Gant op het punt stond om weg te gaan, besloot David om een rechtstreekse vraag te stellen, waarvan hij hoopte dat die onbetekenend leek. Hij had met eigen ogen de pijn van zijn vriend gezien, zowel lichamelijk als emotioneel, en voelde zich genoodzaakt iets met betrekking tot de reden van die laatste soort te zeggen.

'Wat Rachel betreft', zei hij, zijn woorden zorgvuldig kiezend. 'Je hebt haar toch nog niet opgegeven, hè?'

De vraag verbaasde Gant duidelijk, maar hij antwoordde eerlijkheidsgetrouw: 'Als je wilt weten of ik nog steeds hoop heb dat er toch een toekomst voor ons is, dan nee. Waarom zou ik?'

'Daar kun je niet zeker van zijn. Er kunnen dingen gebeuren.'

Gant keek hem met een sceptische blik aan.

'Als er iets zou veranderen,' ging David verder, 'iets wat nu nog niet te voorzien is – zou je dan nog steeds met haar willen trouwen? Er is toch niets aan je gevoel veranderd?'

Gant wendde zijn blik af en haalde zijn schouders op. 'Nee, daar is niets aan veranderd', zei hij. 'En dat zal ook niet gebeuren. Ik zou zonder enige aarzeling met haar trouwen als dat kon.'

Hij draaide zich weer naar David toe. 'Maar ik vraag me *wel* af of ik er goed aan doe – zowel voor Rachel als mezelf – om hier te blijven. Het is moeilijk. Zo dicht bij haar zijn, maar haar nooit mogen zien, in elk geval niet alleen. Ik kan niet eens een vriend voor haar zijn, niet echt. Het is gewoon… *zwaar.*'

'Ik weet het', zei David zachtjes. 'Ik heb een tijd doorgemaakt – die heeft zelfs jarenlang geduurd – waarin ik vanaf een afstand van Susan hield, maar er nooit iets mee kon doen. Ik ben de frustratie en de boosheid niet vergeten.'

Er veranderde iets in Gants blik. 'Ja, dat is het – boosheid – de oneerlijkheid ervan! Soms word ik zo boos dat ik denk dat ik erin stik. Het zou zo niet moeten zijn! We zijn voor elkaar bestemd – dat *weet* ik gewoon.' Hij streek met een hand door zijn haar. 'Soms denk ik dat ik weg moet gaan om mijn gezonde verstand niet te verliezen. En misschien zou dat ook het beste voor Rachel zijn. Ze heeft ook nog steeds gevoelens voor mij, dat merk ik. Als ik gewoon weg zou gaan...'

Hij maakte zijn zin niet af.

Gant was niet het soort man dat getroost wilde worden met loze woorden. Maar impulsief legde David een hand op zijn arm en liet die toen weer zakken. 'Niet doen', zei hij. 'Niet weggaan. Nog niet.'

Gant keek hem aan. 'Het enige dat me hier houdt, is zij. Dat en het feit dat ik ooit tegen haar heb gezegd dat ik niet zou weggaan, dat ik nergens naartoe ging. Om eerlijk te zijn, weet ik ook niet of ik weg zou *kunnen* gaan. Maar soms denk ik dat ik dat zou *moeten* doen.'

'Luister naar me', zei David, die zich verplicht voelde om zijn zegje te doen. 'God heeft manieren om dingen te veranderen – zelfs levens. Hij kan dingen in een ogenblik wijzigen. We kunnen niet voorspellen wat Hij zou kunnen doen.'

Gant nam hem taxerend op. 'Wat probeer je te zeggen, Doc?'

'Alleen dit – als je van haar houdt, ga dan niet weg. Wacht.'

David wist niet waar die woorden vandaan kwamen. Hij was nooit een welbespraakte man geweest. Meestal hield hij zijn gedachten voor zich. Maar plotseling was het alsof er een woordenstroom uit hem kwam, woorden die hij niet van plan geweest was om uit te spreken, woorden waar hij tot dit moment zelfs niet aan gedacht had.

'Je hebt hier een leven opgebouwd, man. De mensen mogen je graag. Ze respecteren je. Je hebt vrienden, een bedrijf, je werk met de gevluchte slaven – je hebt nog meer redenen om te blijven dan alleen Rachel. Geef dit tijd. Vertrouw erop dat God Zijn wil voor jou en Rachel zal uitvoeren. Als jullie bij elkaar horen, dan zal Hij het op de een of andere manier laten gebeuren. Maar zelfs als jullie nooit samen zouden kunnen zijn, dan heb je hier een thuis, als je wilt. Doe geen overhaaste dingen. *Wacht.*'

Zodra hij zijn zegje had gedaan, kwam er een vreemd gevoel over hem, bijna een soort uitputting. Het was alsof de hele dag op een bepaalde wijze naar dit moment had geleid. En nu het moment voorbij was, was al zijn energie verdwenen.

Hij werd zich ervan bewust dat Gant hem nauwgezet gadesloeg. Hij voelde zichzelf lichtjes blozen vanwege die blik, maar toch wist hij dat hij alleen maar gezegd had wat nodig was geweest.

Het was een ongemakkelijk moment, dat uiteindelijk eindigde met een typisch grapje van Gant. 'Soms ben je een beetje maf, Doc', zei hij.

'Ja, dat heb ik wel eens eerder gehoord.'

'Ongetwijfeld. Nou, ik zal nadenken over wat je vanavond hebt gezegd.'

'Ik hoop het.'

'O, reken maar', zei Gant terwijl hij de deur opendeed. 'Weet je, ik heb gemerkt dat, zelfs als je een beetje maf doet, er meestal waarheid schuilt in wat je zegt.'

Na dat te hebben gezegd, stapte Gant naar buiten. Hij zwaaide nog een keer en begon het pad af te lopen om weg te gaan.

31

FLUISTERING
VAN GEHEIMEN

En de mensen hielden meer van de duisternis dan van het licht.

JOHANNES 3:19

N og lang nadat Gant het huis had verlaten, weigerden Davids gedachten hem enige rust te geven. Uiteindelijk maakte hij een kop koffie voor zichzelf, zette zijn stoel iets dichter bij de open haard en liet zijn gedachten de vrije loop terwijl hij in de vlammen staarde.

Van alle vervelende dingen die de afgelopen dag zijn aandacht hadden getrokken – waaronder zijn eigen zorgen om bisschop Graber en de lastige situatie waar de jonge Ellie Sawyer zich in bevond – zat Gants ontmoeting met Samuel Beiler hem het meest dwars.

Toen hij eerder vandaag over de bisschop nadacht, had hij datzelfde gevoel van afkeer gehad dat vaak naar boven kwam wanneer de naam van Beiler werd genoemd. Maar wat Gant had verteld over het bezoekje van de Amish diaken aan de werkplaats en de reden ervoor, had nog sterkere gevoelens in hem losgemaakt.

Hij verdacht Beiler al lang van gedrag dat hij, als dokter en als mens, verafschuwde. Het was voor David geen geheim, vooral in zijn functie als arts van de Amish, dat er zich in hun gemeenschap enkele mannen bevonden – hoewel het er naar zijn mening niet veel waren – die hun vrouwen en kinderen stelselmatig mishandelden en soms zelfs zo ver gingen dat ze hen sloegen. Over zulke zaken werd nooit gesproken, maar ze werden verhuld door een sluier van geheimzinnigheid.

Omdat de Amish zo'n geïsoleerde gemeenschap vormden en hun eigen problemen afhandelden in plaats van ermee naar de *Englische* autoriteiten te stappen, was een vorm van gedrag dat redelijk makkelijk te verbergen was. Maar het kon echter niet altijd verborgen blijven voor hun dokter. Tweemaal had David het belang dat de Amish aan privacy hechtten, getart en de mannen in kwestie geconfronteerd met de afschuwelijke behandeling van hun vrouwen en kinderen. In beide gevallen had hij met eigen ogen het bewijs van lichamelijke mishandeling aanschouwd en zijn mond eenvoudigweg niet kunnen houden.

In een geval geloofde hij dat zijn tussenkomst de man zo'n groot schaamtegevoel had gegeven dat de mishandelingen waren gestopt. In het andere geval was de man echter zo boos op David geworden dat hij hem niet langer toestond enig lid van zijn gezin te behandelen.

Hij had absoluut geen bewijs dat Samuel Beiler het soort man was dat zijn vrouw zou slaan. Maar in de jaren waarin hij Martha Beiler en hun kinderen als patiënten had gehad, had hij signalen opgevangen dat er iets niet klopte. Hij had over Martha horen zeggen dat ze de 'perfecte' Amish vrouw was, een voorbeeld voor de jongere vrouwen. Misschien wel, maar David had gezien hoe ze naar haar man keek en hoe ze terugdeinsde voor fysiek contact. En hoewel ze wellicht de perfecte vrouw was, had hij het vermoeden dat hun huwelijk niet zo perfect was geweest.

De bevallingen van hun twee jongste zoons waren een hels karwei geweest, nog verergerd door het feit dat Samuel erop had gestaan erbij aanwezig te zijn en de hele tijd met een frons had toegekeken.

Het was duidelijk geweest dat Martha hem er niet bij wilde hebben en hoewel David geen problemen had met de aanwezigheid van de meeste mannen tijdens een bevalling, was de realiteit dat de meeste mannen, waaronder de Amish, meestal uit de buurt bleven en het proces helemaal aan David en soms een vroedvrouw overlieten.

Hij had ook zijn twijfels bij Beilers relatie met zijn zoons. Zijn indruk van de jongste twee was dat ze zich als marionetten gedroegen als hun vader ergens in de buurt was. Wat de oudste betrof, die nu een jaar of zestien moest zijn en in zijn *rumspringa* zat, tja, David moest zich afvragen of hij zo'n geval was van de appel die niet ver van de boom valt. Van wat hij van de jongen had gezien, was het een nukkige knul. Er gingen ook geruchten dat hij een wilde was en nog wel eens uit zijn slof kon schieten.

Hoe dan ook, hij was altijd opgelucht geweest dat Susans Rachel niets van Samuels vleierij wilde weten. Hij hield van Rachel en respecteerde haar. Hij zou het verschrikkelijk hebben gevonden als ze een relatie met Beiler had gekregen en hij inderdaad was zoals David vermoedde.

Wat de reden ook was dat Beiler een geschenk voor Rachel bij Gant had besteld, het neigde naar territoriumdrang. En als dat Rachel niet woedend zou maken, zou ze zich er zeker voor generen.

Hij kon alleen maar hopen dat het zo ver niet zou komen. Misschien zou Beiler zich voor die tijd gaan realiseren hoe dom het van hem zou zijn om te proberen aanspraak te maken op een vrouw die hem niet wilde.

De hele zaak met Beiler, Gant en Rachel deed hem denken aan een spin die zijn prooi verblindt – gevangen door heimelijkheid en een web van misleiding, waardoor het moeilijk, zo niet onmogelijk, werd om een open confrontatie aan te gaan.

Hij huiverde en kwam abrupt overeind. Al dat gepieker bewees alleen maar dat Susan gelijk had. Hij maakte zich te veel zorgen over zijn patiënten en andere dingen. Hij moest leren om minder na te denken en zich meer te ontspannen.

Hij zou er vanavond mee beginnen door naar bed te gaan en zichzelf niet nog meer van streek te maken. Met Gods wil zou een goede nachtrust ervoor zorgen dat hij de dingen morgen weer heel anders zag.

Bovendien verminderde het misschien de bonzende hoofdpijn die eerder die avond was komen opzetten.

32

EEN PROBLEEM
OPGELOST

Hij wringt niet in zijn handen,
Zoals die dwaze mannen doen,
Die proberen de onnozele hoop
In de grot der wanhoop te lokken.

OSCAR WILDE

G ant was van plan een week te wachten voordat hij Terry Sawyer zou confronteren met de mogelijkheid van zijn vertrek uit Riverhaven. Maar toevallig was Terry hem voor, nog voordat hij de kans had gehad om iets te zeggen.

Op vrijdagochtend, voordat de werkplaats openging, kwam Sawyer naar het magazijn waar Gant verf zat te mengen. 'Kapitein?' zei hij vanaf een afstandje, met zijn handen achter zijn rug. 'Heeft u een momentje voor me?'

Gant keek naar hem op. Toen hij de uitdrukking op het gezicht van de man zag, deed hij het verfblik dicht en antwoordde: 'Ja.' Hij was er vrij zeker van wat er ging komen en was blij dat hij had gewacht. Hij had gehoopt dat Sawyer als eerste bij hem zou komen, voordat hij het onderwerp zelf hoefde aan te snijden.

De jongere man leek nerveus. Hij stond een paar keer van zijn ene op zijn andere voet te wippen voordat hij ter zake kwam. 'Ellie en ik hebben gepraat,' zei hij zonder Gant recht aan te kijken, 'en we hebben besloten dat ik alvast naar Indiana moet gaan en niet langer moet wachten.'

Gant veegde de verfstok af en legde hem op tafel. 'O, ja? Heb je dat samen met Ellie besloten?'

'Ja, meneer. Het lijkt om meerdere redenen verstandig om te doen.'

Gant bleef hem aankijken totdat Sawyer zijn blik uiteindelijk beantwoordde. 'Waarom eigenlijk?'

'Hoe bedoelt u?'

'Waarom denk je dat het beter is om nu weg te gaan dan om te wachten?'

'O – nou, in de eerste plaats is het bijna winter en ik moet in elk geval begonnen zijn aan een huis voordat het weer omslaat. Mijn oom Norman zegt dat het in Indiana streng kan vriezen.'

'Dat kan hier in Ohio ook gebeuren, jongen, en je laat je vrouw en baby dan wel alleen achter.' Gant wist dat hij kortaf klonk, maar hij had weinig zin om op dat moment aardig tegen de jonge Sawyer te zijn.

Sawyer keek naar de grond. 'Dat weet ik. Maar het is beter voor Ellie en Naomi Fay om nu hier te blijven.'

'Wanneer ben je van plan te vertrekken?'

'Nou, meneer, als u het zonder me redt, dan wil ik over een paar dagen weggaan. Hoe eerder ik vertrek, hoe sneller ik dingen voor ons in orde kan maken en terugkomen voor Ellie en de baby – voordat het echt winter wordt.'

Had hij gelijk? *Was* het dom om nog langer te wachten en het risico te lopen dat ze in slecht weer moesten reizen?

'Kun je niet in elk geval wachten totdat Gideon terug is? Je hebt zelf gezien dat ik iemand nodig heb om me in de werkplaats te helpen.'

De jongen had in elk geval het fatsoen om een gevoel van schaamte te tonen.

'Dat weet ik, meneer, en het spijt me – echt waar. U bent heel erg goed voor ons geweest en ik vind het vreselijk om het u zo lastig te maken. Maar kapitein, ik denk toch dat dit het beste voor mijn gezin is. En als u denkt dat ik de zorg voor hen aan anderen overlaat,' voegde hij er haastig aan toe, 'dat is niet zo. We hebben elke cent die we konden missen gespaard en met het loon dat ik vandaag nog krijg, redden we het wel een tijdje. Mijn oom zegt dat hij me zal helpen als ik daar eenmaal ben, zodat ik Ellie geld kan sturen totdat ik haar en de baby kom halen.'

Gant wuifde zijn woorden weg. 'Het is niet het onderhoud van je gezin dat me zorgen baart', zei hij. 'Ik ben geen expert op het gebied van vrouwen, maar volgens mij is het zwaar voor een jonge moeder om in een onbekende stad met een baby en zonder man achter te blijven. Wat als er een noodgeval is, jongen? Wat als een van hen ziek wordt of er een ongeluk gebeurt en jij in een andere staat bent? Heb je daar over nagedacht?'

Sawyer was duidelijk geïrriteerd. 'Natuurlijk, kapitein. Ik weet dat dit niet gemakkelijk zal zijn voor Ellie en ik weet dat er dingen kunnen gebeuren. Maar ik denk toch dat dit beter voor hen is dan nu te moeten reizen.'

'Dat is het punt niet, man!' Gant had onmiddellijk spijt van de felheid van zijn stem, maar het was noodzakelijk dat Sawyer alle kanten inzag van wat hij van plan was te doen. Zijn daden hadden niet alleen invloed op hemzelf. 'Waarom moet je *nu* weg? Waarom kan het niet wachten?'

Hij had de ander duidelijk beledigd. Sawyers gezicht werd rood en hij stak zijn kin in de lucht. 'Ik dacht dat ik dat al had uitgelegd, meneer. Als we wachten tot de kans op slecht weer voorbij is, dan betekent dat nog vijf maanden hier blijven! We willen doorgaan met ons leven, kapitein.'

Doorgaan met *zijn* leven, misschien. Maar Gant was er niet zo zeker van of Ellie Sawyer niet liever had gewild dat de toekomstplannen even op de lange baan werden geschoven.

Hij wist echter dat het verspilde moeite was om nog meer te zeggen. Sawyers uitdrukking was onverbiddelijk geworden bij zijn laatste woorden.

'Goed dan', zei hij schouderophalend. 'Je kunt je loon aan het einde van de dag komen ophalen.'

Sawyers gezicht lichtte op. 'Weet u dat zeker, meneer? Vindt u dat echt goed?'

Gant begon hem zat te worden en wilde het gesprek beëindigen, voordat hij iets zou zeggen waar hij spijt van kreeg. 'Als je wilt weten of ik zeker weet dat je het beste voor je gezin doet – nee, daar ben ik helemaal niet zo zeker van. Maar je moet doen wat je zelf denkt dat goed is en ik merk dat je niet overtuigd kan worden. En nu moeten we allebei aan het werk.'

Toen draaide hij zich om en begon zonder nog een woord te zeggen naar de deur van zijn werkplaats te lopen.

Dit was niet gegaan zoals hij had gehoopt. Hij was van plan geweest om Sawyer om te praten, om hem in te laten zien dat het geen goede situatie was om zijn jonge vrouw in achter te laten. Hij had gehoopt op een amicale discussie waarna de jongere man zijn plannen zou wijzigen.

Blijkbaar was Ellie Sawyer verbazingwekkend eerlijk geweest toen ze het tegen Doc Sebastian over de 'zwerflust' van haar man had gehad, hoeveel moeite hij ermee had om langere tijd op een plaats te blijven en zijn verlangen om zo snel mogelijk naar Indiana door te reizen. Toch had Gant gedacht – ten onrechte, zo bleek nu – dat hij hem er misschien van kon overtuigen om te wachten, dat Sawyer uiteindelijk zijn vrouw en baby op de eerste plaats zou zetten, voor zijn eigen verlangens.

Met tegenzin gaf hij aan zichzelf toe dat de man zichzelf er waarschijnlijk van had overtuigd dat hij dat ook deed. En misschien was dat wel waar. Wie was *hij* om te oordelen over de beslissing van een andere man over wat het beste voor zijn vrouw en kind was?

Het was ten slotte niet alsof hij enige ervaring op dat gebied had of daar *waarschijnlijk* ooit ervaring mee zou krijgen.

Twee dagen nadat Terry Sawyer uit Riverhaven was vertrokken, ging Gant schoorvoetend naar mevrouw Sawyer – schoorvoetend omdat hij niet goed wist wat hij moest verwachten of zou moeten zeggen.

Als hij nerveus gejammer had verwacht, dan kwam hij bedrogen uit. Ellie Sawyer liet hem met een glimlach binnen – een beetje geforceerd, dacht hij, maar ze was in elk geval niet in tranen. De baby lag tegen haar schouder aan en ze klopte het meisje op haar rug terwijl ze elkaar begroetten.

Ze vroeg hem om te gaan zitten, maar Gant weigerde, nog steeds niet op zijn gemak over de reden van zijn bezoek. 'Ik moet terug naar de werkplaats', zei hij verontschuldigend. 'Ik wilde alleen even komen kijken hoe het met jullie gaat.'

Ze legde haar wang op het hoofdje van de baby en liep naar het raam. 'Terry heeft u zonder hulp achtergelaten. Het spijt me van alle problemen, kapitein.'

Hij wuifde haar verontschuldiging weg. 'Zo'n groot probleem is het niet, mevrouw Sawyer.'

'*Ellie*', viel ze hem in de rede. 'Alstublieft.'

'Hoe dan ook,' zei hij, 'als het erg druk wordt, hang ik gewoon het bordje met *gesloten* voor de deur en ga ik een stukje wandelen om even bij te komen. De meeste mensen hier zijn vrij geduldig.'

'Iedereen die ik heb ontmoet, is heel aardig geweest', zei ze. 'Ik zou het niet erg hebben gevonden om hier voorgoed te blijven, maar Terry wil heel graag zijn eigen boerderij hebben en dicht bij zijn oom wonen.'

Gant werd opnieuw geraakt door Ellie Sawyers jeugdige uiterlijk.

Zoals ze daar bij het raam stond en haar haren goud oplichtten in de middagzon, kon ze makkelijk voor een schoolmeisje doorgaan.

Afgezien van de baby in haar armen – een herinnering aan de reden van zijn komst.

'Mevrouw Sawyer...'

'Ellie', bracht ze hem in herinnering.

Hij glimlachte een beetje. 'Ellie – ik wilde alleen weten of alles goed gaat met jou en de baby. En ik wilde je ook vertellen dat als je iets nodig hebt, wat dan ook, je dat me moet laten weten.'

Ze glimlachte naar hem terug, terwijl ze de kleine Naomi Fay op de rug bleef kloppen en het kindje zachte geluidjes tegen haar schouder maakte. 'Heel erg bedankt, kapitein. U bent heel aardig. Maar we redden het vast wel. Mevrouw Haining bood me vanmorgen zelfs iets aan waar wij allebei mee geholpen zijn.'

'O?'

'Ze heeft het druk hier, zoals u vast wel weet, met het pension en het restaurant.'

Gant knikte.

'Ik ga haar helpen in de keuken en misschien zelfs met bedienen als het erg druk is. Daar heeft ze me een klein loon voor aangeboden – en onze kost en inwoning gratis.'

'Zo, dat is goed nieuws! Echt goed. Voor jullie *allebei*. Mara Beth heeft al maandenlang hulp nodig, maar ze heeft nooit iemand kunnen vinden.'

'En wat nog beter is, ik kan Naomi Fay bij me houden. Mevrouw Haining zegt dat ik een plekje achter in de keuken voor haar kan maken, zodat ik haar tijdens het werk bij me heb. Klinkt dat niet perfect?'

'Absoluut... Ellie. En je zult het vast prettig vinden om voor Mara Beth te werken. Het is een aardige vrouw. Ze zal je niet slecht behandelen.'

'O, dat weet ik wel zeker! En ze is stapelgek op Naomi Fay. Ze lijkt zo van haar te genieten. Wat jammer dat ze zelf geen kinderen heeft.'

'Nou, ik moet zeggen dat dit een prima oplossing voor jullie allebei lijkt. Ik moet gaan, maar vergeet niet wat ik heb gezegd. Als je iets nodig hebt, laat het me weten.'

'Dank u, kapitein. Ik denk dat we het prima zullen redden, maar ik hoop dat u af en toe langs blijft komen. En ik hoop ook dat het vertrek van Terry het u niet al te lastig heeft gemaakt.'

Gant wuifde terwijl hij naar de deur liep. 'Het komt allemaal wel goed. Gideon en Asa komen vast snel terug, dan heb ik weer meer dan genoeg hulp.'

Gant verliet het pension een stuk opgewekter dan toen hij aankwam. Ellie Sawyer was bijna voortdurend in zijn gedachten geweest sinds haar man uit de stad was vertrokken. Hij had gepiekerd hoeveel hulp hij aan kon bieden zonder dat het ongepast was en zonder dat hij haar trots krenkte. Nu leek het erop dat Mara Beth Haining het probleem al voor hem had opgelost.

Het voorstel van Mara Beth zou Ellie Sawyer in staat stellen grotendeels in haar eigen onderhoud te voorzien. Hij zou natuurlijk evengoed op haar en de baby blijven letten. Als jonge vrouw en moeder zou ze zich ongetwijfeld wel eens eenzaam voelen totdat haar man terug was. Maar bezig blijven, zou al helpen om het minder zwaar te maken.

Hier was in elk geval een probleem opgelost.

Konden de andere zaken die zwaar op hem drukten maar half zo efficiënt worden afgehandeld.

Bij die gedachte bracht hij zichzelf in herinnering niets als vanzelfsprekend te beschouwen. Het was zijn ervaring dat op momenten waarop alles verrassend goed leek te gaan, vaak juist ook dingen mis gingen.

Hij zuchtte en hoopte oprecht dat dit niet een van die momenten was.

33

NAAR HUIS GAAN

Zolang er huizen zijn waar mannen naar terugkeren
Aan het einde van de dag;
Zolang er huizen zijn waar kinderen zijn,
Waar vrouwen wonen...
Als liefde, loyaliteit en geloof te vinden zijn
Achter die drempels...
Kan een verwoeste natie herstellen
Van de grootste rampen.

GRACE NOLL CROWELL

E r hing een dichte mist over het land en de nacht was kil en vochtig, doordrongen met de geur van brandhout als ze onderweg boerderijen tegenkwamen.

Nu al hun passagiers veilig aan de volgende conducteur in Canton waren overgedragen – allemaal behalve de opstandige Micah, die er op eigen houtje vandoor was gegaan toen ze zich in de bossen hadden verborgen – waren Gideon en Asa weer op weg naar huis.

'Gaan we het halen, Asa?'

Asa trok een wenkbrauw op en draaide zich naar hem toe. 'Ben je altijd zo ongeduldig, jonge Gideon?'

'Alleen als mijn moeder gaat trouwen en ik zo ver van huis ben.'

Asa knikte. 'Ik neem aan dat dat een legitieme reden is. Heb ik niet gezegd dat we op tijd terug zullen zijn voor de bruiloft?'

'Jawel, maar dat was voordat we vast kwamen te zitten voordat we Canton hadden bereikt.'

'Wel, we zijn nu onderweg.'

'Maar ik zie niet in hoe we op deze snelheid ooit op tijd terug kunnen zijn voor de bruiloft.'

Asa schudde zijn hoofd. 'Ik had niet gedacht dat je zo'n piekeraar was.'

Ze reden enkele minuten in stilte verder, totdat er opnieuw iets in Gideon opkwam. 'Ik neem aan dat je niet een van de paarden los wilt maken om me de rest van de weg alleen te laten rijden. Dan zou ik er waarschijnlijk maar half zo lang over doen.'

Asa leek het te overwegen. Maar niet lang. Hij schudde nogmaals zijn hoofd. 'Dat kan ik niet doen. De kapitein zou woest zijn. Ik ben verantwoordelijk voor je.'

'Niemand behalve ikzelf is verantwoordelijk voor me', kaatste Gideon terug. 'Ik ben geen kind meer.'

Asa wreef over zijn kin. 'Ik vraag me af hoe vaak je me daar op deze tocht aan hebt herinnerd.' Hij zuchtte. 'Ik weet dat je geen kind meer bent. Maar dit is de eerste keer dat je met passagiers hebt gewerkt. Zeg het maar als ik het verkeerd heb, maar ik vermoed dat je zelfs nog nooit buiten Riverhaven bent geweest, in elk geval niet ver.'

'Ik ben eens een keer in Columbus geweest.'

Asa's mond vertrok tot een glimlach. 'Je bent in elk geval eerlijk.'

'Ik kan de weg terug best vinden. Ik zou de kaart die je achterin hebt liggen mee kunnen nemen. Die heb jij waarschijnlijk niet nodig.'

Toen Asa geen antwoord gaf, drong Gideon aan. 'Ik kan goed rijden. Ik rijd al paard sinds ik nog maar net kon lopen.'

Asa wierp hem een sceptische blik toe.

'Nou, ik was niet zo *heel* veel ouder, denk ik. Kom op, Asa. Je hebt niet beide paarden nodig om een lege wagen te trekken.'

Asa antwoordde nog steeds niet, dus probeerde Gideon het opnieuw. 'Ik heb alleen de kaart en het paard maar nodig. Ik red me wel.'

Maar terwijl hij hem probeerde over te halen, merkte hij dat Asa niet warmliep voor het idee. En Gideon had in de tijd die ze samen hadden doorgebracht, geleerd dat het niet veel zin had om te proberen hem om te praten als Asa een beslissing had genomen.

Toch besloot hij het niet op te geven. Hij zou hem even de tijd geven om erover na te denken. Misschien veranderde hij zelf nog wel van gedachten.

⁂

Gideon begon net in te dutten toen plotseling twee mannen op paarden tussen de bomen voor hen vandaan kwamen, die de paarden lieten schrikken en hen de weg versperden. Hij schrok op toen de wagen plotseling vaart verminderde en de paarden hinnikten, en hapte naar adem. 'O, nee! Wat is dit?'

'Dat weet ik niet,' zei Asa zachtjes, 'maar het ziet er niet goed uit. Gelukkig hebben we de passagiers al afgeleverd. Maar blijf op je hoede.'

Achter hen begon Mac te grommen, maar Asa maande hem tot stilte.

'Asa – kijk daar!'

Er was nu nog een man te zien. Hij schuifelde achter het tweetal aan, vastgebonden aan een van de paarden. Zijn handen en voeten waren geketend en rond zijn nek zat een ijzeren kraag. Zijn shirt was bijna helemaal doormidden gescheurd.

'Het is Micah!' fluisterde Gideon. 'Ik heb hem nog geprobeerd te waarschuwen! Ik zei dat hij bij de anderen moest blijven.'

Er was geen tijd om nog meer te zeggen. De mannen bleven op hun paarden zitten wachten tot Asa de wagen volledig tot stilstand had gebracht.

Mac stond rechtop, met gespitste oren, een dikke staart en nog steeds heel zachtjes grommend. Gideon greep de halsband van de hond en hield hem daaraan vast. 'Blijf hier, Mac', waarschuwde hij. Terwijl ze stilstonden, wendde de slaaf, Micah, zich tot hen met een blik van herkenning. Hoewel de jongen nog steeds doordrongen leek te zijn van boosheid en minachting, dacht Gideon ook een zweempje angst in hem te zien.

'Deze twee heb ik eerder gezien', fluisterde Asa zachtjes. 'Slechtere mannen bestaan niet.'

Beide mannen op de paarden waren vies. Een was gezet en had een slonzige baard en handen als kolenschoppen. De ander, die een lamp droeg, had een smal, wezelachtig gezicht. Lang, ongekamd en vettig haar viel langs zijn gezicht vanonder een grote hoed die bedekt was met een stoflaag. Zijn gezicht stond grimmig. Gideon wist dat het feit dat hij geen pistool in handen had, niet betekende dat hij er geen een bij zich had.

Iets in de blik van de man voorspelde gevaar.

❧

Er was geen tijd geweest om te reageren. Nu Asa tegenover dit tweetal stond, werd hij vervuld met de verlammende zekerheid dat dit niets dan problemen voor hemzelf en Gideon betekende. Hij was ooit eerder ternauwernood aan hen ontsnapt in de buurt van Uhrichsville, drie jaar geleden. Hij en de kapitein waren te paard geweest, met een gevluchte slaaf en zijn zoon achter hen in het zadel. De kapitein had hen net op tijd in de gaten gekregen. Ze waren van de weg af gereden en hadden zich in de bossen verstopt totdat ze voorbij waren.

Dit waren dezelfde slavenjagers, daar was hij van overtuigd. De kapitein had hen 'Kanakenjagers' genoemd. Ze zouden iedereen met een donkere huid vangen – bevrijde mannen als hijzelf, vrouwen en kinderen, jong en oud. De wet betekende helemaal niets voor hen. Ze zouden geen seconde aarzelen om een man op te pakken die al zijn hele leven vrij was en hem aan zijn haren naar de dichtstbijzijnde veiling slepen.

Het waren misdadige, verachtelijke mannen, die kostte wat kost vermeden moesten worden.

En nu stonden ze hier, voor hen.

Hij moest ervoor zorgen dat de jongen naast hem niets doms zou doen en gewond raakte – en tegelijkertijd het heethoofd Micah helpen ontsnappen.

Maar hoe?

'Zo, jongens', zei de dunne man met het lange grijze haar. 'Waar gaan jullie naartoe?'

Hoewel het Asa razend maakte, hield hij zijn hoofd eerbiedig omlaag toen hij antwoordde. 'Gewoon naar huis, m'neer, waar we wonen.'

'En waar is dat *thuis?*'

'Gewoon aan de andere kant van Uhrichsville, m'neer.'

'Hoe heet *jij?*' De man wees met zijn vinger naar Gideon.

'Ik?'

Alsof de jonge Gideon direct had begrepen wat Asa wilde – wat ze *moesten* doen – deed hij net alsof hij een niet al te pientere jongeman was. Zelfs zijn stem veranderde. 'Nou, ik ben Gideon Kanagy. En dit hier,' zei hij, wijzend op Asa, 'is de opzichter van mijn vader. We hebben net een deel van onze oogst naar Canton gebracht.'

De gezette man met het pistool sneerde: 'Heb jij er ooit van gehoord dat een slaaf een opzichter was, Herb?'

'Nog nooit, Rusty.'

'O, Asa is geen slaaf, meneer', haastte Gideon zich te zeggen. 'Hij is een vrij man.'

'Een vrij man, hè?' zei degene die Rusty heette. 'Hebt u papieren, meneer de *Vrije Man?*'

'Papieren – o, ja, m'neer. Die heb ik.'

'Nou, kom dan van die wagen af en laat ze aan me zien!'
De stevige man wierp een blik op zijn partner – *Herb*.

Asa treuzelde even door te doen alsof hij zijn zakken doorzocht, hoewel hij al wist dat ze niet echt geïnteresseerd waren in zijn papieren.

'Ik zei *hier komen!* Jullie allebei!'

De bebaarde man richtte zijn pistool op Asa, die grijnsde en met zijn papieren zwaaide terwijl hij uit de wagen klom.

⠀⠀⠀⠀⠀⠀⠀⠀⠀⠀⠀⠀⠀⠀⠀⠀*∾*

Terwijl hij de man met het pistool vanuit zijn ooghoek in de gaten hield, nam Gideon er de tijd voor om uit de wagen te klimmen. Zodra hij de grond raakte, deed hij net of hij struikelde en op zijn knieën terechtkwam, waarbij hij de grond met beide handen vastpakte alsof hij zijn evenwicht probeerde te hervinden.

Hij vond twee grote, scherpe stenen die hij in beide handen pakte. Met een ruk draaide hij zich om naar de man met het pistool en wierp de grootste in de richting van zijn hoofd, direct gevolgd door een worp vlak voor het paard om het dier te laten schrikken.

De man brulde en greep met zijn vrije hand naar zijn hoofd. Het paard steigerde en wierp hem op de grond, hard genoeg om het wapen uit zijn greep te slaan. Toen stormde het dier weg, stampend op de grond.

Asa dook weg voor het pistool en pakte daarbij zelf een steen op en wierp die naar dezelfde man, die nu op de grond lag.

Op dat moment zag Gideon Asa naar voren duiken en het pistool grijpen. Hij richtte hem op de man op de grond.

In de tussentijd was de grijsharige 'Herb' afgestegen van zijn paard. Hij rechtte zijn rug en draaide zich naar Gideon toe, die ditmaal een steen in *zijn* richting slingerde. Hij miste, maar op dat ogenblik sprong Mac uit de wagen en viel de man aan, grommend en blaffend alsof hij dol was geworden. Met een sprong sloeg de hond de man tegen de grond, waar hij kreunend bleef liggen.

Asa wierp hen een blik toe en schreeuwde: '*Houd vast,* Mac! *Houd vast!'*

Mac zette zijn grote poten op de smalle borstkas van de man en bleef staan.

Het paard van de magere man schrok echter van de chaos en deinsde steigerend achteruit. Gideon hoefde maar een blik op de wilde ogen van het beest te werpen om te weten dat hij elk moment op hol kon slaan – waarbij hij Micah, die nog steeds aan het dier vastgeketend was, met zich mee zou sleuren. De jongen zou ernstig gewond kunnen raken, of het zelfs niet overleven.

Hij *moest* ervoor zorgen dat dat paard niet zou vluchten.

Impulsief sprong hij op de weg, in de baan van het dier, maar met zijn rug ernaartoe. Met een arm langs zijn zij en de andere hand achter zich, begon hij langzame, kleine stapjes naar voren te zetten, waarbij hij zachtjes bleef praten, alsof hij het tegen een kind had.

Toen hij besefte dat het paard tot rust gekomen was en hem voorzichtig volgde, haalde hij diep adem en begon nog langzamer te lopen, totdat hij stilstond. Met een zucht van verlichting strekte hij zijn hand uit, met de palm omlaag, om het dier aan hem te laten snuffelen. Toen pas pakte hij behoedzaam het halster van het paard.

Hij wachtte nog even tot hij er zeker van was dat het dier stil zou blijven staan en maakte vervolgens Micah los van het touw waarmee hij aan het paard was vastgebonden. Toen liep hij naar de wagen om nog een stuk touw te pakken, zodat hij het beest aan een boomstronk kon binden.

Asa hield de man op de grond nog steeds onder vuur – die versuft maar wel bij bewustzijn was – dus bond Gideon hem eerst vast. Daarna bevrijdde hij Mac van zijn greep op 'Herb' en bond ook zijn handen en voeten achter hem vast.

Asa liep van de een naar de ander, op zoek naar de sleutel van Micahs ketenen. Toen geen van beiden een woord wilde zeggen, stuurde hij Mac eerst op de een af, toen op de ander. Er was niet lang voor nodig voordat Mac met zijn ontblote tanden voor het gezicht van de dunne man hem had overgehaald om te praten.

Asa maakte de ketenen van Micah zo behendig los dat Gideon vermoedde dat hij dit al eerder moest hebben gedaan. Plotseling kwam er een beeld van een geketende Asa zelf in hem op, maar die gedachte zette hij snel van zich af.

Gideon kon zich eenvoudigweg niet voorstellen dat Asa – ongetwijfeld een van de meest eerzame mannen die hij ooit had ontmoet – geketend was. Alleen de gedachte was op de een of andere manier al obsceen.

Hij schrok op uit zijn gedachten van Micahs stem. 'Meneer Gideon?'

Hij keek hem aan. 'Micah?'

'Ik... ik ga er maar snel vandoor. Maar ik wilde u bedanken. Ik had moeten...' Hij stopte. Hoewel de jongen bijna leek te stikken in zijn woorden, had hij een blik in zijn ogen die Gideon nog niet eerder had gezien. Hij keek Gideon aan alsof hij... wat? Zich wilde verontschuldigen?

Om de een of andere reden kon Gideon een glimlach niet bedwingen. Hij dacht te weten wat de jongen probeerde duidelijk te maken en begreep zelfs waarom het moeilijker voor hem was om te zeggen. 'Ik weet het.' Hij zweeg even. 'Je mag met ons mee teruggaan, als je wilt.'

Micah schudde zijn hoofd. 'Het is daar nergens veilig – niet voor mij.'

Asa, die naar de wagen was gegaan en nu terugkwam, sloot de afstand tussen hen. 'Helaas heb je gelijk, jongeman. Het is het veiligst voor je als je naar het noorden gaat. Je kunt hier stoppen.' Hij gaf Micah een vel papier. 'Daar kun je wachten op de volgende conducteur, zodat je niet alleen hoeft te gaan. Zeg tegen hem dat je een vriend van een vriend bent. Meer hoeft hij niet te horen. Je kunt deze man vertrouwen.'

Nadat hij hem het vel papier had gegeven, gaf Asa hem ook nog een overhemd en een deken uit zijn eigen knapzak. 'En denk er de volgende keer om – niet zo ongeduldig zijn.'

'Nee, ik zal het onthouden. Dank u wel. Dank jullie wel.'

Toen Micah de bossen in was gerend, sloeg Asa Gideon op de schouder. 'Klaar om naar huis te gaan?'

Gideon gebaarde naar de twee mannen die vloekend op de grond lagen terwijl Mac tussen hen in bleef staan, alsof hij de wacht hield. 'Wat moeten we met hen doen?' vroeg hij.

Asa draaide zich naar hen om. 'Wat denk jij dat we zouden moeten doen?'

Gideon wierp hen nog een blik toe en wendde zich weer tot Asa. 'Niets', zei hij. 'Helemaal niets.'

'Daar ben ik het mee eens. Er zal wel iemand langskomen die hen vindt. Uiteindelijk.'

Gideon liep naar het paard dat hij had vastgebonden. Hij liet het dier vrij en riep het na: 'Je verdient beter dan die twee. Ga je vriend maar zoeken!'

Terwijl ze naar de wagen liepen, zei Asa: 'Wil je nog steeds op een van de paarden naar huis rijden om eerder terug te zijn?'

Gideon dacht erover na. 'Ik denk het niet. Als jij zegt dat we op tijd terug zijn voor de bruiloft, dan is dat goed genoeg voor me. Ik leg deze tocht liever niet alleen af.'

Asa glimlachte en bleef lopen, met Mac in zijn kielzog.

34

WAAR GENADE IS

Uit zijn overvloed zijn wij allen met goedheid overstelpt.

JOHANNES 1:16

Niet lang nadat David Sebastian zijn geloften had afgelegd aan de Amish kerk en zijn bekering volledig was, werd het huwelijk tussen hem en Susan publiekelijk aangekondigd. Omdat hij het zo druk had, gingen de dagen over het algemeen snel voorbij voor hem. Maar de laatste tijd leken ze zich voort te slepen – ongetwijfeld omdat hij zo naar het einde van zijn leven als vrijgezel uitkeek.

Over minder dan twee weken zou hij weer een getrouwd man zijn en dat kon voor hem niet snel genoeg gaan! Maar toch had hij het nare voorgevoel dat de dagen voor de bruiloft echt voorbij zouden kruipen.

Hij had natuurlijk zijn patiënten, zijn werk en zijn vrienden. Eigenlijk had hij het meestal te druk om zich eenzaam te voelen. Maar de ochtenden leken altijd te stil en de nachten te lang zonder een speciaal iemand om ze mee te delen.

Die *iemand* was natuurlijk Susan.

Hij kon zich de eerste keer niet herinneren dat hij was gaan beseffen dat hij verliefd was op de knappe weduwe van Amos Kanagy. Misschien had hij het lange tijd onbewust ontkend voordat hij zichzelf had gedwongen de waarheid in te zien. Toen had de situatie nog onmogelijk geleken, omdat Susan Amish was. Hoewel hij al jarenlang de dokter – en een vriend – van de Amish uit Riverhaven was, was hij soms nog steeds een 'buitenstaander' geweest. Omdat de Amish niet buiten hun gemeenschap trouwden, had elke kans op een toekomst met Susan hopeloos geleken.

En kijk nu eens wat God had gedaan. Zijn eigen hart, dat al lang in overeenstemming was met de leefwijze van de Amish, was op elke mogelijke manier een van hen geworden. Hij had die levensveranderende bekering ondergaan en nu gingen Susan en hij trouwen. Om op zijn leeftijd voor de tweede keer liefde te vinden – wat een ongelooflijk geschenk! Wat een zegening. Wat een genade!

Op deze typische novemberavond, kil en guur met de dreiging van regen voor de ochtend, wilde hij net zijn kantoor afsluiten en avondeten voor zichzelf gaan maken. Eén ding dat hij zeker niet zou missen, was zijn eigen kookkunst. Uit pure noodzaak had hij geleerd om voor zichzelf te zorgen, maar hij had geen enkel kooktalent en dat wist hij. Hij had er ook een hekel aan om alleen te eten, hoewel hij er inmiddels aan gewend was geraakt.

Maar Susan kon verrukkelijk koken. Hij plaagde haar soms dat haar kookkunst hem ervan had overtuigd met haar te willen trouwen. Om eerlijk te zijn was alleen al bij haar aan tafel zitten, al haar bewegingen gadeslaan en tijd met haar doorbrengen – elk moment met haar was een geschenk voor hem en dat was niet overdreven. Hij was dan misschien van middelbare leeftijd, maar hij was stapelverliefd en het kon hem niet schelen wie dat wist.

Hij zuchtte en wilde dat hij nu bij haar kon zijn.

Nou, waarom kon dat eigenlijk niet?

Ze waren tenslotte verloofd en stonden op het punt te gaan trouwen. Zelfs de jonge Amish stelletjes mochten op dit punt in hun relatie alleen met elkaar zijn, dus waarom zou dat niet gelden voor hem en Susan?

Laat dat eten maar. Hij wilde veel liever tijd met zijn aanstaande bruid doorbrengen dan een koude maaltijd eten. Hij zou zich even opfrissen en op pad gaan.

Hij wilde net de lamp doven toen iemand op de deur klopte. Hij zuchtte diep. Meestal vond hij het niet erg om 's avonds nog een patiënt te hebben, maar nu had hij net naar Susan willen gaan en was hij ongeduldig om weg te kunnen.

Maar hij zou geen patiënt negeren, dus liep hij naar de deur en deed open. Tot zijn verbazing stond Noah Graber daar, de zoon van de bisschop. Zijn wagen was aan het einde van het pad naar het huis geparkeerd.

'Noah? Wat is er aan de hand?'

'Kan ik u even spreken, Doc?'

'Natuurlijk. Kom binnen.'

Met zijn hoed in de hand stond de zoon van de bisschop in Davids kantoor en hij leek zich slecht op zijn gemak te voelen. David had Noahs vrouw en sommige van hun kinderen behandeld, maar Noah zelf nog nooit, die een schoolvoorbeeld van een gezonde Amish boer was. Hij moest zich wel erg beroerd voelen.

'Pap vroeg me of ik bij u langs wilde gaan, Doc. Hij voelt zich vandaag niet zo *gut.*'

Noah Graber was blijkbaar vergeten dat David het Amish *Deitsch* al voor zijn bekering had geleerd, want hij begon direct Engels te spreken.

'Wil je dat ik vanavond bij hem langsga?' vroeg David.

'Nee. Ik geloof dat het wel gaat – het is maar een griepje. Maar pap wilde je laten weten dat hij een andere bisschop heeft gevraagd – bisschop Schrock – om zijn plaats op jullie bruiloft in te nemen. Hij weet niet of hij er zelf toe in staat zal zijn.'

David keek de jongere man onderzoekend aan. 'Wat is er aan de hand, Noah?'

Er verscheen een treurige uitdrukking op het gezicht van de man.

'Pap is zichzelf niet meer, Doc. Hij voelt zich vaak niet goed en hij kan ook niet meer zo goed nadenken. Het is alsof hij dingen door elkaar haalt. Soms denkt hij zelfs dat het nacht is, terwijl het allang ochtend is. Gisteravond zei hij nog dat hij er niet altijd meer helemaal bij is, dat hij misschien niet veel langer bisschop kan zijn.'

David keek hem verbaasd aan. 'Zei je vader dat?'

Noah knikte. 'Ja. Om eerlijk te zijn, Doc, maken we ons ernstig zorgen over hem.' Hij zweeg even. 'U was een paar weken geleden nog bij hem. Hoe vond u dat hij toen was?'

Doc koos zijn woorden zorgvuldig. 'Ongeveer zoals jij omschrijft. Je vader is lichamelijk niet in orde – dat komt gedeeltelijk door zijn diabetes, en hij *is* al op leeftijd. Ik zou zeggen dat hij geestelijk ook achteruitgaat. Ik wilde mijn zorgen met je bespreken, maar ik ben blij dat je vader me voor is geweest. Ik geloof dat het een goed teken is dat hij erkent dat hij een probleem heeft. Dat maakt het makkelijker voor mij om er met hem over te praten.'

Noahs gezicht betrok nog meer. 'Hij gaat dood, hè?'

'Ik doe alles wat ik kan om hem te helpen,' zei David, 'en daarnaast zijn er ook dingen die jij en je vrouw kunnen doen. Ik zal binnenkort een keer bij je langskomen om hierover te praten. Probeer er in de tussentijd op te letten dat hij zich houdt aan het dieet dat ik hem een paar maanden terug heb gegeven. Dat is belangrijk. En houd hem goed in de gaten. Ik weet dat het moeilijk is, omdat je het zo druk hebt, maar misschien kunnen je vrouw en kinderen daarbij helpen. Ik weet niet of het een goed idee is dat hij in zijn eentje nog ver van huis gaat.'

Noah knikte. 'Ik waardeer de manier waarop u voor hem zorgt, Doc. En het spijt me echt dat hij niet kan prediken op uw bruiloft. Maar hij kent die bisschop Schrock en zegt dat hij het vast prima zal doen.'

'Maak je maar geen zorgen over de bruiloft, Noah. Alles komt goed. Let jij nu maar op je vader.'

'Bedankt, Doc.'

David keek hem na terwijl hij wegreed en draaide zich toen om om terug naar binnen te gaan. Hij verspilde geen moment en ging naar Susan toe. Nu Isaac Graber er zelf over begonnen was, voelde hij zich vrij om de toestand van de bisschop met haar te bespreken – vertrouwelijk, natuurlijk.

Bovendien, aangezien dit invloed op hun bruiloft had, had ze het recht om te weten dat een andere bisschop hem zou vervangen. Op dit moment moest hij niet te lang stil blijven staan bij de gevolgen die dit voor de gemeenschap zou kunnen hebben. Later zou er nog voldoende tijd zijn om daar over na te denken.

Voor nu was het belangrijk om zijn gedachten bij Susan en hun naderende huwelijk te houden. Hij mocht zijn bezorgdheid over alle problemen waar de Amish op dit moment mee te kampen hadden, niet in de weg laten staan van Susan en het geluk dat ze bij elkaar hadden gevonden.

Maar ondanks dat voelde hij toch verdriet om de stervende Isaac Graber, een man die hij al jaren kende en behandelde. Hij was het niet altijd eens geweest met de bisschop, maar hij had hem altijd gerespecteerd.

Maar zo was het leven, nietwaar? Als arts had hij het in elk geval vaak gezien: God gaf gezondheid en geluk, maar hoewel het buiten het menselijk verstand om ging, stond Hij ook pijn en verdriet toe.

David was gaan geloven dat de beste manier om een leven te leiden waar de Heer voldoening in schepte en tegelijkertijd een van sereniteit en vrede, was door dankbaar te blijven voor alle dingen.

Toegegeven, dat was makkelijker gezegd dan gedaan. Maar één ding dat hij had geleerd en dat hij in zijn leven probeerde toe te passen, was: Gods genade eindigt nooit. In elke periode van het leven, in elk hart dat Hem kent, van Hem houdt en Hem wil dienen, is Gods genade.

35

DINGEN DIE BETER ONUITGESPROKEN KUNNEN BLIJVEN

Vertrouwen is een gevaarlijk koord
Maar iemand met respect en liefde
kan zich er veilig aan vastklampen.

ANONIEM

S usan schrok op toen er werd aangeklopt. Ze was nooit zo
nerveus geweest na zonsondergang, maar tegenwoordig was
ze op haar hoede. Bovendien wist ze zeker dat ze niet de enige
in de gemeenschap was die zich niet langer veilig voelde, zelfs niet in
haar eigen huis.

Niets was meer hetzelfde als vroeger. Hoewel ze zo goed mogelijk
hun best deden om hun eenvoudige manier van leven en harde werk
vol te houden, viel niet te ontkennen dat de problemen en zware
tijden die ze ervaren hadden, hun tol hadden geëist. Ze worstelde er
elke dag mee om niet toe te staan dat angst een belemmering ging
vormen voor het leven waarvan ze geloofde dat God het van haar
verlangde.

Fannie en haar pup waren vannacht bij Rachel, dus het was ongewoon stil in huis. Er brandden lampen in de keuken en in de voorkamer, maar toen er opnieuw werd aangeklopt, aarzelde ze evengoed voordat ze deur opendeed.

'Susan – ik ben het, David.'

Een golf van opluchting overspoelde haar bij het geluid van Davids stem. Snel deed ze de deur open om hem binnen te laten.

'David! Wat in vredesnaam... Is er iets aan de hand?'

Hij glimlachte van oor tot oor toen hij langs haar heen de voorkamer in stapte. 'Zie ik eruit alsof er iets aan de hand is?'

'Nou – nee, maar wat doe je hier?'

'Om eerlijk te zijn? Ik moest je gewoon zien.'

'Er *is* iets aan de hand...'

Hij trok haar naar zich toe. 'Nu ik erover nadenk, ik ben misschien een beetje gek. Dat doet liefde met een man, weet je.'

Susan staarde hem aan. 'David...'

Hij kuste haar hartstochtelijk om een einde aan al haar vragen te maken. 'Ik dacht dat we misschien een ritje in de wagen konden maken', zei hij. 'Ik heb gisteren mijn nieuwe Amish wagen opgehaald. Ik denk dat we hem uitproberen, jij niet?'

'Maar het is koud buiten...'

'Dat valt wel mee. Bovendien liggen er twee warme dekens in de wagen. We zullen het niet koud krijgen.' Hij zweeg even. 'Of wil je liever niet?'

'Nee, dat is het niet. Ik denk dat een ritje wel fijn zou zijn.'

Hij wreef in zijn handen. 'Mooi! Pak je jas dan maar.'

'Ja... goed.'

Hij zag haar aarzeling. 'Susan? Het is echt goed, hoor. Een verloofd stel mag best af en toe samen een ritje maken, toch?'

Ze bleef aarzelen. Hij gedroeg zich bijzonder vreemd. Wat was er in vredesnaam met hem gebeurd? David was meestal zo... voorzichtig.

'Bovendien,' ging hij verder, 'heb ik mijn geloften afgelegd. Ik ben bekeerd. Onze verloving is bekendgemaakt. We trouwen over minder dan twee weken. Is er nog enige reden dat we niet samen tijd zouden mogen doorbrengen?'

Eigenlijk kon Susan ook geen enkele reden bedenken, dus ging ze haar jas pakken.

Toen ze eenmaal in de wagen zat, legde hij een van de dekens om haar heen voordat hij zelf naast haar plaatsnam.

'Ik heb je gemist', zei hij terwijl hij instapte en ging zitten.

'Je hebt me twee dagen geleden nog gezien, David.'

'Maar vandaag nog niet. Daarom heb ik je gemist.' Hij boog zich naar haar toe en kuste haar op de wang.

'David! Vergeet niet dat je nu Amish bent. Wij tonen publiekelijk geen genegenheid.'

Hij keek op bijna lachwekkende manier om zich heen. 'Waar is dat "publiek" dan, Susan? Er is geen mens te bekennen.'

'Toch moeten we discreet zijn.'

'Laten we dat bewaren voor als er mensen in de buurt zijn. Dat is op dit moment niet het geval.' Hij kuste haar opnieuw op de wang, pakte toen de teugels, klakte met zijn tong naar het paard en begon te rijden.

Was hij niet raar vanavond?

❧

'Bevalt de wagen je?' vroeg David haar.

Susan keek hem aan. 'Hij is prachtig. Dus deze ga je ook gebruiken om huisbezoeken af te leggen?'

Hij knikte. 'Ik heb waarschijnlijk geen andere keuze. De bisschop zou waarschijnlijk fronsen om mijn *Englische* wagen.'

'O, vast en zeker. Daar had ik nog niet over nagedacht.'

'Over de bisschop gesproken, ik moet je iets vertellen.'

Hij informeerde haar over het bezoek van Noah Graber en het gesprek dat tussen hen had plaatsgevonden, waaronder de erkenning van de bisschop zelf dat hij zijn taken niet oneindig lang zou kunnen vervullen. Toen hij was uitgesproken, keek hij haar aan en zag dat ze haar hoofd schudde, duidelijk van streek.

'Het spijt me', zei hij. 'Je zou vast liever onze eigen bisschop op de bruiloft hebben. Van de andere kant ben ik blij dat bisschop Graber beseft dat hij een probleem heeft en dat onder ogen wil zien.'

'Natuurlijk ben ik teleurgesteld', zei Susan, terwijl ze zich naar hem toe draaide. 'Ik heb het gevoel alsof ik bisschop Graber al mijn hele leven ken. Hij was zelfs al bisschop toen ik met Amos trouwde. Maar ik maak me meer zorgen om *hem* – om wat er met hem gebeurt. Komt het nog goed met hem, David?'

Hij wachtte even met antwoorden en probeerde te bedenken wat hij kon zeggen zonder zijn boekje te buiten te gaan. Dit was Susan en hij vertrouwde haar volledig, maar daar ging het in feite niet om. De bisschop was zijn patiënt en dat alleen verdiende zijn geheimhouding al.

Plotseling legde Susan een hand op zijn arm. 'Het spijt me, David. Ik was het vergeten. Je mag eigenlijk niet over een patiënt praten, hè?'

Hij schudde zijn hoofd. 'Nee, en dank je wel voor je begrip, lieverd. Maar ik kan je dit wel vertellen, alleen tussen ons. Ik maak me grote zorgen over bisschop Graber. Ik heb andere patiënten met dezelfde symptomen behandeld en zoals ik al zei, ik ben bezorgd. Nee, ik reken er niet op dat hij nog vooruit zal gaan.' Hij zweeg even. 'Ik kan maar beter niet meer zeggen.'

'Dat is goed, David, ik begrijp het', zei ze, terwijl ze zijn arm bleef vasthouden. 'En ik zou niet willen dat je anders was.'

Hij wierp haar een blik toe en werd warm van binnen toen hij de zachte uitdrukking van liefde op haar gezicht zag. Hij wist niet meer dan een vaag gemompel uit te brengen.

'Ik denk dat ik je maar weer thuis moet brengen', zei hij uiteindelijk, hoewel hij de gedachte om afscheid te moeten nemen nu al vreselijk vond en zich opnieuw realiseerde hoe langzaam de komende dagen zouden verstrijken – vooral toen ze iets dichter tegen hem aan kwam zitten en haar hoofd op zijn schouder legde.

Ze reden enige tijd in stilte verder. Susans stem klonk aarzelend toen ze opnieuw het woord nam. 'David?'

'Ja?'

'Ik moet steeds maar denken aan wat bisschop Graber heeft gezegd, dat hij misschien niet veel langer als bisschop kan blijven functioneren.'

David knikte.

'Ga je dat aan kapitein Gant vertellen?'

Hij wierp haar een blik toe. 'Je weet dat ik dat niet kan doen.'

'Dus ik mag het er ook niet met Rachel over hebben?'

'Nee, Susan. Ik weet wat je denkt – een nieuwe bisschop zou voor hen van belang kunnen zijn, maar we mogen niet herhalen wat de bisschop heeft gezegd.' Hij wachtte en voegde er toen aan toe: 'En ik zou willen zeggen dat we er zelfs niet eens over na mogen denken. Wat gebeurt, gebeurt. Er is altijd een kans dat de bisschop herstelt…'

'Maar daar geloof je eigenlijk niet in', merkte ze op.

'Nee. Maar alleen God weet wat er zal gebeuren en het is niet aan ons om daarover te speculeren. Bovendien is Gant slim genoeg om zich te realiseren dat er iets aan de hand is als hij een andere bisschop op onze bruiloft ziet. En Rachel ook.'

'O, dat weet ik,' zei ze zachtjes, 'maar het is zo moeilijk om er niet over na te denken…'

Ze maakte haar zin niet af en een tijdlang hing er opnieuw een stilte tussen hen in. Ditmaal was David degene die het eerst sprak. 'Als het zo ver zou komen – als de bisschop *inderdaad* moet worden vervangen – hoe gaat dat dan in zijn werk? Wat gebeurt er dan?'

'Nou, een bisschop wordt door middel van het lot gekozen, net zoals voorgangers en diakenen. Voor de functie van bisschop zijn – in elk geval in onze gemeenschap – alleen voorgangers en diakenen beschikbaar.'

Hier dacht David over na. 'Dus dat houdt in dat het waarschijnlijk Abe Gingerich of Malachi… of Samuel Beiler zal worden.'

Susan keek hem niet aan toen ze antwoord gaf. '*Misschien* vindt men Samuel nog te jong. Van de andere kant staat hij in hoge achting bij de meeste gemeenschapsleden en hij is al een tijdlang diaken.' Ze stopte en haar stem was nauwelijks meer dan een fluistering toen ze zei: 'Hij is een goede diaken, dus waarschijnlijk zal hij betrokken worden bij het werpen van het lot.'

David sprak zijn gedachten niet hardop uit, maar hij stelde zich Samuel Beiler niet graag voor als bisschop – om meerdere redenen.

Toen drong het tot hem door dat, hoe dan ook, de ziekte van bisschop Isaac Graber uiteindelijk grote gevolgen zou hebben voor de gemeenschap – *zijn* gemeenschap.

En helemaal voor Rachel en Gant.

Met een zo neutraal mogelijke blik, wendde hij zich tot Susan. 'We moeten hier echt voor bidden, Susan.'

Ze keek hem onderzoekend aan en, alsof ze zijn gedachten had gelezen, knikte ze langzaam. 'Ja,' mompelde ze, 'dat weet ik.'

36

GEDACHTEN VOOR
EEN BRUILOFT

Als dagen gevuld zijn met pure vreugde,
Als wegen recht zijn en de zon straalt,
Wandelend in geloof en niet op eigen kracht,
Mogen zij één zijn in U.

WILLIAM VAUGHAN JENKINS

D e volgende ochtend reed David in zijn nieuwe wagen weg
om een van de leuke voorbereidingen van zijn bruiloft
uit te voeren – die van het 'oproepen' of uitnodigen van
degenen die welkom zouden zijn op de huwelijksreceptie. Iedereen
kon de ceremonie zelf bijwonen, maar een persoonlijke uitnodiging
was vereist voor de receptie.

Hij had al bericht gehad van zijn zoon Aaron dat hij en zijn
gezin niet bij de ceremonie aanwezig zouden zijn omdat zijn vrouw
inmiddels elk moment van een nieuwe baby kon bevallen. David was
teleurgesteld, maar Susan had ermee ingestemd om niet lang na de
bruiloft samen naar Baltimore te reizen om hen te bezoeken.

Vanmorgen zou hij uitnodigingen gaan overbrengen aan de gezamenlijke vrienden van Susan en hem. Zijn eerste bezoekje was aan Gants timmerwerkplaats in Riverhaven. Als een niet-Amish vriend kon Gant geen deel van de ceremonie uitmaken, maar David wilde dat hij erbij zou zijn en hoopte dat hij niet hoefde aan te dringen. De koppige Ier kon soms onvoorspelbaar zijn.

De werkplaats zelf was leeg toen hij binnenkwam, dus riep hij.

Even later verscheen Gant in de deuropening van het magazijn. David merkte dat hij er niet zo goed uitzag en dat hij ook ietwat afgeleid was. Zijn haar was bedekt met een laagje zaagsel en het schort van de timmerman zat vol olie- en verfvlekken.

Hij liep de werkplaats in en veegde zijn handen af aan een doek.

'Waarom ben jij zo vroeg op pad, Doc?'

'Ik ben altijd vroeg op pad. Meestal nog eerder dan jij, waarschijnlijk.'

'Ik dacht dat je je patiënten niet toestond om voor de middag ziek te worden.'

'Ha! Was dat maar zo. Hoe dan ook – ik ben gekomen om je uit te nodigen voor een bruiloft.'

'Dat werd tijd. Iemand die ik ken?'

'Wie weet. Wat dacht je van de gelukkigste man van het land en de knapste Amish weduwe die er maar bestaat?'

Gant grijnsde. 'O, *die* bruiloft. Natuurlijk, ik ben van de partij.'

Verbaasd keek David hem aan. 'Nou, dat ging makkelijker dan ik had verwacht.'

'Ik zou hem voor geen goud willen missen, Doc, als ik tenminste word toegelaten.'

'Eigenlijk kan iedereen naar de bruiloft komen...' begon David uit te leggen.

'Zelfs een Ier met een twijfelachtige reputatie?'

'Zelfs zo iemand. Maar je moet je natuurlijk wel eerst een beetje opfrissen.'

'Ik zal het doen. Mijn erewoord, ik zal je niet voor schut zetten.'

Toen versomberde Gants gezicht. 'Serieus, Doc – is het echt geen probleem? Zelfs niet voor de bisschop?'

David probeerde zijn blik neutraal te houden. 'O, in vredesnaam, man. Nee, het is geen probleem! Ik wil je erbij hebben en Susan ook.' Hij zweeg even. 'En ik weet zeker dat dat ook voor Rachel en Fannie geldt.'

Gant keek hem aan, maar zei niets.

'Maar goed, je zult niet de enige *Englischer* zijn', zei David kortdaad. 'Schrijf op – de bruiloft is op de negende, negen uur precies.'

'In de *ochtend?*'

David lachte. 'In de ochtend.'

Gant trok een gezicht. 'Dat is geen fatsoenlijke tijd.'

'Dat ben ik met je eens, maar je moet niet vergeten dat Amish bruiloften een paar uur duren.'

'Een paar *uur?*'

David grinnikte opnieuw. 'Ik ben bang van wel. Je kunt jezelf amuseren door te proberen om erachter te komen wat al dat Duitse gepredik precies betekent.'

Gant kreunde. 'Doc, weet je echt zeker dat je dit wilt?'

'Ik ben nog nooit eerder in mijn leven ergens zo zeker van geweest', zei hij terwijl hij naar de deur liep. 'Ik moet er weer vandoor, ik heb beloofd Susan te helpen de veranda en de stallen vanmiddag nog te schilderen.'

Gant schudde zijn hoofd. 'Dit is triest. Heel triest.'

'Een daad van liefde, mijn vriend', kaatste David terug terwijl hij zijn hoed opzette en de deur opendeed. 'En bovendien mag ik ook helpen om de kippen te slachten voor het bruiloftsmaal.'

Gant stond voor de werkplaats en keek toe hoe Doc in zijn Amish wagen, die nog steeds blonk in het zonlicht, wegreed. Onwillekeurig vroeg hij zich af in hoeverre er iets zou gaan veranderen tussen hem en zijn vriend.

Het was een onwaarschijnlijke vriend, deze Britse dokter die zijn leven had gered. Bijna van het begin af aan was er geen spoortje geweest van de eeuwenoude vijandschap tussen de Hooglanders en de Britten. De vriendschap die tussen hen was ontstaan – en hen beiden had verrast – leek gebaseerd te zijn op wederzijds respect en acceptatie van elkaars verschillen.

Gant vroeg zich af waarom dat wel voor individuen kon gelden, maar niet voor hele volken.

Hij zuchtte. Hij had niet de energie – en zeker niet de tijd – om vandaag over dat soort dingen te speculeren. Er waren bestellingen die afgemaakt moesten worden en daarnaast was hij nog bezig aan een huwelijksgeschenk voor Doc en Susan. Daar was hij toevallig zelfs net mee bezig geweest toen Doc de werkplaats binnenkwam. Hij had het haastig moeten verbergen en snel naar de werkplaats moeten rennen voordat Doc naar het magazijn kwam.

Hij zou alles doen wat mogelijk was om het geschenk voor de bruiloft af te hebben. Gideons vertrek met Asa en daarna het vertrek van Terry Sawyer had zijn leven aanzienlijk bemoeilijkt – in elk geval in zakelijk opzicht. Hij zou blij zijn als Gideon weer terug was en hoopte dat dat niet lang meer zou duren, zowel in zijn eigen belang als dat van Susan. Het was begrijpelijk dat ze haar zoon thuis wilde hebben voor de bruiloft.

Zijn gedachten aan het huwelijksgeschenk voor Doc en Susan herinnerden hem aan het andere 'bijzondere geschenk' waar hij mee bezig was, de bestelling van Samuel Beiler voor Rachels verjaardag.

Hij kreeg een bittere smaak in zijn mond bij de gedachte daaraan. Alles in hem kwam in opstand bij het idee dat Beiler het recht had om Rachel ook maar *iets* te geven, laat staan een geschenk dat Gant zelf had gemaakt. Hij wilde nu dat hij gewoon geweigerd had om een dressoir voor Rachel te maken.

Wat bezielde hem eigenlijk toen hij op Beilers bluf was ingegaan? Zo had het op dat moment in elk geval gevoeld. Was het trots, wrok of gewoon Ierse koppigheid? Beiler was zo zelfingenomen geweest toen hij Gant vertelde wat hij wilde en hij leek Gants eerste terughoudendheid zelfs leuk te hebben gevonden. Waarom had hij zijn trots niet gewoon ingeslikt en de man weggestuurd zonder het idee zelfs maar te overwegen? Maar nee, hij had de verleiding niet kunnen weerstaan om de Amish diaken te sarren door wat naar zijn mening een opzettelijke uitdaging was, aan te nemen. Hij moest hem een stap voor zijn om de blik van verbazing op zijn gezicht te zien.

Maar nu was hij verplicht om iets te maken dat Beiler ongetwijfeld geliefder zou maken bij Rachel, terwijl hij de man eigenlijk uit haar leven wilde hebben.

Verafschuwd over zichzelf haalde hij diep adem en ging weer naar binnen. Hij had het zo druk dat er geen tijd was om te verspillen aan zinloze wensen.

Als wensen vissen zouden zijn, dan zou elke gek netten uitwerpen.

❧

Rachel legde de laatste hand aan het vogelhuisje dat ze als huwelijksgeschenk voor mama en dokter David aan het maken was. Ze bracht zichzelf in herinnering niet te veel trots in haar werk te scheppen, maar toch moest ze wel glimlachen bij de aanblik van de witte muren, de kleine blauwe veranda, het bewerkelijke dak met de kleine houten dakpannen en de hartvormige openingen die ze als ramen had gemaakt.

Zoals ze het in zichzelf zei, was het een prima geschenk voor een pasgetrouwd stel.

Ze had gewild dat het bijzonder zou zijn. Het leek haar blijdschap te weerspiegelen voor haar moeder en dokter David, zoals ze hem was gaan noemen, in overeenstemming met Fannies naam voor haar nieuwe stiefvader. Mama straalde de laatste tijd van geluk en dokter David was bijna grappig – op een lieve manier – als hij haar moeder zwijmelend aankeek.

Ze pasten zo goed bij elkaar! Al hun vrienden en buren zeiden het ook. Het leek erop dat iedereen hen niets anders dan het allerbeste wenste. Maar waarom zouden ze dat ook niet doen? Mama was altijd in de weer voor anderen, hielp altijd als ze kon en gaf zelfs bemoedigingen en praktische adviezen aan jongere vrouwen die haar om raad kwamen vragen. Ze was zeer geliefd in de gemeenschap.

En dokter David – zijn goedheid voor de gemeenschap was onmetelijk. Jarenlang had hij zijn tijd, energie en medische vaardigheden opgeofferd voor de Amish van Riverhaven. Hij was een loyale vriend en een zegen voor hen geweest, lang voordat hij en mama hadden besloten om te trouwen.

De bruiloft zou worden gehouden in mama's huis, waar zij en dokter David zouden gaan wonen. Het zou een groot feest worden. Bijna alle Amish zouden ongetwijfeld aanwezig zijn, evenals sommige van hun *Englische* vrienden. Rachel en Fannie hadden al beloofd, samen met Sally Gingerich en Emma Knepp, om te helpen het huis, enkele dagen voor de ceremonie, van boven tot onder schoon te maken.

In deze tijd voelden ze allemaal het gemis van Phoebe. Mama had meer dan eens tranen in haar ogen gehad als ze zei hoe erg ze Phoebe miste en hoe graag ze zou willen dat haar vriendin erbij had kunnen zijn om deze gezegende dagen met hen te delen.

Rachel miste haar ook, maar vond troost in het besef dat, hoezeer Phoebe er ook van zou hebben genoten om in deze tijd van vreugde bij hen te zijn geweest, ze nu feest vierde in de hemel. Alle pijn en angst die ze had gehad tijdens wat haar was aangedaan, was nu weggenomen. Ze was weer heel en vervuld met vrede.

Zij en mama spraken hier de laatste tijd vaak over. Mama las Phoebes Bijbel en in het bijzonder, zo had ze Rachel verteld, de teksten die haar vriendin had onderstreept – teksten die te maken hadden met Gods genade en de redding die voor hen allen beschikbaar was door die genade.

Rachel merkte dat haar moeder nog steeds twijfelde aan wat Phoebe – en Rachel zelf – was gaan geloven over de zekerheid van Gods redding, maar ze zag dat haar moeder langzaam zelf over die dingen na begon te denken en ervoor bad. Ze was ervan overtuigd dat, nog meer dan alle gesprekken die ze in de afgelopen maanden over dit onderwerp hadden gehad, die onderstreepte Bijbelverzen haar moeder de waarheid zouden doen inzien.

Terwijl ze voorzichtig het vogelhuisje neerzette om te drogen, vroeg ze zich, niet voor het eerst, af of Jeremiah naar de bruiloft zou komen. Ze was er bijna zeker van dat dokter David hem had uitgenodigd, aangezien ze zulke goede vrienden waren. Hoe zou het zijn om hem in het huis van haar moeder te zien, te midden van de Amish? Hij was inmiddels een vriend van velen, ook al hoorde hij niet bij hen.

Ze twijfelde er niet aan dat het moeilijk zou zijn. Het was altijd moeilijk om bij hem in de buurt te zijn terwijl ze alle intimiteit moest vermijden. Toch verlangde ze ernaar om hem te zien, vooral op zo'n belangrijke dag.

Er was een tijd geweest dat Rachel had gedroomd over een bruiloft van henzelf, maar daar was een einde aan gekomen toen de bisschop had geweigerd Jeremiahs bekering goed te keuren. Het had haar hart gebroken. Hoewel ze elkaar maar zelden zagen en ondanks dat het verboden was om te trouwen, hield iets hen bij elkaar. Nog steeds was er een band tussen hen die tijd en afstand nooit hadden kunnen beïnvloeden.

Ze hield nog steeds van hem. En als ze zich niet enorm vergiste, zag ze ook liefde in zijn ogen als hij naar haar keek. Maar ondanks dat had ze gevochten tegen de drang om te bidden dat de Here God de bisschop van gedachten zou laten veranderen. Om eerlijk te zijn, kwam ze geregeld in de verleiding om te smeken om die genade, maar in plaats daarvan bad ze voor Jeremiahs bestwil, voor zijn geluk. Ze bad dat hij liefde zou vinden en dat hij op een dag een eigen gezin zou hebben.

Voor zichzelf bad ze tegenwoordig om vrede, voor de acceptatie van Gods wil en de genade om ermee te leven.

Op de een of andere manier, nu ze met haar hele hart geloofde dat God haar – *gratis* – Zijn liefde en Zijn redding had gegeven, leek het eenvoudigweg niet juist om meer te vragen.

37

SAMEN OP ÉÉN PLAATS

Als ik denk aan waar de glorie van een mens meestal begint en eindigt,
Dan zeg ik dat mijn glorie was dat ik zulke vrienden had.

W.B. YEATS

Op de vroege ochtend van haar trouwdag besefte Susan tot haar verbazing dat ze lang niet zo *naerfich* was als ze had verwacht.

O, haar maag rommelde wel, maar dat gebeurde altijd bij speciale gebeurtenissen. Ze had gedacht dat ze juist op deze dag een en al zenuwen zou zijn, maar in werkelijkheid was ze vooral van streek omdat Gideon nog niet thuis was voor de bruiloft.

Ze had zo gehoopt dat hij erbij zou zijn. Maar het belangrijkste was dat hem niets overkwam en volgens het laatste bericht dat kapitein Gant had gehad, was alles goed met zowel haar zoon als Asa.

Ze moest zien te voorkomen dat haar teleurstelling over Gideons afwezigheid de dag voor haar en David zou verpesten. Ze kon slechts bidden voor zijn veiligheid en vertrouwen op de geruststelling die David haar meer dan eens had gegeven dat Gideon nergens in betere handen kon zijn dan in die van kapitein Gants vriend Asa. En David bleef haar er ook aan herinneren dat haar zoon nu een man was en geen kind meer. Hij had geen 'beschermer' nodig.

Misschien niet, maar ze zou pas helemaal gerust zijn als ze hem weer gezond en wel voor zich zag staan.

Ze begon aan een snelle inspectie van het huis en bleef in de slaapkamer staan om het huwelijksgeschenk dat kapitein Gant de vorige avond had gebracht, nogmaals te bewonderen – een bewerkelijk versierde houten kist. De kapitein had 'David en Susan Sebastian, 9 november 1856' in het deksel uitgesneden. Wat een prachtig geschenk! God zegene hem. De kapitein had zich vreemd gedragen toen hij het haar had gegeven, totdat hij uiteindelijk begon te beseffen dat ze echt verstomd was door zijn prachtige, attente geschenk.

Terwijl ze verder liep, probeerde ze extra zachtjes te doen. Rachel was blijven logeren en zij en Fannie sliepen nog. Het huis had er nog nooit zo *gut* uitgezien. Er waren in de afgelopen dagen zoveel vriendinnen gekomen om haar te helpen met schoonmaken en poetsen voor de ceremonie. Rachel had haar huis aangeboden voor de bruiloft, maar Susan wilde dolgraag hier trouwen, in het huis waar ze al jaren woonde en waarin ze haar kinderen had zien opgroeien. Bovendien was hier meer ruimte – en die hadden ze waarschijnlijk hard nodig.

Er rolden enkele tranen over haar wangen toen ze door het huis liep en uiteindelijk in de keuken terechtkwam. Gedachten aan de jaren toen de kinderen nog klein waren en alle gelukkige momenten die ze binnen deze muren had gekend, overspoelden haar. Wat was ze gezegend! Amos was een goede en attente man geweest. Haar kinderen waren sterk en gezond, stuk voor stuk, en hadden alles gedaan wat ze konden om na de dood van hun vader op de boerderij bij te springen. Zelfs Fannie hielp nog steeds een handje, hoe jong ze ook was, door het doen van haar eigen klussen en Susan tegelijkertijd vreugde te geven met haar levendige, opgewekte aard.

God had haar een geweldig leven gegeven en schonk haar nu nog meer door haar een tweede liefde te geven met een goede, eerzame man. Ze verdiende de geschenken die ze kreeg niet. Phoebe zou haar er ongetwijfeld aan hebben herinnerd – evenals Rachel tegenwoordig – dat Gods genade en Zijn zegeningen altijd onverdiend waren, dat *hun* aandeel was om Zijn geschenken te accepteren en Hem te danken, niet alleen met woorden uit haar mond, maar ook door haar manier van leven.

Er kwam een abrupt einde aan haar gedachten toen iemand op de keukendeur klopte. Ze sprong op van schrik en liep naar het achterraam om naar buiten te kijken. Ze zag een wagen achter het huis staan, maar het was nog te donker om te zien wie erin zat.

Met ingehouden adem en bevende handen ging ze naar de deur. Tegelijkertijd werd er opnieuw aangeklopt. 'Wie is daar?'

'Ik ben het, mamm.'

Gideon!

Susan zwaaide de deur met zoveel kracht open dat de muren ervan leken te trillen.

Daar stond haar zoon, grijnzend van oor tot oor. Zijn gezicht was smerig, zijn kleding verfomfaaid en zijn blik vermoeid. Maar wat zag hij er geweldig *gut* uit!

Ze was zich nauwelijks bewust van het feit dat de wagen weer wegreed toen Gideon binnenkwam en zijn armen om haar heen sloeg.

'Ik zei toch dat ik op tijd terug zou zijn voor de bruiloft', zei hij.

Susan lachte en huilde tegelijkertijd en knuffelde haar zoon totdat ze allebei los moesten laten om te kunnen ademhalen.

'Is alles goed met je?'

'Prima, mamm. Helemaal gezond. En Asa ook. Hij heeft mij eerst afgezet voordat hij naar Riverhaven ging.'

'Je ziet er verschrikkelijk moe uit, zoon.'

Hij lachte. 'Maakt u zich niet druk, mamm. Met mij is *echt* alles goed. Ik dacht dat u hier misschien nog wel wat van mijn Amish kleding had liggen', zei hij. 'Zoals u ziet moet ik me nog wel opfrissen voor de bruiloft.'

'Natuurlijk heb ik je kleren nog', wist ze met moeite uit te brengen. 'Ik hoopte al dat je ze uiteindelijk terug zou willen.'

Hij stak een hand op. 'Nee, mamm, het is alleen voor vandaag', zei hij zachtjes. 'Ik vind dat uw trouwdag bijzonder zou moeten zijn en vol vreugde.'

Susan pakte zijn schouders beet. 'En dat is het nu, zoon! En dat is het *nu*.'

❧

In een van de slaapkamers op de eerste verdieping zaten David en Susan op twee leunstoelen en kregen ze hun huwelijksadvies en bemoediging van bisschop Schrock.

Af en toe moest David wel naar Susan gluren en telkens als hij dat deed, moest hij naar adem happen. En waarom ook niet? Ze was adembenemend in haar hemelsblauwe jurk en sneeuwwitte schort. Hij ving haar blik en knipoogde, waarna hij genoot van haar geschrokken blik en de lichte blos die over haar zachte wangen kroop.

En toen was het tijd om naar beneden te gaan en plaats te nemen. Nadat de Amish een gedeelte van het 'Lob Lied' uit de *Ausbound* – het Amish gezangenboek – hadden gezongen, hield Samuel Beiler, hun enige diaken, plechtig de eerste preek van de ceremonie in het Duits.

David deed zijn best om zijn persoonlijke bedenkingen over Beiler uit zijn hoofd te zetten, hetgeen makkelijker was dan hij had gedacht, aangezien hij worstelde om het Duits te volgen. Zijn nieuwe tweede taal was nog steeds een uitdaging voor hem, vooral wanneer het lange conversaties waren. Hij moest goed opletten om elk woord te kunnen begrijpen.

Voordat ze neerknielden voor een stil gebed, gleed zijn blik langs de bruiloftsgasten. Susans hele familie, inclusief Gideon, was aanwezig. Ook haar vrienden en buren – Malachi Esch en zijn zoons, Abe Gingerich en zijn gezin en vele anderen – waren er. Daarnaast woonde een aantal van Davids patiënten de ceremonie bij.

Hij wierp een blik op Gideon, ietwat geamuseerd over de manier waarop Susans zoon zijn blik niet van het meisje van Knepp kon afwenden. *Interessant.*

Het huis was overvol. Het leek erop alsof bijna de hele Amish gemeenschap vandaag was komen opdagen. Susan was vast blij bij de aanblik van zoveel mensen die bijeengekomen waren om hun bruiloft met hen te vieren.

En Gant was er ook, ongewoon formeel gekleed in een donker pak met stropdas, achterin bij de andere *Englische* buren en vrienden. De ogen van zijn Ierse vriend leken zich los te kunnen maken van de achterkant van Rachels hoofd, afgezien van een moment waarop hij Davids blik beantwoordde en hem een korte, jongensachtige grijns toewierp.

Toen ze enkele minuten na de preek van de diaken voor een stil gebed neerknielden, besefte David dat hij tranen in zijn ogen had. Hij werd overweldigd door emoties – liefde voor Susan, waardering voor haar familie en hun vrienden en grote dankbaarheid jegens zijn Heer en Redder.

'Uw zegen ruste op Uw kinderen…'

Bisschop Schrock hield de hoofdpreek, waarna hij David en Susan wenkte om naar voren te komen om hun antwoorden te horen op de vragen die hij stelde. Toen verklaarde hij hen tot man en vrouw.

Het was een gezegend moment – een heilig moment – en zowel de bruid als de bruidegom verwelkomde het met tranen in de ogen.

❧

Gant was nog nooit op een bruiloft als deze aanwezig geweest. Er waren geen bloemen en geen versieringen behalve de eenvoudige lieflijkheid van het huis van de bruid – en de bruid zelf. Er was geen muziek behalve de a capella gezongen liederen – zelfs geen viool. Zijn Ierse landgenoten zouden er schande van hebben gesproken.

En toch was het perfect – een perfecte bruiloft voor twee heel bijzondere mensen. Hij glimlachte en merkte dat hij zich een beetje weemoedig voelde toen hij Susans tranen en Docs roodomrande ogen zag. Zelfs vanuit de achterkant van de kamer voelde hij de emoties van zijn vriend toen de ceremonie ten einde liep.

Trouwens, hij moest zijn eigen ogen ook deppen. En *dat* was nog nooit gebeurd op enige bruiloft die hij zich kon herinneren.

Ja, het was een perfecte dag en hij was blij voor hen. Maar één vraag knaagde aan hem vanaf het moment dat hij zich bewust was geworden van de afwezigheid van bisschop Graber. Een andere bisschop die deze bruiloft leidde, was iets bijzonders. Hij zou denken dat Doc en Susan erop zouden staan om door hun eigen bisschop getrouwd te worden. Hij kon niet geloven dat ze zouden hebben ingestemd met een plotselinge verandering als er niet een of ander noodgeval was geweest. Hij besloot Doc er later naar te vragen.

Toen realiseerde hij zich dat de ceremonie was afgelopen. Hij stond op en liep, samen met de andere gasten, naar de achtertuin, waar tafels en banken waren neergezet voor het bruiloftsmaal.

❧

Omdat het november was, was het fris buiten. Maar de zon verlichtte de herfstlucht met haar stralende gloed en niemand leek de kou op te merken.

Gant liep naar de bruid en bruidegom om hen te feliciteren, terwijl hij zijn best deed om niet te letten op de manier waarop Samuel Beiler om Rachel heen hing en hoe zijn normaal zo strenge gezicht bijna zacht werd van de genegenheid voor haar. Tot zijn schaamte was hij blij toen hij zag hoe Rachel Samuel uit de weg ging. Ze leek haar blik zelfs opzettelijk van hem afgewend te houden en hij dacht niet dat hij het zich inbeeldde dat ze telkens achteruitdeinsde als Beiler dichter bij haar probeerde te komen.

Het was echter duidelijk dat de Amish diaken de hints niet oppikte.

Beiler leek vastbesloten te zijn om haar constant te volgen, waardoor Gant zo tandenknarste dat zijn kaken er zeer van deden. Borden en schalen en emmers voedsel werden uit het huis naar buiten gebracht en op de tafels neergezet, die al snel stampvol stonden. Nog nooit in zijn leven had Gant zoveel eten op een plaats gezien! De aanblik van de overvloed bracht hem in de verleiding om zich bij de anderen te voegen en aan het feestmaal deel te nemen, maar hij voelde zich er eenvoudigweg niet bij op zijn gemak. Hij had nog steeds sterk het gevoel dat hij een *buitenstaander* in hun midden was.

Hij wierp een blik op David en Susan, zag hoe ze omringd werden door mensen die hen gelukwensten, zag hoe Rachel nog steeds op de voet gevolgd werd door Beiler en begon weg te lopen, zwaar leunend op zijn stok.

Aan de rand van de tuin werd hij tegengehouden door Fannie Kanagy, die naar hem toe holde en hem bij zijn mouw pakte.

'U gaat toch niet weg, kapitein Gant?'

'Ik ben bang van wel, mejuffrouw Fannie. Ik heb nog veel te doen vandaag.'

'U kunt *nu* niet gaan!' hield ze vol. 'U wilt toch niet dat de mensen denken dat u *rilpsich* bent?'

'En wat betekent dat – *rilpsich?*'

Ze fronste naar hem. 'Het betekent *onbeleefd*', antwoordde ze. 'U hoort te blijven eten.'

Gant maakte een weids gebaar met zijn arm. 'Kijk eens naar al die mensen, mejuffrouw Fannie. Niemand zal merken dat ik weg ben.'

'*Ik* wel', zei een zachte stem achter hem.

Epiloog

Een sprankje hoop

Allen die uw hoop vestigt op de Heer:
wees sterk en houd moed.

Psalm 31:25

'Ik wel...'
Gant draaide zich met een ruk om en zag Rachel achter hem staan. Ze keek hem aan en wierp toen een blik op haar zusje. 'Fannie, ik wil graag even met kapitein Gant praten. Wil jij gaan kijken of er nog hulp in de keuken nodig is voordat we gaan eten?'

Fannie keek van de een naar de ander, haalde haar schouders op en rende naar het huis.

'Rachel...'

Gant staarde haar aan, duizelig door haar nabijheid. Volledig van zijn stuk gebracht door haar aanwezigheid, haar woorden en de manier waarop ze hem aankeek, voelde hij zich als aan de grond genageld.

'Blijf alsjeblieft, Jeremiah. Mama en dokter David zouden willen dat je deelneemt aan hun bruiloftsmaal.' Ze zweeg even, maar bleef hem aankijken. 'En ik ook.'

Gant probeerde zichzelf wanhopig een houding te geven. 'Ik…
dacht dat het beter zou zijn als ik wegging', zei hij.

Ze glimlachte naar hem, alsof ze zijn verwarring en ongemak
aanvoelde. 'Je wilt toch geen preek van dokter David, hè?'

Gant keek haar onderzoekend aan en ten slotte lukte het hem om
weer adem te halen. 'Ik kan Doc wel aan. Hij bluft, hoor.'

Hij aarzelde en probeerde iets zinnigs te bedenken om te zeggen,
hoe vreemd dat ook was. 'Het was echt een mooie bruiloft. Daar heb
jij vast een grote rol in gespeeld.'

'Niet echt', zei ze. 'Er is niet veel voorbereiding nodig voor
Amish bruiloften. Ik heb gehoord dat *Englische* ceremonies… meer
bewerkelijk zijn.'

Gant trok een gezicht. 'Ik denk dat veel ervan onzinnig is.'

Ze lachte en hij glimlachte onwillekeurig. Het was zo fijn om haar
zo dichtbij te hebben en haar te horen praten en lachen. Op de een
of andere manier leek het… zo te horen.

Hoewel hij wist dat het *niet* zo hoorde.

'Ze zullen gelukkig worden', zei Gant. 'Doc en je moeder.'

Haar glimlach werd nog stralender. 'O, dat weet ik wel zeker! Ze
zijn zo – goed voor elkaar. Ze kennen elkaar tenslotte al jaren. Mama
zei gisteravond nog dat ze met haar beste vriend trouwt.' Ze zweeg
even. 'Afgezien van Phoebe, natuurlijk…'

Gant knikte. 'Ik begrijp wat je bedoelt. Jij zult Phoebe ook wel
missen. Jullie waren tenslotte ook goede vriendinnen.'

'Ik mis haar ook. Heel erg.' Ze keek naar hem op. 'Ik mis jou ook,
Jeremiah. Wij zijn ook vrienden.'

'We zijn nog steeds vrienden, Rachel', wist Gant uit te brengen.

Ze keek hem onderzoekend aan, alsof ze iets zocht. 'Echt waar?'

Impulsief boog hij zich naar haar toe om haar hand te pakken,
maar stopte. 'Ja, Rachel. Echt waar.'

'Ik dacht… Er is iets wat je moet weten.' Ze zweeg even. Haar
volgende woorden stroomden over haar lippen, als knikkers die
uit een pot vielen. 'De bisschop – bisschop Graber – zal misschien

binnenkort zijn ambt moeten neerleggen.'

Gant staarde haar aan en plotseling werd zijn keel droog. 'Wat... waarom?'

'Hij is ziek. Ik hoorde het gisteravond pas. Ik zou niets mogen zeggen, maar aangezien je hier vandaag op de bruiloft bent en zelf hebt gezien dat hij er niet is, wist ik dat je je zou afvragen...'

Gant knikte. Allerlei gedachten schoten door zijn hoofd. 'Die andere man...'

'Bisschop Schrock', vulde ze aan.

'Ja. Gaat hij de plaats van bisschop Graber innemen?'

'Nee. Hij is alleen vandaag gekomen om in te vallen. Bisschop Graber voelde zich niet goed genoeg om het zelf te doen. Als het noodzakelijk wordt, zal de volgende bisschop uit onze eigen gemeenschap worden gekozen.'

'Rachel...'

Ze ging verder alsof ze hem niet had gehoord. '*Als* bisschop Graber zijn ambt neerlegt, zal er door middel van het lot een nieuwe bisschop worden gekozen. Er zijn drie mannen in onze gemeenschap die beschikbaar zijn – onze voorgangers, Abe Gingerich en Malachi Esch, en onze diaken... Samuel Beiler.'

Gant haalde diep adem en antwoordde niet. Hij kon haar alleen maar aanstaren. Hij had het gevoel alsof de grond onder zijn voeten wegzakte. Hij wist net zo goed als zij wat dit inhield. In elk geval een kans.

Afhankelijk van de man.

Hij proefde bijna de hoop die in hem opkwam, maar toch wist hij dat het ook het *einde* van alle hoop kon betekenen.

Afhankelijk van de man.

Hij was zich ervan bewust dat zijn handen trilden. Om eerlijk te zijn voelde zijn hele lichaam beverig, alsof hij elk moment kon instorten.

In plaats daarvan balde hij zijn vuisten, klemde zijn kaken op elkaar en dwong zichzelf een houding aan te nemen waarvan hij wist dat die hem elk ogenblik zou kunnen verraden.

'Je zegt toch niets – tegen niemand?' vroeg Rachel.

Gant schudde zijn hoofd. 'Nee. Tegen niemand. Maar Rachel…'

Ze keek hem aan, schudde haar hoofd en legde een vinger op haar lippen. 'We moeten er niet meer over praten. We kunnen niets anders doen dan bidden.'

'*Hoe* bid je voor iets als dit, Rachel? Vertel me dat. Vertel me *hoe* – dan zal ik ook bidden', zei hij. Hij voelde zich opgelaten bij zijn woorden, maar ze waren oprecht. 'Waar vraag je om?'

Terwijl hij toekeek, kreeg ze een ernstige uitdrukking op haar gezicht. 'Je vraagt om Gods keuze, Jeremiah. Gods keuze… en de genade om Zijn beslissing te aanvaarden.'

Toen werd haar blik weer vrolijker, levendig zelfs. Ze hief een hand bij wijze van uitnodiging. 'En nu vraag ik je opnieuw – kom en deel het bruiloftsmaal met ons. Alsjeblieft. Een vriend onder vrienden.'

Gant aarzelde. Nog een ogenblik liet hij de lieflijkheid van haar gezicht op zich inwerken en toen volgde hij haar.

Discussievragen

1 In het begin van het verhaal noemt Gant de regels van de Amish broederraad 'manipulatie'. Hij lijkt te geloven dat deze regels in het leven geroepen zijn om te voorkomen dat de Amish worden aangetast door 'wereldse invloeden' van de English (niet-Amish). Wat vind jij van deze regels? Ben je het met Gant eens? Zijn ze een vorm van manipulatie of wat is het voornaamste doel ervan?

2 Wanneer Gant Rachel vertelt over de weigering van de bisschop om hem toe te staan zich te bekeren – waardoor het voor hen onmogelijk wordt om te trouwen – lijkt zij die beslissing als het laatste woord over het onderwerp te accepteren en zegt ze tegen Gant dat ze niet tegen de bisschop in kan gaan. Zou jij dat kunnen? Als jouw kerk van je zou vereisen dat je elke hoop om te trouwen met degene van wie je houdt, opgaf of dat je afstand nam van een geliefde, zelfs een familielid, zou je dan kunnen gehoorzamen, of zou je meer geneigd zijn om uit je kerk te stappen?

3 Rachel en haar moeder, Susan, hebben verschillende zienswijzen op de zekerheid van de behoudenis, waaruit de vraag van Rachel voortkomt: 'Denk je echt dat het zo verkeerd is om vragen te hebben over Gods wil voor ons? Denk je niet dat Hij zou *willen* dat we Zijn leer begrijpen?' Hoe zou *jij* die vraag beantwoorden?

4 Wat was volgens jou het doel van Gants speciale geschenk aan Rachels jongere zusje Fannie?

5 Waarom leken Gant en Asa verbaasd dat Gideon de afwas deed? Wat is de normale werkverdeling onder Amish mannen en vrouwen? Wat vind jij hiervan? Is de rolverdeling van wie wat doet in jouw gezin duidelijk? Werkt dat systeem goed voor jou

en je gezin?

6 Wat is volgens jou Gants motivatie om weggelopen slaven te helpen via de Ondergrondse Spoorweg? Wat zet hem ertoe aan zijn eigen vrijheid op het spel te zetten om anderen te helpen *hun* vrijheid te verkrijgen?

7 Pesterijen, vervolging en onderdrukking hebben de Amish altijd en overal geteisterd. Wat is volgens jou de oorzaak van deze mishandelingen? Kun je hun ervaringen in verband brengen met andere religies of etnische groeperingen?

8 Wat vindt Gant van de Amish van Riverhaven? Wat ziet hij in hen en hun gemeenschap waar hij heimelijk in zijn eigen leven naar verlangt?

9 Wat was je eerste indruk van Terry Sawyer, de nieuweling in Riverhaven? Veranderde je mening naarmate het verhaal vorderde? Zo ja, waarom?

10 We vinden ervaringen die buiten onze 'comfort zone' vallen vaak moeilijk te verdragen. De vlucht naar het noorden omvatte weinig 'comfort' voor de weggelopen slaven. Hun voornaamste zorg en de bron van hun moed had blijkbaar met vrijheid te maken. Wat zou jou motiveren om zulke angstaanjagende gebeurtenissen, zulk gevaar en ongemak, waaraan de weggelopen slaven die zo wanhopig naar het noorden wilden, zich onderwierpen, te doorstaan?

11 Wat was het eerste teken voor sommige Amish – waaronder Rachel en haar moeder – dat er wellicht iets mis was met de bisschop? Dokter Sebastian maakte zich ook zorgen, maar wat is de reden dat ze het mogelijke probleem liever niet wilden bespreken?

12 Hoeveel Gant en Rachel ook van elkaar hielden en samen wilden zijn, hun gebeden voor elkaar namen vaak een andere wending. Wat is volgens jou de oorzaak daarvan?